dobrzy ludzie

Nakładem Wydawnictwa Sonia Draga
ukazały się następujące książki tego autora:

Na ostrzu, 2008
Na krańcach miasta, 2010

MARCUS
SAKEY

dobrzy ludzie

Z języka angielskiego przełożył
Jacek Mikołajczyk

Tytuł oryginału:
GOOD PEOPLE

Projekt okładki: Wydawnictwo Sonia Draga
Zdjęcie na okładce: © iStockphoto/ DNY59

Redakcja: Mariusz Kulan
Korekta: Joanna Rodkiewicz, Magdalena Bargłowska

ISBN: 978-83-7508-265-4

Sprzedaż wysyłkowa:
www.merlin.com.pl
www.empik.com
www.soniadraga.pl

WYDAWNICTWO SONIA DRAGA Sp. z o. o.
Pl. Grunwaldzki 8-10, 40-950 Katowice
tel. (32) 782 64 77, fax (32) 253 77 28
e-mail: info@soniadraga.pl
www.soniadraga.pl

Skład i łamanie:
DT Studio s.c., tel. 032 720 28 78, fax 032 209 82 25

Katowice 2010. Wydanie I

Drukarnia:
ABEDIK S.A; Poznań

Dla g.g. – masz najlepszy śmiech na świecie!

24 KWIETNIA 2006

1

TEN UŚMIECH BYŁ SŁAWNY. Jack Witkowski nie należał do jego wielkich fanów, ale te zęby oglądał tysiące razy. Błyszczały w kolejkach do kas w supermarketach, połyskiwały z okładek setek czasopism. Po pewnym czasie w naturalny sposób oddzielało się mentalnie uśmiech od jego właściciela, a gdy się patrzyło, jak ten ostatni zatrzymuje się na schodach prowadzących do klubu, by przywalić nim gapiącej się na niego siksie z aparatem w komórce, wrażenie to tylko się potęgowało. W jednej sekundzie gość był zwyczajnym gościem – jasne, przystojnym i dobrze ubranym, ale po prostu gościem, może nawet dosyć niskim – a potem nagle trzask-prask, sto tysięcy woltów na ustach i nikt już nie miał wątpliwości, że oto stanął oko w oko z Gwiazdą.

Jack wyjrzał przez przednią szybę, półświadomie uderzając palcem wskazującym o zawieszoną pod pachą czterdziestkę piątkę. Dziewiątka być może lepiej sprawdziłaby się dzisiaj jako giwera dnia, ale czterdziestka piątka biła ją na głowę, jeśli chodzi o zastopowanie przeciwnika.

– Jeszcze raz.

– Wpuszcza nas Marshall – powiedział Bobby. – Wchodzimy po schodach dla pracowników. Zakładamy maski. Uważamy, żeby nie używać nazwisk. Will i Marshall ich związują. Ja biorę kasę. Wracamy tą samą drogą, kierujemy się do chryslera. Gdyby coś poszło nie tak, rozdzielamy się i spotykamy później.

Kłykcie jego zaciśniętych na kierownicy palców były niemalże białe.

Zauważywszy to, Jack zmrużył oczy i po raz kolejny zaczął się zastanawiać, czy angażowanie młodszego brata było dobrym pomysłem.

– Zgadza się – pochwalił go, siląc się na niefrasobliwy ton. – Pamiętaj, wchodzisz ostro. To zepsute bachory. Przystawiasz im spluwę prosto do twarzy, wrzeszczysz. Niech tylko się któryś ruszy, przypierdol mu giwerą, nawet się nie zawahaj. Pozostali będą wtedy grzeczniejsi. Wchodzimy i wychodzimy w ciągu pięciu minut.

Bobby skinął głową.

– A co z nim?

Wskazał na mężczyznę wyższego od Gwiazdy i jego świty, o potężnych ramionach i grubym karku. W lewej dłoni trzymał czarną aktówkę, a prawą przyciskał do brzucha, palcami sięgając do wnętrza marynarki.

– To jego ochroniarz – odezwał się z tylnego siedzenia Will Tuttle, głosem gładkim jak u prezentera jazzowej stacji radiowej. Jeśli wierzyć jego opowieściom, trudnił się kiedyś podkładaniem głosu, jeszcze w Los Angeles, a jego życiową rolą była tańcząca bańka mydlana w reklamie środka do czyszczenia kibli. Łatwa robota; dwa kawałki za poranek spędzony na powtarzaniu w nieskończoność: „Już nie musisz szorować – zrobimy to za ciebie". – Nie zaprzątaj sobie nim ślicznej główki, synu. Zostaw go zawodowcom.

– Pierdol się!

Will zachichotał.

– Co jest? – zapytał, wyciągając z kieszeni marynarki paczkę carltonów i pstrykając w nią palcami, żeby dobrać się do szluga. – Zraniłem twoje delikatne uczucia?

– Spokój! – uciął Jack i wpatrzył się we wsteczne lusterko. – Nie pal teraz.

Will wetknął sobie papierosa za ucho.

– To fajka zwycięstwa.

Po drugiej stronie ulicy jeden z dworaków poklepał Gwiazdę po ramieniu i kciukiem pokazał mu, że czas wchodzić. Gwiazda skinął głową, po raz ostatni wyszczerzył zęby i pomachał do fanów, po czym ruszył w stronę drzwi. Cała świta ruszyła za nim. Ostatni z chłopców zatrzymał się na chwilę i wyhaczył z kolejki olśniewającą brunetkę. Dziewczyna uśmiechnęła się szeroko do swoich rozwrzeszczanych przyjaciółek. Ludzie filmu. Do kurwy nędzy. Ochroniarz wszedł na końcu, zatrzymując się na szczycie schodów, by raz jeszcze zlustrować okolicę. Jack przyjrzał się mu: kolejny kmiot z Chicago, zafascynowany pseudoarystokracją. Po chwili mężczyzna zniknął w klubie; drzwi zamknęły się, tłumiąc dobiegający z wnętrza muzyczny łomot.

– Jedziemy – zdecydował Jack.

Bobby ruszył powoli kradzionym fordem, mijając kolejkę leszczy w błyszczących T-shirtach i panienek z rękami wysmarowanymi samoopalaczem. Przyczaili się za taksówką, dobili do końca kwartału, po czym skręcili w prawo, a następnie w lewo i zatrzymali się w końcu na pustym płatnym parkingu, który wypatrzyli wcześniej. Bobby przekręcił kluczyk, chcąc zgasić silnik, ale za pierwszym razem obrócił nim w niewłaściwą stronę, na co silnik zareagował nieprzyjemnym zgrzytem.

– Chryste Panie! – zawołał Will. – Ile ty masz lat, czternaście?

– Powiedziałem: spokój – powtórzył Jack, po czym podciągnął rękaw marynarki i spojrzał na zegarek.

Siedzieli przez chwilę w milczeniu, wsłuchując się w tykanie silnika oraz dobiegające zza okien odgłosy imprezy. River North, zagłębie klubowe, pierdolona lanserka.

– Trochę kurdupel, nie?

Bobby nawet nie musiał wymieniać nazwiska.

– Jak oni wszyscy – skwitował Will. – Tom Cruise ma metr siedemdziesiąt. Al Pacino też.

– Pacino? Pierdolisz.

– Emilio Estevez. Robert Downey Junior.

– Lubię go – ożywił się Bobby. – Zajebisty aktor.

– Ale kurdupel.

Jack pozwolił im się przekomarzać. Oddychał spokojnie, czekając na zastrzyk adrenaliny.

– To żałosne – powiedział Bobby. – Jakby przyjechał papież. Od tygodnia słucham w kółko, gdzie to niby ktoś go zobaczył. W „Red Eye" był artykuł na temat jego ulubionych restauracji. Przecież kolo przyjechał do roboty, nie? Kręcić film. A tu robią sensację z tego, gdzie wtranżala kolację. Trochę mu współczuję.

– Jasne – zadrwił Will. – Biedny znany milioner, po szyję w cipkach, przy których pasztety, z którymi ty się włóczysz, wyglądają jak sznaucery.

– Will – odezwał się Jack – idź stań na rogu. Przypilnujesz, czy nie ma glin, okej?

– Co jest? Dlaczego ja?

– Bo tak powiedziałem.

Will westchnął.

– Niech ci będzie. – Otworzył drzwi, przez które do samochodu wdarł się nagle uliczny hałas. – Amatorzy – burknął pod nosem, wychodząc.

– Pieprz się – pożegnał go przyciszonym głosem Bobby.

Siedzieli. Jack czekał, aż napięcie nieco opadnie. Zgiął ukryte w rękawiczkach palce.

– Wszystko okej? – zapytał po jakiejś minucie.

Bobby podniósł wzrok. Miał bladą twarz i oczy jak spodki.

– Nie mogę tego zrobić.

– Jasne, że możesz. To najprostsza rzecz na świecie.

– Jack...

– Potrafisz. – Uśmiechnął się. – Wiem, młody, jak to jest. Jak pierwszy raz kogoś kroiłem, dostałem takich drgawek, że w życiu byś nie uwierzył. Prawie że upuściłem giwerę.

– Serio? Ty?

– Jasne. Taki job. Jak myślisz, dlaczego Will zgrywa nagle człona? Każdemu strach dupę ściska.

– Marshallowi też?

Jack wzruszył ramionami.

– Tego nie wiem. – Uśmiechnął się, wyciągnął rękę i położył dłoń na ramieniu brata. – Jasne, to poważniejsza sprawa niż wszystko, co do tej pory robiłeś. Ale spróbuj myśleć o forsie. Za piętnaście minut będziesz bogaty.

– Ale...

– Gdybyśmy mogli sobie poradzić we trzech, nie ciągałbym cię tutaj. Potrzebuję cię, młody.

Bobby skinął głową, wziął głęboki wdech i powoli wypuścił nosem powietrze.

– Okej – powiedział w końcu, pokręciwszy kilka razy głową.

Jack poczuł dobrze sobie znany przypływ czułości.

– Będzie gites. Zobaczysz. Bracia Witkowski trzęsą miastem. Słuchaj się tylko mnie, a zanim skumasz, będzie po wszystkim. – Uderzył żartobliwie Bobby'ego w biceps. – Poza tym, kozak z ciebie, nie?

– Jasne – podchwycił Bobby. Wziął jeszcze jeden wdech, po czym wyciągnął chromowanego czarnego smitha i przeładował go. – Kozak, jestem kozak.

Wysiedli z samochodu, zostawiając kluczyki w stacyjce. Wieczorne powietrze rozbrzmiewało odgłosami dziesiątków klubów, klaksonami taksówek i śmiechem panienek. Nozdrza Jacka podrażnił słodki zapach dobiegający z oddalonej o jakieś półtora kilometra czekoladerii.

– Co tam, panienki, gotowi?

Will przestępował z nogi na nogę.

– Wchodzimy.

Ruszyli spokojnym krokiem w stronę klubu. Zwykli biznesmeni, może na jakiejś konwencji, weekend z dala od żon.

Tacy, co to chcą poszaleć na dzielnicy, wychylić parę drinków, spróbować wyruchać jakieś dzierlatki w wieku swoich córek przed porannym powrotem do codziennej nudy. Jack kroczył w środku; miał oczy szeroko otwarte. Przeszli przez Erie, nie zważając na brak pasów, i ruszyli dalej uliczką. Pod obcasami Jacka chrzęściło rozbite szkło.

Dotarłszy do cienia, wyciągnął pistolet i odbezpieczył go.

W KLUBIE MARSHALL RICHARDS CZEKAŁ, aż barmanka w topie i z gołym brzuszkiem odwróci wzrok. Gdy to zrobiła, złapał za szklankę o grubym denku i wylał whiskey na podłogę. Skrzywiwszy się, trzasnął nią o blat dokładnie w momencie, gdy ponownie na niego spojrzała.

– Jeszcze jedną? – zawołała.

– Jasne.

Położył łokieć na barze i odegrał całe przedstawienie z zasypianiem, a potem wzdryganiem się. Uśmiechnął się do dziewczyny i nie próbując nawet przekrzyczeć łomoczącej muzyki, ułożył usta w nieme: „Ups!". Pokręciła głową, napełniając mu szklankę. Pozwoliła sobie na barmańską sztuczkę, unosząc rękę i rozciągając bursztynową linę między butelką a szklanką. Następnie zgarnęła dwudziestkę ze stosu, który położył na blacie, i się odwróciła.

Wziął drinka i zakręcił się na stołku, uważając, by nie dotknąć butami podłogi. Wylał już tam dziewięć szklaneczek i kałuża zaczynała rzucać się w oczy. Cały ten cyrk pewnie był niepotrzebny, ale zawsze należy gotować się na najgorsze. Mądry pałkarz myśli z szacunkiem o czwartej bazie.

Salonik dla VIP-ów znajdował się obok głównej sali – pilnował go wygolony na łyso bramkarz. Z każdym podmuchem powietrza zwiewne zielone zasłony wydymały się i falowały, tak jakby pokój oddychał. Trochę dalej, pod obłędną plątaniną laserów, tańczył tłum nadzianych dwudziestolatków, widocznych tylko jako powykręcane sylwetki. Przypominało to Marshallowi obraz Boscha, wizję mąk piekielnych. Ciągle było dosyć wcześnie – nie minęła nawet północ – i w saloniku siedziało niewiele Bardzo Ważnych Person: grupka osuszająca flaszkę wódki za trzydzieści dolców, za którą dali pewnie ze dwie stówy; podtatusiały biznesmen wsuwający młodej striptizerce banknoty pod podwiązkę; dwie wyszminkowane lesby w akcji, nadające wieczorowi posmaku zakazanego owocu; i wreszcie, przy samym końcu baru, dwaj czarni faceci. Jego cele.

Szef miał czarną jak heban skórę i był stylowym gościem: starannie przystrzyżony wąsik, złoty rolex dyndający z francuskich mankietów, szyty na miarę garnitur od Armaniego. Drugi, prężący muskuły pod eleganckim dresem, był najwyraźniej jego gorylem. Armani pił mineralną. Jego kumpel nie pił nic. Marshall uśmiechnął się do siebie, po czym wylał whiskey i zamówił następną.

Barmanka właśnie kończyła nalewać drinka, gdy zadzwoniła komórka Szefa. Marshall położył podbródek na dłoniach i wbił wzrok przed siebie, udając alkoholowe zamroczenie. Kątem oka dostrzegł, że gość otwiera telefon i spogląda na ekranik. Jego palce przemknęły szybko po klawiaturze, odpowiadając na SMS-a. Następnie gość rzucił na bar pięćdziesiątkę i zeskoczył ze stołka. Jego goryl ruszył za nim.

Marshall policzył do trzydziestu, a potem zabrał resztę, poskładał banknoty i wetknął je do kieszeni. Wziął szklankę i chwiejnym krokiem podszedł do schodów. Barmanka ziewnęła, odwracając wzrok.

Podłoga wibrowała od tańca, basy dudniły Marshallowi w żołądku, a w uszach łomotał remiks Fergie śpiewającej, jaka to jest sexy, że niby pycha-mycha, drżąca-gorąca. W sali było tłoczno od nagrzanych ciał buchających wodą kolońską i pożądaniem. Spojrzał na schody z grubego szkła, wznoszące się nad podłogą i połyskujące blaskiem laserów. Szef i jego ochroniarz byli już w pół drogi. Idealnie.

Osłaniając ciałem drinka, Marshall przecisnął się do ściany po drugiej stronie sali. Była pomalowana na czarno i kłębiły się pod nią rozpalone parki: panienki ociekające żądzą oraz faceci nachylający się nad nimi, by dopiąć swego. Dotarł do drzwi opatrzonych białym napisem: „Tylko dla pracowników". Odwrócił się i rozejrzał szybko wokół. Upewniwszy się, że nikt nie zwraca na niego uwagi, otworzył drzwi.

Korytarz po drugiej stronie był szary i jaskrawo oświetlony. Marshall pewnym krokiem minął otwarte drzwi, za którymi jacyś mężczyźni rozmawiali po hiszpańsku. Nawet na nich nie spojrzał. Żaden nielegalny imigrant nie postawi się facetowi, który zachowuje się, jakby był w pracy. Na samym końcu korytarz zakręcał, a obok zaczynały się schody prowadzące do prywatnych apartamentów. Zatrzymał się na chwilę, żeby wypić whiskey, poczuć słodkie palenie w gardle. Lubił wychylić jednego przed robotą. Schował szklankę w dłoni i minął zakręt korytarza.

Ochroniarz siedział na stołku z założonymi umięśnionymi ramionami. Jak tylko zobaczył Marshalla, natychmiast zeskoczył.

– Kibel jest z drugiej strony, kolego.

Marshall powoli zrobił jeszcze jeden krok, a potem kolejny. Z zakłopotanym wyrazem twarzy uniósł lewą dłoń, oglądając się przez ramię, tak jakby faktycznie się zgubił. Nagle odwrócił się i zamachnął ciężką szklanką, dźwigając i opuszczając nogę niczym miotacz, a następnie, stanąwszy w idealnej pozycji, wyrzucił ramię jak bicz. Nie przypadkiem grywał kiedyś w międzystanowych mistrzostwach.

Szklanka nie tyle rozbiła się o czoło bramkarza, co eksplodowała na nim. Rozległ się trzask, który jednak nie zdołał przebić się przez łomot wstrząsający ścianami, i we wszystkich kierunkach posypały się kawałki szkła. Ochroniarz przycisnął obie dłonie do oczu, spomiędzy jego palców wytrysnęła krew, a z ust wydobył się przeraźliwy jęk.

Marshall podszedł jeszcze o krok i wymierzył mężczyźnie potężny cios pięścią w splot słoneczny. Gdy biedak zgiął się wpół, walnął go jeszcze łokciem w tył szyi, powalając ostatecznie na ziemię. Wyprostował się, strzepnął dłonie, pchnął blokującą sztabę i otworzył drzwi.

Jack uśmiechnął się i wszedł do środka, przechodząc nad leżącym bramkarzem. Wręczył Marshallowi dwudziestkę dwójkę i cała czwórka ruszyła w stronę schodów.

Brunetka zarumieniła się nieco, spojrzała wyzywająco na blondynkę, a potem nachyliła się i dotknęła wargami jej ust. Chłopak klęczący na poduszkach wypił łyk szampana prosto z butelki i wytarł usta wierzchem dłoni.

– Z języczkiem, dziewczyny – zachęcił je.

Dzieci. Niezdyscyplinowane, głupie i przez całe życie uprzywilejowane. Od Gwiazdy po ostatniego z chłopców, wszyscy byli dziećmi i działali Malachiemu na nerwy.

– Witaj, bracie! – zawołał z szerokim uśmiechem na ustach i rozpostartymi ramionami. Rolex zsunął mu się z ręki i schował pod mankietem koszuli. – Co słychać na mieście, ziomie?

Musiał grać rolę wielkiego złego czarnucha.

Gwiazda błysnął białymi zębami i dał się zamknąć nowo przybyłemu w uścisku.

– Hejka, G.! Dzięki, że wpadłeś. – Pokój był udekorowany niczym pałac sułtana, wszędzie pod nogami walały się kawałki materiału i świeczki, a zamiast krzeseł na podłodze leżały poduszki. – Drinka?

Jego gość uśmiechnął się i nieznacznie pokręcił głową. Rozpiął marynarkę od Armaniego i wsunął ręce do kieszeni, odsłaniając kaburę pod pachą. Gdy wzrok Gwiazdy niby przypadkiem o nią zahaczył, Malachi mógł przysiąc, że w oczach małego pojawił się błysk zachwytu. Widać był z siebie dumny, że niby taki z niego twardziel, że zadaje się z prawdziwymi gangsterami. Ludzie filmu. Kurwa mać.

– Nie piję – powiedział.

– Mamy Ketel, jakiś Cristal. Mogę też posłać na dół po Hennessy'ego...

– Nie, dzięki. – Malachi uśmiechnął się. – Jak zdjęcia?

Gwiazda westchnął i pomasował palcami czoło.

– Jakiś koszmar. Reżyser nie ma bladego pojęcia, co robi. Nie wiem, kogo musiał puknąć, żeby dochrapać się takiej pozycji. – Pokręcił głową. – Na pewno nie chcesz drinka?

– Najlepiej przejdźmy do interesów, jeśli nie masz nic przeciwko.

Gwiazda uśmiechnął się.

– Pełna profeska, tak lubię.

Malachi czekał. Gówniarz zorientował się dopiero po chwili.

– Jasne, sorki – powiedział tonem ucznia popisującego się przed nauczycielem. – Chciałbym kupić jakieś nielegalne dragi, jeśli można.

Malachi kiwnął głową swojemu kumplowi – ten położył na niskim stoliku aktówkę i się cofnął.

– Parę zasad. Koka, hera, ecstasy, hydro, tabletki przeciwbólowe mam od ręki. Chcesz coś specjalnego, musisz dać cynk parę godzin wcześniej. Jestem dostępny dwadzieścia cztery godziny na dobę, siedem dni w tygodniu, w dowolnym miejscu w kraju. Nie latam za granicę, nie wchodzę w transakcje poniżej dwudziestu pięciu, nie zgadzam się na barter.

Odpiął zatrzaski w walizce, ale póki co jej nie otworzył, dostrzegając napięcie w oczach dzieciaka i z zadowoleniem przeciągając ten moment. Brunetka na poduszkach zapiszczała – jeden z dworaków rozlał jej szampana na sukienkę. Roześmiała się, a potem jęknęła, gdy blondynka nachyliła się i zaczęła go zlizywać z jej opalonej skóry. Chłopcy z zachwytu aż krzyknęli.

– Masz dobry towar? – Dzieciak pozował na twardego negocjatora. – Nie mam zamiaru płacić fury dolców za jakieś przemoknięte gówno.

Malachi pokręcił głową.

– Czysty jak sen zakonnicy. Jakość gwarantowana. Moje wysokie ceny przekładają się na równie wysoki poziom usług i pełną satysfakcję klienta. A teraz – powiedział, otwierając aktówkę i odsłaniając rządki starannie ułożonych w niej paczuszek i kolorowych buteleczek – co pan sobie życzy, doktorku?

Prowadził Jack. Tam, w samych bebechach klubu, wydawało się, że muzyka dobiega zewsząd: ze ścian, z poręczy, z podłogi, z jego żołądka. Czekał na zastrzyk adrenaliny i wreszcie go poczuł – uścisk w sercu, dobrze znany przypływ radości i paniki, który nigdy go w takich momentach nie opuszczał. Po raz pierwszy objawił mu się w 1975 roku, tuż po tym, jak Jack schował pod koszulą kasetę Aerosmith *Toys in the Attic* i dumnym krokiem wyszedł ze sklepu Mel's Records, czując na skórze nastoletniej piersi zimny dotyk foliowego opakowania. Wrócił do domu i słuchał albumu tak długo, aż mógł wyśpiewać z pamięci każdą nutę. Wydawało mu się, że piosenka *Sweet Emotion* jest adresowana wyłącznie do niego.

Schody były wąskie i strome; po ich plątaninie krążyła obsługa, która miała zapewnić gościom wszystko, czego sobie tylko zażyczą. Są salony dla VIP-ów i salony dla VIP-ów, a w tym wypadku chodziło zdecydowanie o ten drugi typ – prywatny plac zabaw dla młodych, sławnych i obrzydliwie bogatych.

Tuż przed drzwiami Jack wypuścił ustami powietrze i zatrzymał się, żeby rzucić okiem na podążających za nim kumpli. Włożyli już maski i w przyciemnionym wnętrzu dostrzegł tylko błyski ich oczu i refleksy światła na pistoletach. Bobby i Will byli wyraźnie podenerwowani, ogarnęła ich trema, ale Marshall poruszał się wolno jak drapieżnik. Zimna kobra, gotowa do ataku.

Jack się uśmiechnął. Wzruszył ramionami i założył maskę, czując na wargach, jak ogrzewa się pod nią jego oddech.

Pozwolił, by adrenalina przez chwilę krążyła mu w żyłach. Rozkoszował się nią – wrażeniem balansowania na krawędzi, gdy wszystko wydaje się wyraźne i obdarzone znaczeniem.

Położył rękę na gałce i przekręcił ją.

CO ON TU ROBI?

Bobby bał się, że żyły eksplodują mu na czole, tak mocno waliło mu serce. Spróbował przełknąć, ale w gardle miał sucho, jakby ktoś nasypał w nie piasku. Chciał wytrzeć dłonie o spodnie garnituru, ale przecież nie mógł zdjąć rękawiczek.

Nie była to jego pierwsza robota, co to, to nie. Pomagał już wcześniej Jackowi, na przykład w nocnych wyładunkach w magazynach, których stróże nocni za stówę zobowiązywali się nie spoglądać w ich stronę. Albo w skoku na menadżera baru, który był w drodze do banku, gdzie chciał zdeponować nocny utarg. Czy też w pobiciu dwóch Latynosów, którzy próbowali wykiwać jego starszego brata. Nie był też jakąś panienką. Ale coś takiego? Wskakiwać do pokoju w maskach i z wyciągniętymi giwerami?

„Będzie gites" – usłyszał znowu w głowie głos Jacka. „Bracia Witkowski trzęsą miastem. Słuchaj się tylko mnie, a zanim skumasz, będzie po wszystkim".

Wziął głęboki wdech.

„Kozak z ciebie".

Jack otworzył szarpnięciem drzwi, a on i Marshall wpadli do środka.

Na ich widok grupka przystojniaczków otworzyła szeroko oczy; na poduszkach dwie panienki dawały właśnie czadu. Will miał rację: obie były znacznie atrakcyjniejsze od wszystkich nagich dziewczyn, jakie miał okazję widzieć na żywo, a nie tylko w czasopismach. Gwiazda siedział na niskim stoliku obok gustownie ubranego czarnego gościa. Pomiędzy nimi leżała otwarta walizka, a Gwiazda trzymał tuż przy nosie kartę do gry. Ze strachu wypuścił powietrze nosem, wzbijając w powietrze kłąb białego proszku, który uniósł się nad podłogą niczym chmura przetaczająca się nad łąką.

– Wchodzisz! – wrzasnął za jego plecami Will.

„Wchodzisz!" – powtórzył w duchu Bobby. „Rusz dupsko!" Poczuł, że po boku ciała spływa mu kropla potu. Dygotały mu ręce.

– Pieprzony amator! – zawołał Will i przepchnął się obok niego z pistoletem w górze, po czym wrzasnął na drugiego czarnego gościa, z wyglądu gangstera, który zamarł z dłonią niemal na rękojeści gnata.

Cała scena wydawała się dziwnie nierzeczywista: pistolety w luksusowym salonie, łomot zamieniający wszystko jakby w teledysk. W środku było więcej osób, niż spodziewał się Bobby: pięciu lub sześciu kumpli Gwiazdy, panienki, ochroniarz, dilerzy narkotyków – prawdziwy tłum. Jack miał rację, potrzebowali czterech do skoku. Poczuł w bebechach płomień wstydu. „Wchodzisz!"

Nagle zobaczył, że jeden z młodych przystojniaczków rzuca się do przodu z butelką szampana w dłoni. Zmierzał w stronę Jacka, który był obrócony do niego plecami i skupiał się całkowicie na ochroniarzu. Bobby oderwał wreszcie nogi od podłoża. Przeskoczył przez próg i trzasnął spluwą gówniarza w twarz, wkładając w ruch ręki cały swój strach i wściekłość. Siła ciosu wstrząsnęła nim, ogarnęło go dziwnie serdeczne uczucie. Pod metalową obudową coś zachrzęściło i nagle poczuł na rękawiczce ciepło. Chłopak upadł na podłogę, a Bobby ledwo powstrzymał się przed tym, by rzucić się na niego i połamać mu wszystkie kości twarzy za to, że ośmielił się zaatakować jego starszego brata.

Cofnął się jednak i podniósł smitha, zataczając nim łuk, żeby wziąć na muszkę resztę świty.

– Nie ruszać się, do kurwy jebanej nędzy!

To było coś, strach zamienił się w upojenie nagle zdobytą władzą. „Jestem kozakiem!"

Jack zerknął przez ramię i skinął głową.

– W porządku.

Z uniesioną bronią wszedł nieco głębiej do pokoju.

– W porządku. Ręce na głowy. Już!

Przez chwilę, która wydawała się całą wiecznością, nikt się nie poruszył. I nagle czarny diler narkotyków uniósł powoli dłonie i położył je na swoim karku. Pchnęło to do działania resztę zgromadzonych w pokoju – wszyscy poszli w jego ślady.

Wszyscy z wyjątkiem Gwiazdy.

– To jakiś dowcip, tak? Jestem w ukrytej kamerze!

Mały skurwysyn uśmiechnął się, za bogaty i za głupi, żeby przejmować się własnym dupskiem.

Ucisk w piersi Jacka się wzmocnił. Nie poruszając nawet spluwą, zamachnął się i trzasnął Gwiazdę z całej siły drugą dłonią. Dzieciak zatoczył się i zaraz wyprostował, trzymając się za policzek, z wilgotnymi nagle oczami i drżącymi wargami – tak jakby nikt go jeszcze w życiu nie uderzył. Pewnie zresztą tak było.

– Ręce na głowę! – Kiedy dzieciak posłuchał jego rozkazu, Jack odwrócił się do pozostałych: – Reszta pod ścianę. Już!

Napadnięci, sparaliżowani strachem, zaczęli niechętnie przechodzić we wskazanym kierunku. Jack gestem kazał Marshallowi i Willowi ich pilnować.

– Bierz torby! – rzucił przez ramię.

Jego brat kopniakiem odsunął poduszki, złapał otwarty woreczek z kokainą oraz kartę do gry i wrzucił je do walizki, po czym zatrzasnął wieko. Jack nie odrywał wzroku od Gwiazdy. Nawet nie mrugnął. Patrzył, jak filmowy bohater robi przed nim w gacie, zamienia się z twardziela w kwilące niemowlę.

– O kurwa!

Bobby aż zagwizdał.

Jack spojrzał w bok, na brata, który przyklęknął przy drugiej aktówce, przyniesionej przez Gwiazdę.

– Co?

– Tu jest więcej, niż myśleliśmy. O Jezu! – Głośno wypuścił ustami powietrze. – O Jezu, to kupa forsy!

Jack wycelował pistolet w sam środek twarzy Gwiazdy.

– Ile?

– Ccco?

Odciągnął kurek.

– Ile? Ile jest w walizce?

– Cztt... Czttterysta...

Jackowi mało nie opadła szczęka. Przygotowując się do skoku, spodziewali się jakichś pięćdziesięciu. Podzielone na cztery – i tak się opłacało.

– Czterysta. Czterysta tysięcy dolarów. – Pokręcił głową. – Na co ci, kurwa, czterysta tysięcy baksów w gotówce?

– To tylko, tylko... – Gwiazda zawahał się. – No wiesz, na drobne wydatki.

Jack otworzył ze zdumienia oczy, przygryzając pod maską wargę.

– Na drobne wydatki.

Gwiazda spojrzał na niego, a potem wbił wzrok w ziemię.

– Zabierz wszystko. Nie powiemy policji, przysięgam...

– Policji? – Jack parsknął śmiechem. – A co niby miałbyś im powiedzieć? Że zostałeś obrabowany, jak kupowałeś koks?

Gwiazda otworzył usta, ale zaraz je zamknął i wpatrzył się w lufę pistoletu.

– Jezu... – szepnął znowu Bobby.

– Zamknij walizkę. – Jack mówił opanowanym głosem, ale adrenalina krążyła w jego żyłach ze zdwojoną szybkością: robota, czterysta tysięcy baksów. Gestem kazał Gwieździe dołączyć do pozostałych. – Wszyscy. Odwrócić się twarzą do ściany. – Odczekał sekundę, a potem wrzasnął: – Ruszać się!

Najpierw posłuchali go cywile. Jeden z chłopców zaczął cicho popłakiwać, łkać ledwie słyszalnie, ale mimo to odwrócił się twarzą do ściany. Dilerzy spojrzeli na siebie, a potem również się odwrócili. Jako ostatni zrobił to ochroniarz.

– Zwiąż ich!

Will wyciągnął z kieszeni plastikowe opaski i razem z Marshallem zaczął po kolei wiązać ręce napadniętych. Jack trzymał ich na muszce. Spojrzał na Bobby'ego, który klęczał na podłodze i mocował się z zatrzaskami walizki. Kiedy ich oczy się spotkały, uśmiechnął się do swojego młodszego braciszka. Poczuł, że radość wypełnia mu pierś, i to samo zauważył u Bobby'ego, tak jakby wspólnie wydali radosny okrzyk.

Marshall stanął za Malachim i przyłożył mu dwudziestkę dwójkę do tyłu głowy.

– Ustawiłem spust na minimalny opór – ostrzegł. – Rusz się tylko, a po tobie.

– Słyszałem.

Mężczyzna był całkowicie spokojny.

– Zwiążemy cię. Nic więcej.

– Rób, co musisz.

Marshall skinął głową Willowi, który złapał mężczyznę za dłonie, umieścił mu je za plecami i związał opaską. Potem przyklęknął, żeby powtórzyć tę czynność przy kostkach.

– Widzę, że jesteście, chłopaki, zawodowcami – powiedział Malachi, ciągle odwrócony twarzą do ściany. – Tak jak ja. Wiecie, jak jest.

– Niby jak?

– Będzie wam w życiu łatwiej, jeśli zostawicie mój towar.

Marshall nachylił się nieco, pozwalając mu poczuć smak swojej dwudziestki dwójki.

– Dlaczego mielibyśmy to zrobić?

Diler nawet nie drgnął.

– Powiedzmy, że chodzi o zawodową uprzejmość.

– Zastanowię się.

Marshall kiwnął na Willa. Podeszli do ochroniarza.

Uwijając się przy nim, Marshall widział podwójnie. Jedna część jego osobowości wpatrywała się w tyły głów, supły mięśni, krople kleistego potu na karkach. Druga widziała basen w Caesars, zgrabne kelnerki w rzymskich szatach serwujące mu whiskey, słońce na swojej klatce piersiowej oraz strony sportowe gazety, którą przeglądał.

Wszystko wydarzyło się szybciej, niżby się tego spodziewał. Ochroniarz pozwolił Willowi złapać się za jedną rękę i poprowadzić na dół, nagle jednak uchylił się i zrobił obrót. Will wrzasnął, a mężczyzna złapał go nagle za ręce i zmusił do uklęknięcia.

Marshall nawet się nie zawahał. Zamrugał tylko, wracając do rzeczywistości, i dwa razy pociągnął za spust. Dziury, które wywiercił w lufie swojej dwudziestki dwójki, stłumiły odgłos strzału, zamieniając go w przyciszony świst, po którym jego uszu dobiegło tylko mokre plaśnięcie. Kula zmiażdżyła twarz ochroniarza, a jego ciało upadło na podłogę.

Jack wiedział, że cisza będzie trwała zaledwie ułamek sekundy. Postanowił zakłócić ją pierwszy, zanim ktokolwiek zacznie wrzeszczeć.

– Nie ruszać się, kurwa! – smagnął napadniętych ostrym głosem. – Kto się ruszy, kula w łeb!

Marshall sięgnął lewą dłonią i starł krew ze swojej twarzy. Potrząsnął głową. Jack poczuł w bebechach panikę, ale stłumił ją. Czterdziestka piątka w garści dodawała mu sił. „Niech to szlag!" Mieli wejść i wyjść jak duchy. Łatwy szmalec. Cywile nie będą mieli czego zgłaszać, a diler nie będzie chciał.

Nagle spojrzał na Bobby'ego. Jego brat zamarł z ręką przyciśniętą do twarzy. Fragmenty skóry wystające spod maski miał blade jak ściana. Jack oprócz paniki poczuł wyrzuty sumienia. Obiecał młodemu, że to będzie prosta robota, że nikomu nic się nie stanie. A teraz na podłodze leżał trup, a im wszystkim groziło oskarżenie o morderstwo.

„Utrzymaj kontrolę".

Rozejrzał się po pokoju, mając nadzieję, że znajdzie w nim coś pomocnego, jakieś wyjście z tego bajzlu. Zobaczył tylko zabawki klasy, do której nigdy nie należał. Jedwabne poduszki i szampan za tysiąc dolców. Zacisnął palce na spluwie.

– Wy dwaj – powiedział do Bobby'ego i Willa. – Bierzcie torby i spadajcie stąd. Idźcie tam, gdzie planowaliśmy.

Marshall spojrzał na niego krzywo, ale Jack zignorował to. Jego umysł pracował jak oszalały. Mieli na muszkach niebezpiecznych ludzi. Obaj dilerzy byli związani, a ochroniarz – cóż, ten przynajmniej nie stanowił już zagrożenia. Reszta to paniusie. Mogli sobie z nimi poradzić z Marshallem. Musiał też wydostać Bobby'ego. W żadnym razie nie mógł dopuścić, żeby jego braciszkowi groziło oskarżenie o morderstwo.

– Idź. Spotkamy się później.

Bobby nawet nie drgnął, wpatrywał się tylko w podłogę. Jack skrzywił się, po czym, celując ciągle w cywili, podszedł do niego i położył mu dłoń na ramieniu.

– Zaufaj mi – powiedział łagodnie.

Bobby spojrzał na niego. Zamrugał raz, potem znowu i wreszcie skinął głową. Schylił się po walizkę. Will podszedł do Jacka i z nieodgadnionym wzrokiem wręczył mu garść plastikowych opasek.

– Ty jesteś szefem.

– Spotkamy się za godzinę.

Will skinął głową, po czym zabrał aktówkę z narkotykami i ruszył w stronę schodów. Bobby poszedł za nim, zatrzymując się w przejściu, by jeszcze raz spojrzeć na Jacka. Ten gestem kazał mu odejść, a potem patrzył, jak znika. Odwrócił się.

– Reszta z was, czoła do ściany i nie próbujcie żadnych numerów. Zwiążemy was, a potem sobie pójdziemy. Nie podskakujcie, a za dwie minuty będzie po wszystkim i do końca życia będziecie mieli o czym opowiadać na imprezach.

Will pędził po schodach, pokonując po trzy stopnie naraz, a Bobby starał się za nim nadążyć. Walizka była cięższa, niż się spodziewał, i boleśnie obijała mu się o udo. Serce waliło mu tak szybko i mocno, że nie przypominało to już pulsu, ale jakiś nieustający grzmot. Muzyka była coraz głośniejsza.

Zabili faceta. Jezu Chryste, zabili faceta!

U dołu schodów Will zwolnił i zdjął maskę. Bobby zrobił to samo i schował maskę do kieszeni. Bramkarz ciągle leżał obok stołka, tam, gdzie go zostawili. Bobby przekroczył go i po chwili znaleźli się na uliczce. Jak tylko zatrzasnęli za sobą drzwi, muzyka ucichła.

Ręce trzęsły mu się jak u porażonego prądem.

– Jezu!

– Wiem, wiem. – Will głośno wypuścił ustami powietrze. Szli obok siebie, zmierzając na południe i trzymając się jak najdalej od kradzionego forda, którym przyjechali. – Ten cały ochroniarz.

– Co się, kurwa, stało?

– Nie słuchał.

– Co ty, kurwa? Człowieku!

– Taki job. Zdarza się.

– I tyle?

Bobby miał ochotę wrzeszczeć. Nie przypominał sobie, kiedy ostatni raz czuł coś podobnego: chciał tylko otworzyć usta i wyć.

– I tyle.

Will skręcił w kierunku doków.

– To nie może być takie proste.

– Ale jest.

– Zaczekaj. – Bobby zatrzymał się, rozejrzał wokół i zorientował, gdzie są. – Nie tędy. Chrysler jest tam.

– Wiem.

Najpierw pojawił się błysk światła, coś jak wybuch bieli. Potem Bobby usłyszał dźwięk. Stłumił krzyk, upuścił walizkę, a jego dłonie pobiegły ku klatce piersiowej, na której poczuł wilgoć. Ziemia; w powidoku rozbłysku strzału ciągle widział brudny beton pędzący w jego stronę, beton i potłuczone szkło. Ugięły się pod nim kolana, świat zakołysał się, a potem Bobby upadł, ciągle jeszcze nie rozumiejąc, widząc poszczególne klocki układanki, ale nie mogąc ich poskładać w całość, przynajmniej do momentu, kiedy Will stanął nad nim, schował broń do kabury i sięgnął po walizkę, którą jeszcze przed chwilą trzymał Bobby.

„Nie. O, nie, nie, nie!”

Przez chwilę Will tylko patrzył w dół – sylwetka wykrojona na tle nieba. Sięgnął do ucha i wyciągnął coś zza niego. Papieros. Pstryknął zapalniczką i płomień zaczął łapczywie pochłaniać powietrze. Ostre, nieco tylko przytłumione światło, drażniło oczy Bobby’ego.

„Kozak, jestem kozak” – pomyślał, a potem zamknął oczy.

MAJ 2006

2

Tom Reed nie mógł zasnąć – z powodu deszczu i akronimów.

Deszcz nie był prawdziwy. Dochodził z dźwiękowego gadżetu na nocnym stoliku Anny. Odgłos właściwie nie przypominał nawet deszczu, ale raczej szum zakłóceń. Twierdziła, że pomaga jej zasnąć, a jemu to nie przeszkadzało, choć wywoływało jego uśmiech, gdy Anna włączała go w czasie prawdziwego deszczu. Deszcz z maszyny, żeby zagłuszyć odgłos deszczu na parapecie, podobnie jak grube zasłony, które zawiesili w oknach, żeby przesłonić światło słoneczne, oraz budzik imitujący wschód słońca. Śmiali się z tego od lat – z tego, że bez jednego wystrzału przegrali bitwę z japiszoństwem.

Ale deszcz tak naprawdę nie był problemem. Były nim akronimy.

PZC. DTC. IUI. D&C. IVF. ICSI.

Początkowo wydawały się zabawne, a nawet rozczulające: PZC, próba zajścia w ciążę, DTC, domowy test ciążowy. Anna odkryła całą społeczność internetową, tysiące kobiet zwierzających się sobie nawzajem na stronach poświęconych płodności, zamieszczających na nich najintymniejsze szczegóły, analizujących swoją podstawową temperaturę ciała czy konsystencję śluzu szyjkowego niczym wyrocznie wróżące z liści herbaty. Dzięki tym stronom internetowym Anna poczuła się lepiej; dały jej to, czego on najprawdopodobniej nie mógł. Pierwsze akronimy wyczytali właśnie na nich.

Kolejne podali im lekarze i nie były już ani zabawne, ani rozczulające. Raczej okrutne i kosztowne. Tom przewrócił się na bok, starając się nie zakłócać snu żonie. I pomyśleć, że kiedyś sypiali przeważnie w pozycji „na łyżeczkę": ciepło jej pleców biło w jego klatkę piersiową, czuł zapach jej włosów, a ich ciała były ze sobą sczepione niczym klocki lego. Czasem wydawało mu się, że od tego czasu minęło wiele, wiele lat.

IUI, *intrauterine insemination*, inseminacja domaciczna.

Próbował myśleć o pracy, o związanej z nią charakterystycznej nużącej codzienności. Wyobraził sobie biuro, osiem na dziesięć metrów, podwieszany sufit, metalowe modułowe biurko, wąskie okno, przez które w lustrzanej powierzchni sąsiedniego drapacza chmur odbijały się jego własne plecy. Niestety, przypomniał sobie również o spotkaniu roboczym o wpół do dziesiątej, na którym się nie pojawi, co wywoła kolejną porcję westchnień i kręcenia głowami. Próbował odgadnąć, ile e-maili będzie na niego czekało, kiedy wreszcie dotrze do biura.

IVF, *in vitro fertilization*, zapłodnienie in vitro.

Światło przedarło się przez zasłony, spowijając pokój srebrzystą poświatą. Zegarek wskazywał czwartą dwanaście. Trudno było wymyślić jakiś powód, dla którego nie spał o czwartej dwanaście. Gdy miał dwadzieścia parę lat, owszem: sobotnia noc, on i Anna ze starą ekipą, płoną świece, skończyły się browary, Leonard Cohen w głośnikach, ostatni dżoint krąży między imprezowiczami, którzy zasypiają oparci o siebie na kanapach z wyprzedaży garażowej. Gdy ma się dwadzieścia parę lat, czwarta dwanaście jest normalną godziną.

Jednak w wieku trzydziestu pięciu lat o czwartej dwanaście powinno się po prostu spać. Był tylko jeden powód, dla którego ludzie w jego wieku mogli przewracać się z boku na bok o czwartej dwanaście.

ODT, okres dwóch tygodni. Kończący się dzisiaj.

Gdy Tom przewracał się na drugi bok, Anna poczuła, że łóżko trzeszczy i się ugina. Wydał z siebie jakiś przyciszony pomruk i trącił nosem poduszkę. Jak on może spać? Jej myśli były tak głośne, że bez problemu zagłuszały odgłos nagranego deszczu. Dziwiła się, że ich nie słyszy, że nie odpowiada tak, jakby mówiła na głos.

„To teraz. To właśnie teraz”.

„Będę matką”.

„Boże, proszę, niech tak się stanie”.

A potem:

„Skądś znam te skurcze”.

„Niech to nie będzie PMS”.

„Kolejny raz przez to nie przejdę”.

Najgorsze w tym całym IVF, że bezspornie była w ciąży. Pobrana od niej komórka jajowa została połączona ze spermą Toma. W tym ostatnim cyklu posunęli się nawet do mikroiniekcji docytoplazmatycznej – wprowadzania do każdego jajeczka pojedynczego plemnika. Z pięciu pobranych od niej komórek jajowych trzy udało się skutecznie zapłodnić. Trzy mikroskopijne embriony. Dzieciątka.

Ponieważ był to jej czwarty cykl IVF, lekarze przenieśli je wszystkie. Co oznaczało, że nie tylko jest w ciąży, ale jest w ciąży po trzykroć. Miała w sobie żywe dzieci. Ale mogły one przeżyć tylko wtedy, jeśli uda im się zagnieździć w macicy. A zatem, jeśli nie przeżyją, będzie to jej wina.

„Przestań!” – upomniała w myślach samą siebie. Ta rutynowa reakcja weszła jej już w nawyk. Wiedziała, że nie jest to kwestia czyjejkolwiek winy. Przecież zadbała o wszystko: dietę, ćwiczenia, pozycje po seksie, witaminy, hormony, modlitwy. Nie miało to jednak najmniejszego znaczenia dla głosu w jej głowie, szepczącego, że każda kobieta to potrafi, że jest to najbardziej podstawowa rzecz na świecie, że fiasko w tym, to jak fiasko w oddychaniu. Kobiety rodzą. Dlatego właśnie są kobietami.

„Przestań! Tym razem się uda. Będziesz matką”.

„Boże, proszę, niech tym razem się uda”.

Tuż po szóstej poddał się i na palcach przeszedł po trzeszczącej podłodze do łazienki. Gdy rozgrzewała się woda w prysznicu, puścił radio: wieści z wojny, oskarżenie prezesa spółki telekomunikacyjnej, reklama porannego programu *Eight Forty-Eight*, Steve Edwards zapowiadający rozmowę o najnowszym planie podatkowym gubernatora oraz wywiad z lokalnym poetą. Wydawało się to tak normalne, tak uspokajające: te same dźwięki z tego samego radyjka, szum wody, lekki kwaskowy posmak w ustach.

„Ale dziś jest ostatni dzień twojego dawnego życia".

Uśmiechnął się, wcierając we włosy szampon.

Po wszystkim wytarł się i owinął ręcznikiem w talii. W sypialni Anna leżała na plecach z kocami podciągniętymi pod brodę oraz dłońmi na brzuchu i wpatrywała się w nieruchomy wentylator pod sufitem.

– Jak się czujesz?

– Jestem gruba.

Roześmiał się.

– To chyba dobrze, nie?

– Też tak myślę.

Odepchnęła nakrycie i miała już usiąść, ale nagle jęknęła i położyła się z powrotem.

– Wszystko dobrze?

W mgnieniu oka znalazł się przy niej.

Skinęła głową, po czym złapała go za dłoń, żeby pomógł jej się wyprostować.

– To tylko skurcze.

– Skurcze? – Miewała paskudne w czasie miesiączki, co zaliczało się do tych rzeczy, podobnie jak temperatura jej ciała do dwóch miejsc po przecinku, których nigdy nie spodziewał się poznać. Zauważył, że jest przerażona, położył więc rękę na jej ramieniu i dodał: – Zwyczajnie hormony.

Anna wypuściła nosem powietrze i skinęła głową.

– Masz rację. – Wstała powoli i ruszyła w stronę łazienki. – Coś ci powiem, jakoś nie będzie mi brakowało tego, że codziennie się kleję.

Zaczekał, aż usłyszy szum wody, po czym włożył spodnie oraz szary kaszmirowy sweter, który sprezentowała mu kilka lat temu na Gwiazdkę. Włączył czajnik, wbił jajka na patelnię, wrzucił dwie kromki do tostera. Zostawił wszystko, otworzył frontowe drzwi i zszedł na dół, prosto w objęcia rześkiego wiosennego poranka. Cieniutka mgiełka obłoków zapowiadała piękny, pogodny dzień. Schylił się po gazetę, odwrócił, zobaczył gapiącego się na niego Billa Samuelsona i o mało nie spadł z werandy.

– O Jezu! – Położył dłoń na walącym ciągle sercu. – Ale mnie przestraszyłeś.

– Widać to nietrudne. – Ich lokator zaciągnął się papierosem i splunął kawałeczkiem tytoniu. – Nigdy się nie rozglądasz.

Miał niski, głęboki głos, niesamowicie kontrastujący z jego opryskliwym zazwyczaj sposobem bycia.

– Przede mną dosyć nerwowy dzień, to pewnie dlatego. – Przestąpił z nogi na nogę, czując chłód betonu na gołych stopach. Podszedł o krok, żeby załapać się na dymek, natychmiast przypominając sobie, że przecież rzucił palenie. – A za mną ciężka noc.

U większości osób tego rodzaju uwaga wywołałaby serię pytań w rodzaju: „Naprawdę?", „A co się stało?". Ale Bill po prostu się odwrócił. Odkąd wynajął od nich parter ich domku, prawie nie rozmawiali. Trzymał się na boku, nigdy chyba nie miewał gości, znikał na długo, a przy rzadkich okazjach, kiedy na siebie wpadali, był prawie niegrzeczny. Ale co miesiąc jego czek lądował w skrzynce na listy, a Toma właściwie nic więcej nie interesowało.

Wrócił do kuchni, rzucił gazetę na blat, nalał sobie herbaty, przewrócił jajka i próbował nie myśleć o akronimach.

WYDAWAŁO SIĘ, ŻE WSZYSTKO BĘDZIE DOBRZE. Niebo było błękitne, przyszła wiosna, a ona była w ciąży. W świetle dnia rzeczywistość wyglądała o wiele lepiej. Kto by nie był nerwowy o czwartej dwanaście nad ranem? Paskudnie być jedyną osobą, która nie śpi o tej porze.

Rozsiadła się w fotelu pasażera, przechylając głowę o trzydzieści stopni, żeby odciążyć nieco brzuch. Skurcze nie dokuczały jej już tak bardzo, ale miała niewiarygodnie obolałe piersi. Właśnie przez nie rano nie pozwoliła Tomowi się przytulić, choć widziała, że go to ubodło.

W sumie nic takiego. Co tam. Wynagrodzi mu to. Teraz jednak potrafiła myśleć tylko o jednym. A wszystkie fizyczne symptomy wróżyły jak najlepiej. Tym razem czuła się inaczej niż wcześniej.

Ulice były już zapchane, na chodnikach pojawiły się tłumy mężczyzn i kobiet ubranych do pracy. Zwyczajne życie. Zadzwoniła jej komórka. Nachyliła się, żeby wyłowić ją z torebki, krzywiąc się od bólu w dyndających piersiach. Dźwignęła klapkę, sprawdziła, kto dzwoni. Pokręciła głową i schowała telefon, nie odbierając.

– Kto to?

– Z pracy.

Przechylił głowę.

– Później oddzwonię – powiedziała. – Po wszystkim. – Poczuła, że patrzy na nią. – To tylko telefon. Nie przesadzaj.

Szpital mieścił się w zupełnie nijakim kompleksie biurowym. Pomarańczowe filary, bezbarwne szyldy, za ciasny parking. Tom znalazł miejsce dla ich pontiaca i wysiadł, żeby jej pomóc. W powietrzu czuć było chłód, ale słońce na niebie grzało już bardzo przyjemnie.

Nawet o tej porze, za piętnaście dziewiąta, w poczekalni był tłum. Zarejestrowała się i usiadła. Tom wyjął komórkę i zwinąwszy usta w rulonik, zaczął coś wpisywać na klawiaturze. Anna poczuła przypływ złości – czy jakiś głupi e-mail nie może poczekać? – ale zrzuciła to na karb hormonów.

Podniosła ze stolika tygodnik, „People” sprzed trzech tygodni, którego całą okładkę zajmowała zapowiedź materiału zatytułowanego *Skok na Gwiazdę!* Zaraz po słynnym napadzie temat okupował łamy tabloidów i Anna z zapartym tchem śledziła całą drastyczną historię, czując lekko perwersyjny dreszczyk podniecenia na myśl, że wszystko to wydarzyło się tuż pod jej nosem. Teraz jednak przerzuciła tylko parę stron i wgapiła się w zdjęcia – Gwiazda unoszący dłoń, by zasłonić się przed fotografami, ponury policjant przed nocnym klubem, reprodukcja prawa jazdy zmarłego ochroniarza – na których jednak nie była w stanie się skupić.

Gdy była dzieckiem, święta ją dobijały. Czekanie, niecierpliwość – to było dla niej zbyt wiele. Miała nawet swój własny taniec „Odliczanie do Gwiazdki", który ogólnie rzecz biorąc, sprowadzał się do tego, że przed choinką spazmatycznie młóciła powietrze rękami i nogami, nie mogąc wytrzymać napięcia. Jej rodzice uważali, że to trochę histeryczne zachowanie. Czekanie, aż zostanie wywołane jej nazwisko, przypomniało jej o tamtych czasach. „Może powinnam wymyślić taniec »Przekonaj się, czy jesteś w ciąży«?"

W końcu jednak pielęgniarka w niebieskim fartuchu zaprowadziła ich do pokoju zabiegowego. Na ścianie wisiał plakat przedstawiający szczegółowo żeńskie narządy rozrodcze: macica, jajowody, jajniki i cała reszta, wszystkie w pastelowych kolorach i dokładnie opisane.

– Jak się pani czuje?

Pielęgniarka przygotowywała waciki i taśmę.

– W porządku. Mam skurcze, ale czuję się lepiej.

Kobieta skinęła głową.

– Może pani podciągnąć rękaw?

Po dwóch tygodniach szprycowania się progesteronem ukłucie igłą do pobierania krwi było pestką. Anna wpatrywała się intensywnie w ciemną ciecz wypełniającą probówkę.

– I po bólu – powiedziała pielęgniarka, skończywszy. – Około południa może pani zadzwonić po wyniki. Ma pani jakieś pytania?

– Wiem, że hormony go odrzucą, ale czy to rzeczywiście będzie bardzo głupie, jeżeli wstąpię do apteki i zrobię sobie domowy test ciążowy?

Pielęgniarka roześmiała się.

– Niech pani wytrzyma jeszcze chwilkę, kochanieńka. To tylko parę godzin.

Do Gwiazdki nigdy jeszcze nie było tak daleko.

Tom spojrzał na zegarek i się skrzywił. Uprzedził Danielsa, że się spóźni, ale chyba trochę przeginał.

– Możesz mnie wysadzić po drodze?

– Nie jadę.

Zamilkł.

– Opuściłaś ostatnio w pracy sporo dni, kochanie – powiedział po chwili.

– Nie będę siedziała przy biurku i udawała, że mnie obchodzą budżety i terminy, okej? Nie dzisiaj.

Westchnął i zadzwonił kluczykami od samochodu. Wyobraził sobie telefon na swoim biurku, z mrugającą czerwoną lampką sygnalizującą wiadomość. Potem zobaczył wyraz jej oczu.

– Jedziemy – postanowił.

Dotarli do śródmieścia, zostawili pontiaca na parkingu podziemnym i wjechali windą do parku Millennium. Niebo było bezchmurne, a śliczny poranek wywabił z domów setki ludzi: na ławkach wylegiwali się studenci, turyści robili zdjęcia, dzieci bawiły się w fontannie. Kupił kawę dla siebie i sok dla żony, po czym usiedli na stopniach i obserwowali przechodniów. Tom wskazał kubkiem dziewczynę o czerwonych włosach i z kółeczkiem w nosie.

– Ona.

Anna podążyła za jego wzrokiem.

– Jest szefową kuchni. Marzy, by otworzyć restaurację o nazwie Gloom. Obsługa będzie miała pomalowane na czarno oczy, a w karcie znajdą się tylko papierosy, czerwone wino i młodziutkie, mleczne prosię.

Roześmiał się.

– A on?

Niesamowicie otyły facet wciśnięty w koszulkę Chicago Bulls.

– Trzydziestocentymetrowy kutas. Dziewczyny nazywają go Stalowym Jasiem. Tom, co zrobimy, jeśli będzie negatywny?

Spojrzał na nią – na swoją żonę, kobietę, którą znał od zawsze. Wiatr targał kosmykami kasztanowych włosów okalających jej twarz. Odgarnęła je dłonią z oczu.

– Nie będzie.

– A co, jeżeli będzie?

– To spróbujemy jeszcze raz.

Wydała z siebie dźwięk, który w niczym nie przypominał śmiechu.

– Jesteśmy zadłużeni po uszy.

– Wszyscy są zadłużeni po uszy – odpowiedział.

– Ale nie wszyscy muszą płacić piętnaście tysięcy za próbę in vitro.

Wypił łyk zimnej kawy.

– Te ostatnie miesiące. Wizyty u lekarzy, kolejne próby. Mój Boże, tyle forsy. – Pokręciła głową. – A jeśli okaże się, że wynik jest negatywny, wszystko na marne. – Zmrużyła oczy i spojrzała na kobietę trzymającą za rękę dziewczynkę. Włosy małej były tak jasne, że wydawały się niemal białe, a ona sama miała na sobie sukieneczkę w grochy. Kiedy Anna tak patrzyła, kurze łapki wokół jej oczu stały się bardziej widoczne. Kiedy się tam pojawiły? – Na nic – dodała.

„Na nic" – pomyślał, wiedząc, że ma rację. Coś, co innym przychodziło z taką łatwością, dla nich oznaczało długą listę kosztów, nie tylko finansowych. Początkowo staranie się o dziecko było całkiem fajne, niespodziewanie ożywiło ich życie seksualne. Niestety, po pewnym czasie, gdy nic się nie wydarzyło, doszły do tego kalendarzyki i termometry. Trzy dni w miesiącu zamieniały się w istny kopulacyjny maraton. Odnosił wrażenie, że jest żurawiem wiertniczym zmuszonym do niekończącego się, pozbawionego przyjemności pompowania. Przez pozostałe dni seks wydawał się bezcelowy. A potem w ich życiu pojawiły się akronimy.

Gdzieś po drodze coś się między nimi zmieniło. Kochał ją i wiedział, że ona też nadal go kocha. Ale sprawiało to teraz wrażenie nawyku. Pozostałości po czymś.

– Wszystko będzie dobrze – powiedział z większym przekonaniem w głosie, niż naprawdę odczuwał. – Wszystko będzie dobrze.

Przechyliła głowę i spojrzała na niego. Wydawało się, że minęła długa chwila, kiedy wreszcie odwróciła się z powrotem w stronę parku. Czekali.

– Boję się – powiedziała, kiedy zegar w jej telefonie pokazał jedenastą pięćdziesiąt osiem.

– Chcesz, żebym ja to zrobił?

Anna wzięła głęboki wdech i pokręciła głową.

– Nareszcie Gwiazdka.

Zaczęła dzwonić, zanim zdążył zapytać, co ma na myśli. Czuł przez spodnie, że stopnie są bardzo zimne. Puls walił mu mocno, gdy słuchał, jak jego żona podaje nazwisko pielęgniarki. Zamilkła, czekając, i w tym momencie ich oczy się spotkały – oboje myśleli o tym samym, koncentrowali się wyłącznie na nadziei.

Potem usłyszał pomruk w słuchawce – pielęgniarka podeszła do aparatu. Choć nie był w stanie rozróżnić jej słów, odczytał ton jej głosu, a co więcej, widział wszystko wypisane na twarzy Anny. Gdy tak patrzył, jak opadły jej ramiona, tak jakby wszystko, co do tej pory ją napędzało, nagle z niej wyciekło, gdy patrzył, jak jego żona zaczyna płakać, Tom Reed dodał do swojej listy jeszcze jeden akronim.

P-PKWP. Przejebane – Pod Każdym Względem Przejebane.

3

– Och, kochanie – zmartwiła się Sara. – Tak mi przykro!

Choć Sara, młodsza z sióstr, zawsze była tą bardziej wyluzowaną – buntowniczką włóczącą się po klubach nocnych i kumplującą z aktorami – w jej głosie pobrzmiewał teraz matczyny ton.

„Może to dlatego, że ona *jest* mamą” – pomyślała Anna, a zaraz potem: „Przestań!”.

– I co zrobicie?

Anna pokręciła głową, a potem westchnęła do słuchawki.

– Nie wiem.

– Spróbujecie jeszcze raz?

– Nie sądzę, żeby nas było stać. Nie mamy już kasy.

– A co mówi Tom?

– Zaciął się, mówi ciągle, że wszystko będzie dobrze. Na zasadzie: jeżeli odsunę od siebie problem, to może sam zniknie. – Położyła się w łóżku na plecach i jedną dłonią zaczęła się bawić frędzlem u kołdry. Życie zmienia się tak powoli, że człowiek ledwo to dostrzega. Kiedyś rozmawiali o wszystkim. – Tak naprawdę nie powinniśmy już byli próbować. – Zakręciła w palcach miedzianym guzikiem. – Pomyślałam po prostu, że jeszcze tylko raz, tylko raz. Byłam pewna, że się uda.

Nastąpiła chwila ciszy.

– Może będę w stanie ci pożyczyć... – zaczęła Sara.

– Nie! – przerwała jej Anna. – Dzięki, ale nie.

– Ale...

– Kochanie, nie.

Jej siostra miała niezłą pracę – była redaktorką w telewizyjnym studiu postprodukcyjnym – ale jej pensja z pewnością nie przykułaby uwagi Donalda Trumpa. A spora jej część szła przecież na opiekunkę dla Małpika. Samodzielne wychowywanie dziecka nie należy do tanich rozrywek.

„Jasne, ale ona przynajmniej...” Przestań!

– Chcesz, żebym przyjechała?

– Nie. Wezmę sobie do łazienki butelkę wina i się załamię. W sumie mogę już pić, nie? – Usłyszała we własnym głosie gorycz i bardzo ją to wkurzyło. – Posłuchaj, wszystko w porządku. Coś wymyślimy. Jeżeli to ma się stać, stanie się, prawda?

Sara wyczuła aluzję i zmieniła temat.

– W sprawie środy nic się nie zmieniło?

– Zdecydowanie nie.

– Mogę podzwonić i załatwić opiekunkę.

– Nie, chcę przyjechać. Uwielbiam bawić się z Julianem.

– Jesteś pewna?

– Jasne. – Udało się jej rozewrzeć zaciśnięte szczęki i uspokoić nieco głos. – Nic mi nie jest, siostrzyczko, przysięgam. – Wzięła głęboki wdech. – Posłuchaj, kończę już. Nie martw się o mnie, dobra?

– Jestem twoją siostrą. Rachunek prześlę pocztą.

Anna zaśmiała się sztucznie, a potem się pożegnała. Wyłączyła bezprzewodową słuchawkę i cisnęła ją na łóżko obok siebie. Wpatrzyła się w sufit. Łopatki wentylatora pokrywała gruba warstwa ciemnego kurzu. Widać od dawna ich nie czyściła. Czas atakował ją znienacka ze wszystkich stron.

Poczuła w gardle łzy i podniosła dłonie do oczu. Nie chciała płakać. Miała obolałe piersi i rozdęte ciało, czuła ból przy każdym ruchu, a poza tym ostatnio płakała prawie bez przerwy.

Możliwe więc, że ich to ominie. No i co z tego? Wielu ludzi nie ma dzieci. Mimo to cieszą się życiem. Będą z Tomem spędzali więcej czasu razem. Wykupią abonament do teatru, spłacą długi, będą podróżowali. Tak jakby na świecie brakowało dzieci.

Odwróciła się na bok, podciągnęła do piersi poduszkę i załkała – tak cicho, jak tylko potrafiła.

Kiedy zaczął piszczeć alarm, Tom znowu czytał w pokoju, a Anna znowu siedziała zamknięta w łazience. Jeden dom, dwa światy. Oboje potrzebowali ucieczki.

Alarm odezwał się tak nagle, że Tom natychmiast zdjął stopy z biurka, o mało nie spadając z krzesła. Dźwięk ten kojarzył mu się przede wszystkim z gotowaniem – Anna była świetną kucharką, ale mieli w mieszkaniu gównianą wentylację i za każdym razem gdy przysmażała coś na patelni, zadymiała ostatecznie kuchnię i uruchamiała alarm.

Tego wieczoru jednak ich kolację stanowiły dwie puszki Campbella – otworzyli je i zjedli osobno. Resztki potrawki z wołowiny zalegały w miseczce stojącej obok powieści, której Tom przełamał grzbiet, żeby leżała płasko na blacie.

Opanowawszy panikę, zdał sobie sprawę, że dźwięk jest trochę inny, przytłumiony. Pomyślał, że dochodzi chyba gdzieś zza ścian, a zatem najpewniej z mieszkania ich lokatora. Wentylacja na parterze była tak samo do kitu jak u nich.

Tom usiadł równo, drapiąc się po nosie. Dźwięk był wprawdzie przytłumiony, ale mimo to trudny do wytrzymania – zwłaszcza że dokuczał mu ból głowy. Z gatunku tych skurwysyńskich, które rodzą się gdzieś zaraz za gałkami ocznymi. Gdy Tom nimi poruszał, wydawało mu się, że szarpie za nerw wzrokowy, i zimny, obezwładniający ból nakazywał mu natychmiast zamknąć oczy. Marzył, by otwierając je, był już w innym miejscu. Gdzieś, gdzie jest ciepło, gdzie wieje łagodny wiatr, kołysząc hamakiem. Gdzie czuć zapach oceanu. Czasem wyobrażał sobie, że leży obok niego Anna: ta dawna Anna, ten dawny on, młodzi i zakochani, zanim jeszcze ich marzenia okazały się koszmarem. Czasem wcale nie marzył o Annie.

Westchnął, wypił łyk bourbona i wrócił do książki – powieści, której bohaterami byli dwudziestokilkuletni Amerykanie mieszkający w Budapeszcie. Szukali siebie nawzajem, szukali szczęścia i byli tak piękni, tak dojmująco młodzi, że czytanie o tym niemal sprawiało Tomowi ból, choć nie chodziło o to, że nie mógł uwierzyć, że kiedyś był tak młody, ale raczej o to, że nie mieściło mu się w głowie, że taki już nie jest. W swoim najskrytszym ja, o którym myślał jako o sobie samym, ciągle miał dwadzieścia kilka lat, ciągle stał okrakiem między wolnością a odpowiedzialnością. Był wystarczająco dorosły, by wiedzieć, kim jest i czego pragnie, ale na tyle młody, by niczego nikomu nie być winnym i nie musieć wstawać dwukrotnie w nocy, żeby się wysikać. Cudowny wiek.

Położył łokcie po obu stronach książki i potarł obolałe oczy. Dwadzieścia kilka lat... Waszyngton, mieszkanie w Adams Morgan, na piętrze nad barem z grillem. Wtedy ciągle jeszcze podsycał w sobie marzenie, że zostanie pisarzem i wieczorami zawzięcie stukał na maszynie, czując dobiegający zza okna zapach smażonych hamburgerów. Anna miała własne mieszkanie, ale prawie zawsze sypiała u niego. Pewnego roku urządzili przyjęcie z okazji Halloween, na którym przebrała się za obraz abstrakcyjny: była naga z wyjątkiem bikini w cielistym kolorze oraz pasów fluorescencyjnej farby do ciała. Kiedy wieczorem się kochali, farba rozsmarowała się na prześcieradłach w kwiaty i Anna śmiała się z tego: odrzuciła głowę do tyłu i zaniosła się śmiechem, po czym objęła jego plecy pomalowanymi rękami i zaczęła mu w nie wcierać kolorową maź.

Wypił kolejny łyk bourbona.

Usłyszał niepewne pukanie do drzwi.

– Tak? – zawołał.

Do środka weszła Anna. Miała na sobie bawełnianą piżamę i była bez makijażu. Jej oczy były okrągłe i opuchnięte.

– Słyszysz to?

Żeby nie słyszeć alarmu, trzeba było być głuchym, ale Tom zwalczył chęć wygłoszenia złośliwego komentarza i skinął jedynie głową.

– To chyba u Billa.

– Wyje już tak przez chwilę.

– Minutę albo nawet dwie. – Nagle zdał sobie sprawę, że to przecież nie dźwięk budzika i nie można go ignorować. Wstał. – Chyba masz rację.

Mijając Annę, przesunął dłonią po jej biodrze.

– Chcesz, żebym poszła z tobą? – zapytała, obdarzywszy go zmęczonym uśmiechem.

– Nie. Wracaj do łóżka.

Przeszedł po skrzypiącej podłodze korytarza do kuchni i zabrał klucze do mieszkania na parterze. Zakochali się z Anną w tym budynku od pierwszego wejrzenia: ceglany domek z dwoma mieszkaniami, stuletni, na Lincoln Square nieopodal rzeki. Dobra dzielnica, bezpieczna, zamieszkana przez rodziny, a dom graniczył od tyłu z parkiem, do którego, jak sobie wyobrażali, mieli kiedyś zabierać swoje dzieci.

Oczywiście dom kosztował o dwieście tysięcy więcej, niż mieli zamiar wydać. Ale wynajęcie parteru pozwalało im pokryć koszty opłat za budynek, mniej więcej. „Mniej więcej: dzisiejszy sposób życia". Tom otworzył frontowe drzwi i ruszył po schodach. „Obciążyć hipoteką teraźniejszość, by zabezpieczyć sobie przyszłość".

Z zadumy wyrwał go zapach dymu.

– O kurwa! – Pobiegł po schodach, krzyknąwszy przez ramię: – Anno!

Drzwi do holu zacięły się i musiał mocno szarpnąć, żeby je otworzyć. Usłyszał za plecami kroki żony, ale nawet się nie zatrzymał i natychmiast wpadł do sieni. Spod drzwi do mieszkania Billa Samuelsona wydobywała się strużka szarego dymu. Kurwa, kurwa, kurwa! Tom załomotał w drzwi, czując się trochę jak idiota – tak jakby facet mógł nie słyszeć alarmu, ale zareagować na pukanie. Powalczył przez chwilę z kluczami, wypróbowując kilka po kolei, aż wreszcie udało mu się otworzyć zamek. Starał się przypomnieć sobie wszystko, co wiedział o pożarach. „Dotknij drzwi" – pomyślał – „żeby sprawdzić, czy po drugiej stronie są płomienie i czy przypadkiem nie dostarczysz im tlenu". Ale drewno było zimne. Anna stanęła za nim.

Tom przekręcił gałkę. Pierwszy pokój był pogrążony w kłębach dymu, jak scena na koncercie rockowym. Alarm wył jak opętany.

– Halo?

Nie dostrzegłszy nigdzie płomieni, otworzył szeroko drzwi i wszedł do środka. Pomieszczenie było urządzone po spartańsku: postawione gdzieś w kącie krzesło, wielki telewizor na płycie wiórowej pełniący funkcję kina domowego. Nad pojedynczą lampą wirowała żółta aureola światła.

Meble przypomniały Tomowi, że jest w obcym mieszkaniu, ale wyparł szybko tę myśl. To był j e g o budynek, j e g o dom. Ruszył szybko korytarzem. Dym stawał się coraz gęstszy i ciemniejszy. Tom podciągnął koszulę i zatkał sobie usta; przez materiał wdychał gorące powietrze.

W kuchni światło drążyło w powietrzu migocące jasne korytarze. Tom wyczuł gorąco, zanim jeszcze dostrzegł płomienie. Gdy podchodził do kuchenki, nad którą tańczyły włócznie żółtych i zielonych płomieni, pierwotne instynkty wywołały w jego sercu przerażenie. Płomienie ogarnęły pokryty czernią czajnik do herbaty i przez ułamek sekundy Tomowi wydawało się, że to on się podpalił, ale po chwili stwierdził, że ogień wydobywa się z palników gazowych. Rzucił się do przodu, przekręcił gałkę i wyłączył gaz, czując, że ogarnia go fala bijącego od pożaru gorąca. Nic się nie zmieniło. Zdał sobie sprawę, że to nie gaz jest źródłem ognia i że płomienie wydobywają się gdzieś z dołu, spod metalowego pierścienia.

Tłuszcz, odkładający się tam od wielu miesięcy, zapalił się i pulsował słodkim czarnym dymem. Ściana za kuchenką była cała osmalona.

– O kurwa! – zawołała zza jego pleców Anna. – Czy gość ma gaśnicę?

Tom otworzył szafkę pod zmywakiem. Powietrze było tam o wiele czystsze i zauważył przez nie kilka opakowań środków czyszczących oraz parę opróżnionych do połowy butelek z alkoholem, ale poza tym nic użytecznego. Wstał. Na blacie obok słoika z kawą bezkofeinową dostrzegł kubek. Mógł go napełnić wodą i... Chwileczkę. Lepiej. Wężyk w zlewie. Tom podszedł do zmywaka, odkręcił wodę i sięgnął po nowo odkrytą broń.

– Nie! – zawołała Anna, przekrzykując alarm. – Pali się tłuszcz!

„Pali się tłuszcz, pali się tłuszcz, pali się tłuszcz". Racja. Woda sprawiłaby tylko, że się rozpryśnie, że we wszystkie strony wystrzelą kropelki płonącego oleju. Czym, do diabła, gasi się płonący tłuszcz?

Anna odpowiedziała na jego pytanie, podchodząc do otwartych drzwiczek wiszących wyżej szafek. Zupy w puszce, makaron, paczka ciasteczek Girl Scout. Herbata, kawa. Przyprawy, z naklejonymi jeszcze cenami. Pięciokilowa torba mąki, z niebieskimi literami na białym papierze, ze zrolowanym, zabezpieczonym gumką końcem na górze. Anna wyjęła ją z szafki, wywracając kilka butelek, które potoczyły się z łoskotem po blacie. Płomienie rozprzestrzeniły się już na drugi palnik. Zdjęła gumkę i otworzyła torbę, a potem nachyliła się nad ogniem i wysypała na kuchenkę jej zawartość, tak jakby wylewała wiadro wody. Piecyk, ściana i blat pokryły się białym proszkiem. Gdy mąka przykryła ogień, płomienie zaskwierczały, a potem rozległo się głuche puf!, i zniknęły pod kupką bieli. Drobinki unosiły się jeszcze przez chwilę w gorącym powietrzu, wirując i tańcząc niczym pyłki kurzu.

Tom poczuł, że wypuszcza z płuc powietrze. Nagle zdał sobie sprawę, że przez cały czas wstrzymywał oddech. Świat w tej krótkiej chwili, oddzielającej panikę od stanu normalności, nagle wydał się bardzo dziwny. Przez sekundę oboje patrzyli na siebie bez słowa.

– Dobry pomysł – odezwał się po chwili Tom.

– Co? – krzyknęła Anna.

Zauważył przymocowany nad wejściem do kuchni alarm. Sięgnął, żeby go uciszyć, i wyciągnął baterię. Pisk w jednej chwili się urwał. Tom spojrzał na Annę.

– Mówiłem, że miałaś dobry pomysł. – Spojrzał na nią i się uśmiechnął. – Mój duszku.

Anna stała z pustą torebką w dłoni, a jej twarz i włosy pokrywała warstewka bieli. Przez chwilę spoglądała na niego ze zdziwieniem, a potem zobaczyła swoje ręce całe w mące i zaczęła się śmiać.

On również się roześmiał i machając dłońmi, żeby oczyścić nieco powietrze, podszedł do kuchenki oszacować szkody. Zaczął robić w myślach rachunek: pożar, dzięki Bogu, ograniczył się do piecyka. Ten ostatni był całkowicie zniszczony, podobnie jak mikrofalówka powyżej. Tylną ścianę też pewnie należało wzmocnić, a całą kuchnię pomalować. Tego właśnie się spodziewał.

Ale nie spodziewał się, że między kopczykami mąki, przypominającymi do złudzenia zaspy śniegu, zobaczy pięć starannie obwiązanych plików studolarowych banknotów.

Kiedy Tom wypowiedział na głos jej imię, Anna odkręcała właśnie kran, żeby umyć ręce z mąki. Stała do niego plecami i to, że mówił tak cicho, przeraziło ją.

Odwróciła się i zobaczyła, że jest przy kuchence. Pomyślała, że może się poparzył albo że pożar spowodował większe szkody, niż się wydawało. A potem podążyła wzrokiem za jego palcem.

W mące leżało kilka paczek pieniędzy.

Niedorzeczność tego faktu była uderzająca. Przecież człowiek zazwyczaj dba o pieniądze, składa je, trzyma w portfelu. Banknot dolarowy leżący na chodniku rzuca się w oczy tak, jakby był podświetlony neonem. Zobaczyć kilka plików pieniędzy – plików! – ich spłowiałą zieleń pobrudzoną mąką, pucułowatą twarz Benjamina Franklina... Na ten widok ugięły się pod nią kolana.

– O Jezu!

Podeszła do Toma. Spojrzeli razem w dół. Jej umysł pracował jak oszalały, próbował połączyć kropki, które, zdawało się, pochodziły z różnych obrazków. Był pożar. Płonął tłuszcz. Wysypali na ogień mąkę. A teraz na kuchence leżą tysiące dolarów. Alchemia.

Sięgnęła i podniosła jeden z plików. Banknoty były miękkie, zużyte, a ich setka ważyła więcej, niż Anna się spodziewała. Przesunęła kciukiem po brzegu i z paczuszki podniosła się rzadka chmura mąki. Sto setek, dziesięć tysięcy. Więcej gotówki, niż kiedykolwiek w życiu trzymała w ręku. Jakieś dwa miesiące jej pracy. Jeżeli dodać pozostałe pliki – dziewięć miesięcy. Dwunastogodzinnych dni, poczt głosowych, bezsennych nocy, batalii w salach konferencyjnych. Dziewięć miesięcy w torbie mąki wysypanej na płomienie. Nagle wystraszyła ją ta myśl i zgarnęła zachłannymi z jakiegoś powodu palcami resztę pieniędzy.

– Co robisz?

Trzymała w jednej dłoni dwadzieścia kawałków, a w drugiej trzydzieści.

– Na wszelki wypadek, gdyby płomienie znowu buchnęły.

Mówiła prawdę, po to właśnie to zrobiła – chciała tylko podnieść pieniądze i położyć je na blacie. Poczuła jednak, że tak naprawdę wcale nie chce ich odkładać. Spojrzała na Toma i zobaczyła, że ma szeroko otwarte oczy i usta rozchylone na centymetr. Po dwunastu, trzynastu latach spędzonych razem mogła czytać z jego twarzy jak z książki i dostrzegła na niej to samo równanie, jakie powtarzała sobie w myślach. Te same pytania.

– Gdy weszliśmy, kuchenka była włączona.

– Właśnie. Pewnie dlatego wybuchł pożar. – Zamilkł na chwilę. – Może wyszedł, zapomniał, że ją włączył?

Wskazała na kubek i słoik.

– Zaczął sobie robić kawę i nagle wyszedł?

– Może ktoś do niego zadzwonił, może musiał gdzieś lecieć?

Skinęła głową. Podeszła do kredensu i odłożyła pieniądze.

– Może. – Poczuła chłód w sercu. – Ale może powinniśmy się rozejrzeć.

– Rozejrzeć za... – Zamilkł. Spojrzał na korytarz prowadzący do dwóch sypialni. Przez chwilę patrzyli sobie w oczy. W powietrzu wisiała niewypowiedziana nadzieja. Nagle Tom podszedł do okna i otworzył je. – I tak trzeba tu wywietrzyć.

Był to marny wykręt, ale przynajmniej mogli się czegoś uczepić. Ruszyli w stronę sypialni dla gości. Pomimo otwartych drzwi pokój był pogrążony w ciemnościach. Anna zawahała się, a potem sięgnęła i włączyła światło. W jaskrawej łunie dostrzegli ławeczkę i zestaw żeliwnych krążków do ciężarów oraz przenośne radio i blaszaną popielniczkę pełną petów. Było to idiotyczne, ale pomyślała przede wszystkim o tym, że przecież uprzedzali go, że w budynku nie wolno palić, że musi to robić na zewnątrz. Właściwie tylko wtedy go widywali, gdy puszczał dymka na werandzie. Najwyraźniej jednak pozwalał sobie na to nie tylko tam. Tom otworzył okno, po czym ruszyli dalej korytarzem w stronę głównej sypialni.

Wiedziała, zanim jeszcze Tom pstryknął światło. Tak naprawdę wiedziała jeszcze w kuchni. Kiedy więc go zobaczyła, nie podskoczyła, nie wrzasnęła ani nie zrobiła niczego, co w takiej sytuacji robią głupie baby w filmach.

Sypialnia była równie pusta co reszta domu. Niewielka komoda. Stolik nocny: lampka do czytania, książka w miękkiej okładce, zegarek, popielniczka pełna petów, buteleczka z lekarstwem. Ogromny materac w prostej ramie, bez deski pod głowę, wyblakłe stare koce. I Bill Samuelson o bladej twarzy, ustach ciasno zasznurowanych, zwinięty na boku z rękami przyciśniętymi do żołądka, tak jakby bolał go brzuch.

Pierwszy i ostatni raz Anna widziała martwe ciało na pogrzebie swojego dziadka. Miała jedenaście lat i pamiętała, że kiedy podeszła za matką zajrzeć do trumny, nie poczuła nic. Nie, właściwie nie do końca – jej matka płakała, co robiła bardzo rzadko na oczach córki i co sprawiło, że Annie mało serce nie pękło. Ale jeśli chodzi o mężczyznę w obitej aksamitem skrzyni, ze zbyt mocno zaróżowionymi policzkami i rysami twarzy jak wykutymi w betonie – nie czuła nic. To nie był jej dziadek. Jej dziadek był wesołym człowiekiem, grał w karty, pił whiskey i opowiadał dowcipy. Mężczyzna w skrzyni był jakiś taki... nieobecny.

– Chryste Panie! – powiedział cicho Tom.

Stali przez chwilę w korytarzu, tak jakby śmierć wytworzyła w przestrzeni coś w rodzaju pola ochronnego. Ciało na łóżku wyglądało... Może nie do końca było spokojne, ale emanowała z niego jakby rezygnacja. To było właściwe słowo. Bill wyglądał na zrezygnowanego, jak człowiek gotowy przyjąć karę. Anna patrzyła na niego, wdychała gęste od tłuszczu i dymu powietrze i wsłuchiwała się w równomierne tykanie zegarka. Tik-tak, tik-tak, tik-tak. Tak jakby mierzył jej czas, jej i Toma. Ich życie poddało się pod jego wewnętrzny rytm.

Kiedy wchodziła do środka, zaskrzypiała podłoga, co zabrzmiało jak parsknięcie śmiechem w kościele. Zamarła, ale po chwili ruszyła dalej. Wyciągnęła powoli rękę. Jego pierś nie poruszała się, Anna widziała, że nie oddycha, ale musiała się upewnić, musiała to poczuć, żeby uwierzyć. Skóra jego ręki była chłodna. Ale nie zimna. Jeszcze niedawno pewnie żył. Może godzinę temu? Czy tyle właśnie dzieliło od siebie dwa światy, jego i jej? Godzina?

Tik-tak, tik-tak, tik-tak.

– Chyba powinniśmy po kogoś zadzwonić.

Wydawało jej się, że głos Toma dobiega gdzieś z daleka.

Oderwała dłoń od ciała i skinęła głową.

Kuchnia zdążyła się już właściwie wywietrzyć i czuć w niej było świeżą, wiosenną bryzę. Pieniądze leżały tam, gdzie je zostawiła – na blacie, obok telefonu.

– Jak myślisz, co się stało?

Tom pokręcił głową.

– Nie wiem. Atak serca? Udar?

– Chyba nie był taki stary.

– Mój wujek miał zawał w wieku czterdziestu dwóch lat. Bill był pewnie starszy.

Anna wzięła do ręki jedną z paczek banknotów i niespiesznie uderzyła nią kilka razy o blat.

– Pewnie masz rację. Może był chory?

Skinął powoli głową.

– Miał buteleczkę z lekarstwem na receptę.

– Boże! – Anna zadrżała. – Umarł zupełnie sam. Bez rodziny, bez przyjaciół. Nawet bez lekarza. Sam w swojej sypialni.

– Paskudna śmierć. – Tom wyrównał rządki banknotów. – Ale w sumie nie wiem. Może i dobrze? Wydawało się, że tak właśnie żył. Trochę jak pustelnik.

Zamilkli. Oboje wpatrywali się w blat, w pieniądze i telefon. Wpadający do kuchni przez otwarte okno wiatr, słodko pachnący wiosenną świeżością, pozwalał spodziewać się burzy. W głowie Anny rodziła się pewna myśl – wylęgała się bardzo powoli, a ona pozwalała jej na to. Nie podsycała jej, ale i nie tłumiła. Po prostu jej nie przeszkadzała. Odgarnęła znad ucha kosmyk włosów.

– Przypomina to te historie, o których czytałeś.

– Jakie historie?

– No wiesz, *Opowieści niesamowite*, czy jakoś tak. Facet mieszka sam w hotelu dla robotników. Według sąsiadów jest spokojny, nigdy nie przyjmuje gości. Pewnego dnia czują brzydki zapach. Kiedy wyważają drzwi, znajdują książeczkę oszczędnościową z milionem dolarów na koncie.

Roześmiał się.

– I sto pudełek makaronu z serem Kraft.

– I siedemnaście kotów.

To było chore, żartować tak tam, w kuchni martwego sąsiada. Ale z drugiej strony Anna dobrze się z tym czuła. Przypominało jej to, że ciągle żyje, że jej zegar będzie jeszcze bardzo długo tykał.

– A forsę zabierze policja – powiedział Tom.

Spojrzała na niego zaskoczona. Ich oczy spotkały się i Anna dostrzegła we wzroku Toma tę samą myśl, która lęgła się w jej głowie.

– Mógł mieć rodzinę.

– Jaką rodzinę? Nikt go nigdy nie odwiedzał, facet nie chodził do pracy i nie miał kumpli. Co tam, za każdym razem jak mówiliśmy mu „Cześć!", prawie że zaczynał na nas szczekać.

– Tak było – potwierdziła. Czuła gdzieś w środku, że powinna się temu sprzeciwić, ale z drugiej strony wcale nie miała na to ochoty. – Mimo wszystko...

Tom wzruszył ramionami.

– Pewnie masz rację – rzekł. Ale nie sięgnął po telefon.

Anna wypuściła z płuc powietrze i przesunęła palcem po paczuszce. Na blacie leżały jej niemal roczne zarobki. Wystarczyłoby, żeby spłacić ich długi, karty kredytowe, rachunki ze szpitala. Pozbyliby się presji, poluzowaliby niewidoczną pętlę, która zaciskała się wokół ich gardeł z każdą kolejną kopertą opatrzoną pieczątką: „Zaległe".

Wystarczyłoby, żeby mogli spróbować jeszcze raz. Jeszcze raz zakręcić ciążowym kołem fortuny.

„To nie są twoje pieniądze. To byłoby złe".

„A do kogo właściwie należą? Dlaczego niby n i e do mnie? D l a c z e g o to miałoby być złe?"

Anna rozejrzała się po kuchni. Panował w niej bałagan: kuchenka zwęglona, ściana osmalona, wszędzie mąka, drzwi szafek pootwierane, na półkach widoczne patelnie, szklanki i jedzenie, których Bill Samuelson już nie potrzebował. Nagle zauważyła coś jeszcze. Poczuła suchość w ustach. Nie mogła nawet wykrztusić z siebie imienia Toma.

– Eee?

Spojrzał na nią, wychwytując zmianę tonu w jej głosie, i podążył wzrokiem za jej palcem, wskazującym w stronę szafki, w której znalazła mąkę – i w której leżała jej kolejna pięciokilogramowa torba, obok wielkiej paczki cukru oraz pudełek z różnymi innymi artykułami.

OSIEM KOLEJNYCH PACZEK W MĄCE.

Sześć w cukrze.

Siedem pod dwucentymetrową warstwą soli, pasujących jak ulał do opakowania.

Jedna w pudełku mąki kukurydzianej.

Ciasteczka Girl Scout okazały się warte trzydzieści tysięcy dolarów.

Początkowo szukali ostrożnie, ale gdy znajdowali więcej i więcej, przyspieszyli nagle i ich ruchy zaczęły się rozmazywać niczym krajobraz za oknem pociągu. Rozrywali opakowania i grzebali w środku, wyciągając pliki banknotów, za każdym razem warte tyle co ich dwumiesięczne zarobki. Pod koniec śmiali się już, ścigali, starając się jak najszybciej otwierać kolejne pudełka i wyciągać z nich forsę: dwie paczuszki przyklejone od wewnątrz do opakowania płatków Frosted, kolejne dwie w Golden Grahams. Jedna w batonikach muesli. Dwie w pudełku z owsianką.

W sumie trzydzieści siedem. Trzydzieści siedem paczuszek po dziesięć tysięcy.

Trzysta siedemdziesiąt tysięcy dolarów.

Ułożyli je w stosie na blacie. Pieniądze były pokryte mąką, cukrem, resztkami płatków. Chybotliwa piramida bogactwa. Anna spojrzała na nią. Jakieś pięć lat jej zarobków brutto. Boże, raczej osiem, po odliczeniu podatków. W kuchni, w morzu strzępków papieru, rozsypanej żywności, wieczek pudełek i kupek cukru, walało się ponad dwie trzecie wartości całego domu. Zdała sobie sprawę, że się uśmiecha, że walczy z chęcią rozerwania paczuszek i rozrzucenia pieniędzy w powietrzu.

– Czy miałeś kiedyś...

– Żartujesz? – Tom pokręcił głową. Na jego twarzy malował się ten sam uśmiech szaleńca. – Nie. Miałem w rękach co najwyżej setkę, a i to tylko kilka razy.

– Jeżeli policja to znajdzie, wszystko zabierze – powiedziała. – Wszystko to wyląduje w sejfie z dowodami.

– Albo na koncie kampanii wyborczej burmistrza. – Wyprostował się i spojrzał w stronę korytarza. – Musimy zadzwonić.

Skinęła głową.

– Wiem. Ale...

– Właśnie.

Stali w milczeniu, wpatrując się w pieniądze. Pomyślała, że to zabawne. W filmie znaleźliby pewnie dziesięć milionów. Jakąś absurdalną sumę. Trzysta siedemdziesiąt tysięcy dolarów to dużo, bez wątpienia. Ale nie wykraczało to całkowicie poza ich możliwości. Oboje mieli dobrą pracę, wyciągali mniej więcej po siedemdziesiąt tysięcy. Zanim kupili dom, zanim zaczęli się leczyć z bezpłodności, żyli na przyzwoitej stopie. Konta oszczędnościowe i od czasu do czasu obiad za dwieście dolców. Co roku podróż: Hiszpania, Bahamy. To, że suma mieściła się w granicach wyobraźni, sprawiało, że była zarówno bardziej, jak i mniej realna. I co, mieli tak patrzeć na całą tę forsę zgromadzoną w jednym miejscu niczym skarb piratów, zapomnianą i czekającą, by ktoś ją odnalazł?

– Nie jestem złodziejką.

– Ja też nie – zgodził się Tom. A potem dodał: – Ale zawsze moglibyśmy wszystko oddać, nie? Gdyby się okazało, że miał rodzinę?

– Nie mielibyśmy potem kłopotów?

– Nie musielibyśmy nic mówić. Co tam, zostawilibyśmy forsę na progu.

– Zadzwonili do drzwi. Ding-dong, tu fortuna. – Potarła się po policzku. – A co, jeżeli ją ukradł?

– Ukradł? Komu?

– Nie wiem. Może ją zdefraudował albo coś w tym guście.

– Całkiem możliwe. – Tom zamilkł na chwilę. – Ale nawet jeśli, to przecież miasto nie uruchomi wielkiej kampanii, żeby znaleźć prawowitego właściciela. Będzie tak jak ze skonfiskowanymi samochodami albo domami, które ludzie tracą z powodu zaległych podatków. Władze pewnie zamieszczą dwuwersowe ogłoszenie, a potem, gdy nikt się nie zgłosi po forsę, ona po prostu wyparuje.

Przez okno wpadł do kuchni chłodny podmuch wiatru i Anna objęła się ramionami.

– To trochę jak znaleźć pieniądze na chodniku. Jeżeli ktoś szuka czegoś na ziemi, dajesz mu je, ale nikt nie oczekuje od ciebie, żebyś zaraz szedł z nimi na komisariat.

– Musimy zachować ostrożność – ostrzegł ją Tom. – Nie możemy wpłacić wszystkiego na konto. Mogliby nas namierzyć.

– Jasne. Pewnie nie powinniśmy trzymać też forsy w domu.

Zauważyła, że przeszli nagle od „czy" do „jak". Zastanowiła się, czy powinna odczuwać wyrzuty sumienia. Ale właściwie nie miała na to ochoty.

– Trzeba by ją umieścić w skrytce bankowej albo czymś w tym rodzaju.

– I zostawić w formie gotówki. Nie zmieniać pracy, rachunki nadal opłacać z pensji.

Tom skinął głową, wpatrując się w stos banknotów. Ona również nie mogła oderwać od niego wzroku: jej oczy błądziły po krawędziach paczuszek, śledziły geometrię wolności, spłowiałą zieleń, naznaczoną potem i pomarszczoną z upływem czasu. W domu panowała cisza, słychać było tylko podmuchy wiatru za oknem i ich oddechy. Oraz przyciszone, niewzruszone tykanie zegara w sypialni.

Kiedy podniosła wzrok, ich oczy spotkały się i zrozumiała, że etap rozmowy mają już za sobą.

TOM ZOSTAWIŁ JĄ W KUCHNI, żeby zaczęła sprzątać, a sam pobiegł na górę po coś, do czego dałoby się włożyć ich zdobycz. Coś, do czego dałoby się włożyć trzysta siedemdziesiąt tysięcy baksów. O Jezu! Zachciało mu się chichotać – nie śmiać, ale chichotać, jak dziecko albo szaleniec. To było czyste wariactwo. Wszystko.

W szafie w korytarzu znalazł swoją torbę gimnastyczną, rozpiął ją, przewrócił na drugą stronę i wyrzucił śmierdzące spodenki i buty. Schylił się, żeby pozbierać ubrania, ale doszedłszy natychmiast do wniosku, że przecież mogą sobie tam leżeć, kopnął je tylko do środka, czując nagle, że rozpiera go dzika energia, że pierś wypełnia mu nerwowe poczucie wolności. Pokonywał po trzy stopnie naraz. Czuł każde wybrzuszenie, każdy kawałek poręczy, rozpoznawał smak powietrza, które wdychał.

W kuchni Anna szufelką i miotłą pozbierała rozsypaną żywność z szafek i podłogi, a on wepchnął pieniądze do torby. Banknoty w poszczególnych plikach były zużyte jak stary koc. Czuć je było człowiekiem, łojem setek portfeli, tysięcy dłoni. Uporawszy się z zadaniem, zapiął torbę.

– Ciężka – zauważył. – Nie wiedziałem, że forsa aż tyle waży.

Anna oparła się o miotłę.

– Gdzie ją schowamy? To znaczy, póki co.

– Może w szafie na bieliznę, pod kocami?

– No nie wiem. Jeżeli będzie w naszym mieszkaniu...

– A może w piwnicy? W ten sposób, jeżeli ktoś ją znajdzie, będzie to wyglądało tak, jakby to on ją tam schował. – Anna skrzywiła się. – Tak tylko mówię.

– Nie, masz rację.

Nie wyglądała na do końca przekonaną.

– Wnęka pod podłogą – powiedział. – Mogę odsunąć panel konserwacyjny i tam upchać forsę. Znajdą ją tylko wtedy, jeżeli będą szukali naprawdę dokładnie. A jeżeli będą szukali naprawdę dokładnie, to będzie znaczyło, że wiedzą, że szukają forsy, a w takim wypadku niech już ją lepiej znajdą.

Przygryzła wargę i skinęła głową.

Do czasu, gdy schował pieniądze i wspiął się z powrotem po schodach, Anna prawie że skończyła: pudełka i torebki zniknęły, drzwi w szafkach były pozamykane, a płatki, cukier i owsianka pozamiatane z podłogi. Tom się rozejrzał.

– Co z kuchenką?

Zarówno kuchenka, jak i blat obok niej były uwalane mąką.

– Musi to wyglądać tak, że zeszliśmy, zgasiliśmy pożar, a potem znaleźliśmy ciało i zadzwoniliśmy po gliny. Nie czekaliśmy z tym, żeby posprzątać mąkę, prawda?

Oczywiście Anna miała rację – była bardzo bystra, i to właśnie między innymi za to ją kochał, to między innymi z tego powodu się w niej zakochał. On sam miał tendencję do podchodzenia do problemów w najprostszy sposób, do walenia na oślep, tymczasem Anna potrafiła spoglądać na nie pod różnymi kątami, znaleźć zaskakujące rozwiązanie. Podszedł i przyciągnął ją do siebie. Odwzajemniła namiętnie jego pocałunek, złapała go rękami za plecy, przycisnęła swoje biodra do jego, wsunęła mu giętki i miękki język do ust, aż zaczęła w nim narastać gorączka, potęgując każde wrażenie zmysłowe, tak że czuł mocno opór i ciepło jej ciała, chłodne powietrze przy swojej szyi, jej zęby za gorącymi wargami. Nie odrywali się od siebie przez dłuższy czas.

– Czy to jest wariactwo? – wydyszała mu w ramię. – Czy my zwariowaliśmy?

– Nie wiem. Tak. – Wypuścił z płuc powietrze. – Ale jeszcze nie jest za późno. Możemy ją przynieść z powrotem.

– Chcesz tego?

– A ty?

– Trzysta siedemdziesiąt tysięcy dolarów. – Wyszeptała te słowa jak zaklęcie. – Trzysta siedemdziesiąt t y s i ę c y dolarów.

– Ja też nie.

ANNA NIGDY WCZEŚNIEJ nie spotkała detektywa i nie wiedziała, czego się spodziewać. Nic dziwnego, że była pod wrażeniem. Detektyw Halden miał ładne oczy i niezły garnitur. A przecież mężczyźni nie chodzą już dzisiaj w garniturach. Jeżeli dodać do tego emanujący z niego spokój, sugerujący, że na własne oczy oglądał wszystko, czym tylko życie może zaskoczyć człowieka, otrzymywało się wcielenie kompetencji, władzę w najczystszej postaci. Anna czuła, że mu ufa, że go lubi.

Najpierw pojawili się zwykli policjanci, dwaj faceci w niebieskich mundurach. Zadzwonili do drzwi co najwyżej dziesięć minut po tym, jak Tom zatelefonował na komisariat. Dźwięk ten sprawił, że Annie serce podskoczyło do gardła. Gdy otwierała drzwi, wyobrażała sobie, że natychmiast ją przejrzą, że przygwożdżą Toma i ją do podłogi i zakują w kajdanki. Okazało się jednak, że to całkiem mili faceci. Zwracali się do niej per „proszę pani", a gdy razem z Tomem pokazała im ciało Billa Samuelsona, młodszy z nich postanowił zabawić ich w kuchni rozmową, podczas gdy jego kolega wezwał przez radio detektywa.

Halden wszedł do pokoju jak prezes do sali posiedzeń rady nadzorczej.

– Detektyw Christopher Halden – przedstawił się, wymieniając z nimi po kolei uścisk ręki, po czym wręczył im wizytówkę z clipartowskim rysunkiem krajobrazu na tle nieba. Stanął w kuchni, zakołysał się na piętach i przesunął wzrokiem po blacie, zniszczonej kuchence i okopconej ścianie.

– Widzę, że mają państwo za sobą paskudną noc.

Tom skinął głową.

– Jeszcze jaką.

– Nic państwu nie jest?

– Trochę nas tylko otumaniło.

– Pokażą mi go państwo?

Zaprowadzili go korytarzem, zatrzymując się przed drzwiami. Halden wszedł do środka. Nie wzdrygnął się ani nie zawahał i Anna zaczęła się zastanawiać, ile czasu musi minąć, by człowiek tak się na to uodpornił. Ile trupów musi zobaczyć? Jak to jest, mieć pracę, w której przez cały dzień natyka się na martwe ciała?

Halden stał przy łóżku z rękami w kieszeniach i łokciami odsuniętymi od ciała. Rozglądał się uważnie po pokoju.

– Sprawdziliście zamki?

– Po co? – zapytała Anna.

Detektyw spojrzał na nią.

– Właściwie pytałem jednego z funkcjonariuszy, pani Reed.

– Ach, tak. Przepraszam.

Poczuła pot pod pachami i na tylnej części ud.

– Żadnych śladów wtargnięcia – powiedział starszy z dwóch policjantów. – Zamki ciągle działają. Okna są otwarte...

– Otworzyliśmy je, żeby wywietrzyć dym – wyjaśnił Tom. – Zanim go znaleźliśmy.

– ...ale siatki na owady nietknięte – kontynuował gliniarz.

Halden skinął głową. Wyjął z wewnętrznej kieszeni pióro i zaczął nim przerzucać rzeczy na stoliku nocnym.

– Jak dobrze go państwo znali?

Anna spojrzała na Toma i wzruszyła ramionami.

– Właściwie w ogóle. Odpowiedział na nasze ogłoszenie, jakieś pół roku temu, i tyle.

– Czym się zajmował?

– Nie jestem pewna. Nic na ten temat nie mówił.

– Nie pytali państwo?

Pokręciła głową.

– Zapłacił za dwa miesiące z góry.

Halden włożył gumową rękawiczkę i przykucnął przez nocnym stolikiem. Włączył lampkę i podniósł buteleczkę z lekarstwem.

– Wspominał o jakiejś chorobie?

– Nie. Ale właściwie nigdy nie rozmawialiśmy.

– Widywaliśmy się tylko od czasu do czasu – dodał Tom. – Głównie gdy palił na werandzie. Co to za lekarstwo?

Detektyw nic odpowiedział. Wyciągnął z kieszeni latarkę, włączył ją i schylił się, żeby zajrzeć pod łóżko. Przy pasie miał pistolet, od którego Anna nie mogła oderwać oczu. Po chwili wstał, uniósł dłonie Samuelsona, poświecił na nie latarką i przez chwilę uważnie im się przyglądał.

– Miał jakichś przyjaciół albo rodzinę? Ktoś go odwiedzał?

– Nikogo nie widzieliśmy.

Tom pomasował sobie kark.

Halden wyłączył latarkę, wstał i wyszedł do łazienki. Anna czuła, że na skroniach wali jej puls. Trzęsły jej się ręce. „Uspokój się. Ty i Tom jesteście dobrymi ludźmi. Nie macie się czego obawiać". Usłyszała odgłos otwieranej szafki i wyobraziła sobie Haldena, jak przegląda jej zawartość – buteleczki z aspiryną i tubki pasty do zębów. Po chwili wrócił do sypialni i zatrzymał się przy nogach łóżka. Wbił język w wewnętrzną ściankę policzka, wypychając go na zewnątrz. Stał tak przez kilkanaście sekund, a potem ściągnął z dłoni rękawiczkę.

– W porządku. – Odwrócił się do funkcjonariuszy. – Niech fotograf zrobi zdjęcia pokoju, a potem wezwijcie karawan i zawieźcie pana Samuelsona na badania.

– Wezwać ekipę techniczną?

Detektyw pokręcił głową.

– Tylko fotografa. I zabezpieczcie to lekarstwo. – Uśmiechnął się do Anny. – Wygląda pani na trochę wstrząśniętą, pani Reed. Może porozmawiamy w innym pokoju?

Ruszyli korytarzem. Powietrze zrobiło się chłodne i Anna zamknęła okno. Szyba w starej ramie zabrzęczała.

– Jak pan myśli, co się stało?

Halden przekrzywił głowę.

– No cóż, brak śladów włamania czy walki, na ciele i na dłoniach nie widać żadnych ran. Na buteleczce nie ma etykietki. Oznacza to zazwyczaj, że to środki przeciwbólowe kupione gdzieś na ulicy. Przypuszczam, że denat miał problemy zdrowotne i chciał czymś zwalczyć ból. Być może przedawkował. Ale tego będziemy pewni dopiero po autopsji.

– To takie dziwne.

– Co jest dziwne?

– Po prostu... – Wskazała na korytarz. – Rozumie pan, że on umarł. Że ktoś umarł w tym pokoju.

Detektyw skinął głową.

– Wygląda na to, że nie cierpiał. Niech mi pani wierzy, widziałem gorsze rzeczy.

– I co teraz będzie?

Tom oparł się o blat.

– Cóż, ktoś zabierze go do kostnicy. Spróbujemy skontaktować się z rodziną. Mogą nam państwo jakoś w tym pomóc? Może przedstawił referencje przy wynajmie mieszkania albo miał żyranta?

Tom pokręcił głową.

– A co z czynszem? Mają państwo zrealizowane czeki?

– Nie.

– Płacił zawsze czekami gotówkowymi – wyjaśniła Ann i nagle zamarła. „Głupia, głupia gęś".

– Czekami gotówkowymi? – zdziwił się detektyw. – Dlaczego nie płacił osobistymi?

„Ponieważ trzymał pieniądze w paczkach po dziesięć tysięcy dolarów. Paczkach, które wpakowaliśmy do starej torby gimnastycznej i schowaliśmy w piwnicy". Serce mało nie wyskoczyło jej z piersi, ale udało jej się pokręcić głową tak spokojnie, jak tylko było to możliwe w tej sytuacji.

– Nigdy o to nie pytaliśmy.

Mówiąc to, zdała sobie nagle sprawę, że właśnie okłamuje policjanta. Było to dziwne uczucie – tak jakby obserwowała samą siebie z pewnej odległości. Tak jakby właśnie przekroczyła pewną granicę.

Detektyw patrzył przez chwilę przed siebie. Najwyraźniej w jego głowie kiełkowało jakieś pytanie. W końcu jednak wzruszył ramionami i się odwrócił.

– Mam do wypełnienia trochę papierów, a fotograf będzie potrzebował mniej więcej pół godziny. Potem pewnie zabiorą stąd ciało. – Spojrzał na kuchenkę. – Tak przy okazji, mieli państwo rację, nie próbując gasić pożaru wodą, ale jeżeli coś takiego zdarzy się raz jeszcze, radzę użyć sody oczyszczonej, a nie mąki.

– Dlaczego?

– Mogą mi państwo nie wierzyć, ale to materiał wybuchowy.

– Naprawdę?

Halden skinął głową, a potem otworzył segregator i zaczął robić piórem notatki.

– Tak. Mieli państwo sporo szczęścia.

Anna o mało nie parsknęła śmiechem – powstrzymała się dosłownie w ostatniej chwili. Podchwyciła wzrok Toma, zauważyła, że myśli o tym samym, że również panicznie walczy ze sobą, żeby się nie roześmiać. W końcu jednak, nie odrywając oczu od męża i delektując się własnymi słowami oraz wspólnym sekretem – zupełnie tak, jakby wróciły dawne czasy – powiedziała:

– Pewnie ma pan rację, detektywie.

4

Ze stołka przy samym końcu baru Jack Witkowski widział wąskie okno budynku po drugiej stronie ulicy. Żaluzje były zaciągnięte, a mrugająca za nimi błękitnawa poświata zgasła jakieś pięć minut wcześniej.

– I co, chłopcy? Jeszcze po jednym?

Dziewczyna za barem miała włosy zniszczone ciągłym farbowaniem. Jack podziękował, pokręciwszy głową, ale Marshall najwyraźniej się z nim nie zgadzał.

– Mnie wystarczy, złotko – powiedział – ale jemu możesz przynieść jeszcze jednego.

– Nie mówiłem, że chcę.

– Nie musiałeś.

– Co to, do jasnej, ma znaczyć?

– Znowu myślisz o Bobbym. – Marshall uniósł szklaneczkę z whiskey i przytrzymał ją sobie pod nosem. – Picie pomaga.

– To sam się, kurwa, napij.

Marshall pokręcił głową, odstawił szklankę i wpatrzył się w okno.

– Chcesz mi coś powiedzieć? – Jack zdawał sobie sprawę, że zachowuje się jak dupek, odreagowując śmierć brata na Marshallu tylko dlatego, że siedzi obok, ale miał to gdzieś. Trzy tygodnie nie wystarczyły, żeby uśmierzyć jego ból. Najgorsze było to, że kiedy myślał o Bobbym, czyli właściwie przez cały czas, zawsze stawała mu przed oczami ta pieprzona rozmowa w samochodzie, kiedy obiecał bratu, że wszystko będzie dobrze, kiedy zapewnił go, że jest kozakiem.

Ale Bobby nie był kozakiem, nigdy nim nie był. Był drobnym złodziejaszkiem, który wybrał się na poważną robotę, ponieważ poprosił go o to starszy brat. A teraz nie żył, został zabity w ciemnej uliczce, w którą nigdy nie powinien był się zapuszczać, a Jack musi żyć ze świadomością, że to on go do tego namówił.

Wróciła barmanka; postawiła przed nim szklaneczkę tequili i butelkę piwa Negra Modelo. Marshall dał jej dziesiątkę, którą trzymał złożoną między dwoma palcami. Zabrała ją i wróciła do papierkowej roboty po drugiej stronie baru.

Jack nic nie mówił, wpatrywał się tylko w grę czerwonego neonowego światła na brązowym szkle. W knajpie śmierdziało dymem papierosowym i spaloną kawą. Marshall postukał palcami o krawędź swojej szklanki i odepchnął ją.

– Pewnie to dla ciebie mało pocieszające, ale naprawdę mi przykro, że tak się wszystko popierdoliło. Bobby był fajnym dzieciakiem.

Jack nie powiedział nic.

– Ale gliny przekopują teraz całe miasto. Will nas uwalił. Wiesz dobrze, że jak znaleźli ciało Bobby'ego, zaczęli szukać tych, z którymi się zadawał. Twoje nazwisko jest na samym szczycie listy. Moje też. Przykro mi, że odszedł, ale nie czas teraz na to, żeby go opłakiwać. Lubiłem go, ale nie był zawodowcem i przez to zginął. Takie jest życie.

– Posłuchaj mnie uważnie – rzekł Jack. Wypił tequilę jak mężczyzna, czyli bez soli i limonki. – Jeżeli jeszcze raz powtórzysz przy mnie kiedyś to gówno albo w jakiś inny sposób obrazisz pamięć mojego brata, będę ci musiał przywalić. – Spojrzał na bok. – Chcesz gadać jak zawodowiec? No to spróbujmy. Mieliśmy wyjść stamtąd we czterech, razem. Naprawdę uważasz, że Will postawiłby się nam wszystkim?

– Ochroniarz...

– Ochroniarz nie powinien był się nawet ruszyć. To była twoja robota.

Marshall pokręcił głową.

– Stary, nie zawsze wszystko idzie jak po maśle. Taki job. Wiesz o tym. – Zamilkł na chwilę. – Poza tym, to nie ja wysłałem Bobby'ego z Willem.

Jack ścisnął szyjkę butelki z piwem tak mocno, że niemal usłyszał jej chrzęst.

– Pierdol się.

– Problem polega na tym... – zaczął Marshall.

– Wiem, na czym polega twój zasrany problem.

Wypił łyk piwa. Było paskudne. Zastanawiał się przez moment, czy nie rozbić butelki o czaszkę Marshalla. Ale wewnętrzny głos podpowiadał mu, że jego kumpel ma rację, że ryzyko jest nieodłączną częścią ich fachu. Po prostu nie powinni byli do tego mieszać Bobby'ego.

Pomyślał o Willu Tuttle'u, o jego aksamitnym głosie i wrednym charakterze, o papierosie zwycięstwa, który wetknął sobie za ucho. Na samo wspomnienie zrobiło mu się gorąco. Marshall miał rację. To nie była ani jego wina, ani Jacka, przynajmniej nie do końca. To przecież Will pociągnął za spust.

W głośnikach Mick Jagger śpiewał że „ti-ime was on his side", że czas był po jego stronie. Faktycznie, był. Marshall milczał. Jack sączył piwo. Przyglądał się wnętrzu zapuszczonego baru i próbował sobie wyobrazić twarz brata. Okazało się to trudniejsze, niż przypuszczał. Wszystko wydawało się pofragmentowane: tu głośny rechot, tam uśmiech. Urodziny i ostra jazda samochodami. Dzień, w którym przekonał Marię Salvatore z ich ulicy, żeby obu im zrobiła dobrze ręką. Na twarzy czternastoletniego Bobby'ego wyraźnie wyrysowało się wtedy rozdarcie: z jednej strony strach, z drugiej niewyobrażalna chętka. Głównie jednak stawał Jackowi przed oczami obraz, na którym Bobby trzyma pożyczoną broń i powtarza, że jest kozakiem.

Marshall strzelił palcami i odchrząknął. Gdy się odezwał, mówił już lżejszym tonem, tak jakby chciał zmienić temat.

– Zawsze chciałem cię o coś spytać.

– Ta...?

– Jak to się stało, że dwa Polaczki o nazwisku Witkowski mają na imię Jack i Bobby?

– To przez moją matkę. – Jack uśmiechnął się, przypominając sobie, jak na ciasnym podwórku, ozdobionym ziołami w doniczkach i oszpeconym farbą odłażącą ze ścian garażu, kobiecina wiesza pranie, nucąc pod nosem. – Była wielką fanką braci Kennedych. No wiesz, amerykański sen. Możesz pochodzić z biednej polskiej rodziny, ale jak będziesz harował jak wół, dobrze sobie radził w szkole, pewnego dnia zajdziesz tak daleko jak oni. – Jack zachichotał. – Bobby mawiał, że mamusia miała rację: obaj wyrośliśmy na przystojnych kryminalistów.

Marshall się roześmiał.

– Przykro mi, stary – powiedział. – A jak znajdziemy Willa, jemu będzie jeszcze bardziej przykro.

Jack skinął głową i wciągnął głęboko nosem powietrze. Odchylił się na stołku, żeby spojrzeć przez okno.

– Światło jest już od dobrej chwili zgaszone. Gotowy?

– Do roboty.

Tym razem, gdy Marshall odstawił szklaneczkę z whiskey, była już pusta.

Do mieszkania prowadziła wąska sień z dwojgiem drzwi. Przez pierwsze z nich przechodziło się na parter, przez drugie – do mieszkań na górze. Jack zerknął na Marshalla, opierającego się o słup latarni z niezapalonym papierosem między dwoma palcami. Jego partner ledwo dostrzegalnie pokręcił głową. Jack podszedł do skrzynek na listy, wyjął swoje klucze i zaczął przy nich grzebać, czekając, aż para w średnim wieku, zajęta rozmową i raczej mało nim zainteresowana, przejdzie trochę dalej. Kiedy po trzydziestu sekundach ponownie spojrzał za siebie, Marshall skinął głową.

Jack uwielbiał wpuszczane zamki. W większości wypadków można je sforsować w niecałą minutę. Ale ludzie, ponieważ przekręcili gałkę, czują się bezpieczni i idą do łóżka pewni, że żadne monstrum nie dostanie się do środka. Kiedy otworzył drzwi, dołączył do niego Marshall. Ruszyli ostrożnie na piętro krawędzią schodów, starając się zminimalizować hałas.

Przed mieszkaniem dzieciaka leżała wycieraczka z napisem: „Siemka! Jestem Mat". Marshall wskazał na nią, zachichotał, a potem wyciągnął z tylnej kieszeni spłaszczoną rolkę taśmy i odkleił jej brzeg na jakieś trzy centymetry. Jack ukląkł przy drzwiach i szarpnął wytrychem nieco na bok, czubkiem podważając bolce. Gdy cylinder łaskawie obrócił się o kilka stopni, wstał i przekręcił zamek do końca.

Był to typowy chicagowski kamienny domek, postawiony na piwnicy o standardowej szerokości. W środku drzwi prowadziły do przestronnego salonu, z ledwie widocznym w sączącej się przez zasłony strużce światła umeblowaniem. Kanapa lekko uginała się na środku, w miejscu, gdzie dzieciak oglądał telewizję, nie mając pojęcia, że w barze po drugiej stronie ulicy ktoś go obserwuje. Jack wszedł, zatrzymał się i nastawił uszu. Martwa cisza.

Bezszelestnie niczym cienie ruszyli obaj korytarzem. W sypialni panował mrok. Jack przez sekundę pomyślał o Bobbym i poczuł, że zalewa go fala gniewu, nienawiści.

Szarpnął za drzwi i obaj wpadli do środka, Marshall zapalił światło, w ciemności rozbłysnął jaskrawy krąg, pojawiły się zmięte prześcieradła oraz krawędź deski przy głowach łóżka, chłopak usiadł nagle z szeroko otwartymi oczami – miły gówniarz, dwadzieścia parę lat – i chcąc zasłonić się przed światłem, uniósł instynktownie do twarzy dłoń, Jack złapał za nią, wykręcił z całej siły, szarpnął, dzieciak otworzył usta, ale zamknął je natychmiast, gdy Jack zdzielił go dłonią w szyję, i nagle był już w ich rękach, złapali go za ramiona, czując pod palcami delikatną, ciepłą od koca skórę, szarpnęli nim w górę i cisnęli twarzą do dołu na twardą drewnianą podłogę. Marshall skoczył na niego od tyłu, kolanami przygwoździł mu ramiona do desek, jednocześnie owijając kilka razy taśmą usta, tak że strąki włosów chłopaka rozpłaszczyły się w dziwaczne wzorki.

Po chwili było po wszystkim. Nie było słychać niczego poza pełnym paniki świstem powietrza wypuszczanego przez kręcącego rozpaczliwie głową na boki chłopaka. Jego źrenice rozszerzyły się pod wpływem światła. Zamrugał kilka razy, nie rozpoznając napastników. Spróbował coś powiedzieć, ale taśma stłumiła jego słowa. Wyglądał jak mały chłopiec – przerażony, bezbronny – i Jack przez sekundę się zawahał.

Potem jednak pomyślał o swoim bracie, o jego martwym ciele leżącym w obskurnej uliczce. Skinął głową Marshallowi, który wyprostował dzieciakowi rękę i przygwoździł ją łokciem do podłogi. Jack wziął wdech, uniósł wysoko prawą stopę i nadepnął z całej siły. Obcas buta wbił się w palce małego. Chłopak rzucił się, zesztywniał i spróbował wrzasnąć przez taśmę. Żyły na jego szyi nagle stały się doskonale widoczne. Jack ponownie uniósł stopę. I znowu nadepnął. Rozległ się rzężący jęk oraz trzask napiętych kości mostka. Przy każdym kolejnym ciosie twardy obcas rozrywał skórę i mięśnie, wgryzał się w śliskie ścięgna. Chłopak rzucał się jak szalony, ale Marshall trzymał go w łapskach niczym w imadle. W górę. W dół. W górę. Palce wiły się jak robaki po burzy, na światło dzienne wyjrzało mięso, we wszystkich kierunkach tryskały białe fragmenty kości.

Kiedy wyglądało już na to, że jeden z nich zejdzie, Jack zatrzymał się. Dysząc ciężko, przeczesał sobie dłońmi włosy i przykucnął. Chłopak ciągle był przytomny, ciągle krzyczał przez taśmę z szeroko otwartymi, zakrwawionymi oczami. Z nosa zwisały mu stalaktyty smarków.

– Cześć, Ray! – przywitał się Jack. – Jesteśmy kumplami twojego wujka Willa. I chcielibyśmy się dowiedzieć, gdzie możemy go znaleźć.

5

Unosił się właśnie na krawędzi snu, obserwując rozmazany świat, gdy poczuł, że coś się o niego ociera. Ciągle trochę spał – ciało tutaj, świadomość tam – ale wrażenie to zelektryzowało go całego. Skóra przy jego skórze, niespieszne wiercenie, od szyi do kostek. Czuł zapach Anny, kojarzącą się z domem woń piżma. Odrzucił koc – nocne powietrze było bardzo przyjemne. Prześcieradło wydawało się miękkie jak woda w czasie kąpieli.

Tom burknął coś przez sen; pomyślał, że może by otworzyć oczy, ale postanowił, że nie. Poczuł jej plecy przy swojej piersi, delikatny, falujący dotyk: ciepło i spełnienie, gdy się poruszała, chłód i pragnienie, gdy się oddalała. Ucisk i łuk jej pośladków. Zaczęło w nim narastać gorąco, znajome, choć zapomniane. Nie wiedział, która godzina, nie otworzył oczu, żeby sprawdzić, ale wydawało mu się, że jest późno, że to późna nocna pora, kiedy świat wydaje się gdzieś znikać. Poruszyła się znowu, wygięła plecy w łuk i tym razem jęknął już wcale nie przez sen. Poczuł napięcie w slipach, sztywność przy krzywiźnie jej ciała.

Otworzył oczy.

Anna leżała z głową zwróconą w stronę sufitu, jej rysy ledwo były widoczne w ciemności, a w oczach migotał blask odbitego światła. Zobaczył, że się uśmiecha; po chwili przytuliła się znowu mocno plecami do niego, miętosząc go szczeliną między pośladkami.

Zareagował instynktownie; objął ją ramieniem, otoczył dłonią jej pierś, czując ciepło przez cienką koszulkę, w której sypiała, oraz twardy ucisk sutka ocierającego się o jego szorstki kciuk, i nagle usłyszał jej przytłumiony jęk, co wystarczyło, żeby nagle otrzeźwiał i wrócił do rzeczywistości. Górę wzięło przyzwyczajenie, kalendarzyk. Gdyby tej nocy udało im się zajść w ciążę, to gwiazda zaprowadziłaby prosto do ich mieszkania trzech mędrców.

Zamrugał, jęknął, gdy się do niego przysunęła, a potem powiedział przytłumionym, ciężkim od rozespania głosem:

– Kochanie, nie teraz, to nic nie da.

Zobaczył w ciemnościach, że Anna błyska do niego znowu swoimi idealnie białymi zębami.

– Ćśśś... – szepnęła. Obróciła się na materacu, nie wyrywając z jego objęć, przycisnęła wargi do jego szyi, podbródka, policzka, tak że poczuł w uchu jej lepki oddech. – Wiem – odparła, a potem odepchnęła go, przerzucając śliskie udo przez jego biodra. W przytłumionym świetle jej wygięte w łuk ciało wyglądało trochę jak nie z tego świata, koszulka uniosła się, obnażając bladą skórę i ciemny kłębuszek włosów łonowych. Szarpnęła palcami za jego slipy i poczuł, że od jej dłoni przechodzi przez niego prąd, największa rozkosz, jaką sobie mógł wyobrazić – w każdym razie do momentu, kiedy poczuł jej wilgotność i wślizgnął się do środka.

Jęknął i rzucił się do przodu, kładąc dłonie na jej biodrach i zapominając w momencie o kalendarzykach, rytmach, grafiku i optymalnych okienkach owulacyjnych.

Kiedy mieli już dosyć, kiedy opadła na jego spoconą pierś i poczuł bicie jej serca, przypominającego uwięzionego w klatce ptaszka, był w stanie powiedzieć tylko:

– Wow!

Zaśmiała się przez nos i powtórzyła za nim:

– Wow!

– No wiesz, naprawdę wow... – Zamknął oczy, a potem otworzył je, mrugając powiekami. – O Jezu! – Głowa nagle wydała mu się lekka, a ramiona silne. Białe światło rysowało krawędzie zasłon w oknach. Gdy się kochali, nadszedł pewnie świt. – To już tak dawno.

– Żartujesz? – Anna trąciła go nosem i pocałowała kilka razy w ramię. – Przez ostatni rok kochaliśmy się częściej, niż jak mieliśmy, no wiesz, dwadzieścia dwa lata.

– Jasne. Ale... Wiesz, o co mi chodzi.

Zawahała się i przez sekundę bał się, że ją zranił, że uzna to za odrzucenie. Ale zaraz potem uśmiechnęła się nieco figlarnie i mruknęła:

– Taa... – Położyła głowę na jego ramieniu i ziewnęła. – Miło.

– Miło – powiedział. – Bardzo.

Obejmując ją ciągle mocno, zanurzył się z powrotem we śnie.

Obudził się z ręką na oczach, którą starał się zasłonić światło. Zanim do końca oprzytomniał, przypomniał sobie widok Anny na sobie i się uśmiechnął. Ziewnął, przeciągnął ramiona, trzaskając stawami. Spojrzał na jej stronę łóżka. Poduszka była pusta, prześcieradła w nieładzie.

Tom wstał, wyłączył maszynę do deszczu na nocnym stoliku, usiadł na krawędzi łóżka i położył stopy na podłodze. Była jedenasta. Nieczęsto zdarzało mu się budzić o tak późnej porze. Ale z drugiej strony, chętnie poświęciłby parę godzin poranka, żeby częściej budziła go w ten sposób. Poza tym nie co wieczór człowiek znajduje trzysta siedemdziesiąt tysięcy dolarów i trupa.

Myśl ta otrzeźwiła go i wreszcie otworzył do końca oczy. O Jezu... Czy to wszystko naprawdę się wydarzyło? Wstał, wskoczył we wczorajsze dżinsy. Otworzył drzwi sypialni i ruszył korytarzem.

W sobotnie poranki najczęściej znajdował żonę w salonie z kubkiem kawy nad stosem kopert i z piórem za uchem. Mieli umowę: on sprzątał w łazienkach, ona zajmowała się rachunkami. Ale kanapa była pusta.

– Kochanie?

Mieli zamiar urządzić w drugiej sypialni pokój dziecinny, ale we wszystkich poradnikach autorzy ostrzegali, by nie robić tego za wcześnie, że zwiększy to tylko presję, będzie przypominało o tym, czego chcesz najbardziej, a czego nie masz. Dobra rada, tyle że ostatecznie pokój zamienił się w zagracony magazyn, rupieciarnię, do której wrzucali kartony i albumy ze zdjęciami – coś ewidentnie przejściowego, co i tak im o wszystkim przypominało. Ale Anny nie było również tam. Nie znalazł jej też przy kuchence ani przy kuchennym stole. „Może poszła kupić bajgle?"

Otworzył szufladę i przetrząsnął jej zawartość. Zapasowe klucze zniknęły. Wyszedł z mieszkania i ruszył schodami w dół. Drzwi do lokalu na parterze były otwarte, a w powietrzu ciągle dało się wyczuć woń dymu.

– Anna?

– Tutaj – dobiegł z drugiego pokoju jej cichy głos.

Siedziała na komodzie z jedną nogą podciągniętą pod pośladki. Miała na sobie koszulkę z logo Columbia College i jego bokserki. Nie spięła włosów i bawiła się ich kosmykiem, owijając go wokół palców.

– Cześć! – przywitała Toma, uśmiechając się mało przekonująco.

– Cześć! – Założył ręce i oparł się o framugę. – Co jest grane?

Zawahała się.

– Po prostu myślałam o nim.

– To znaczy?

– Sama nie wiem. Właściwie nie do końca o nim. Raczej o tym, że umarł. Że ktoś umarł, tutaj. – Wskazała na łóżko. – Dziwne, prawda?

Skinął głową. Czekał.

– Bo wiesz, właściwie w ogóle go nie znaliśmy. A teraz odszedł. Wczoraj żył, a dziś... Dziś go nie ma. – Objęła się w ramionach. – Może był tak naprawdę fajnym facetem, a my go w ogóle nie poznaliśmy.

– A może był wrednym sukinsynem – skomentował Tom.

Spiorunowała go wzrokiem, ale on wzruszył tylko ramionami. – Z pewnością raczej nie wychodził ze skóry, żeby pokazać, jaki jest sympatyczny.

– Pewnie nie. Ale i tak dziwnie się czuję. – Jej wyraz twarzy sugerował, że nie mówi tylko o śmierci Billa.

Tom spojrzał na łóżko, na zmięte prześcieradła. Wieczorem zapytał policjantów, czy je zabiorą, a jeden z nich roześmiał się tylko, powiedział, że nie i że nie sądzi, by Bill ich jeszcze potrzebował.

– Dziwnie – powtórzyła.

Kiedy zabierał pieniądze, czyste szaleństwo tamtej chwili wprawiło go w coś w rodzaju transu. Patrzył na to pod kątem przyszłości, marzeń, tak jakby czas i nadzieje nagle zostały zamienione w papier. Nie chodziło im przecież o pieniądze; raczej o życie. Czego jeszcze mogliby chcieć? Teraz jednak, kiedy stał w tej sypialni, wydawało mu się to o wiele mniej jasne.

Nagle w głowie zaświtała mu myśl. Uśmiechnął się.

– Co? – Anna przechyliła głowę. Również się uśmiechnęła, zaaferowana. – Co?

– Wiem, jak poprawić nam nastrój.

– Mogę otworzyć oczy?

– Jeszcze nie. – Tom nachylił się i wręczył taksówkarzowi dwudziestkę. – Reszty nie trzeba. – Uchylił drzwi i wziął Annę pod rękę. – Ostrożnie. Tutaj.

Podszedł do krawężnika, przeprowadził ją obok niego, o potem odwrócił w stronę ciągu połyskujących witryn. W sobotnie popołudnie Michigan Avenue była zakorkowana. Na rogu po przeciwnej stronie chłopak o miłym wyglądzie tańczył do muzyki z radiomagnetofonu. Obok postawił kartkę: „Rzuć dolca biednemu discoabsolwentowi". Wokół zgromadził się tłum turystów, klaszczących i robiących zdjęcia.

– No dobra. Możesz popatrzyć.

Anna oderwała dłoń od oczu i spojrzała na rząd sklepów.

– Mile? – Przechyliła głowę. – Idziemy na zakupy?

– O taaak!

Roześmiała się.

– A twoim zdaniem możemy?

– Dlaczego nie?

– A co, jeśli okaże się, że ma rodzinę?

– Zwrócimy forsę. Ale myślę, że mamy prawo do paru tysiaków. Nazwijmy to znaleźnym.

Osłoniła od słońca oczy i spojrzała na ciąg sklepów. Tom widział, że się zastanawia, podejmuje decyzję. Po chwili odwróciła się znowu do niego.

– Jedno pytanie – powiedziała.

– Tak?

– Od czego zaczynamy?

Pięć tysięcy dolców w kieszeni i zamiar rozwalenia całej tej sumy – to było coś zupełnie nierzeczywistego. Tom z oporem wyciągał pierwszy banknot, instynktownie pytając samego siebie, co on do diabła robi, czy to rozsądne wydawać sześć stówek na skórzaną kurtkę dla Anny i trzy na okulary słoneczne dla siebie. Ale kiedy rzucał na ladę pięć studolarowych banknotów za dwie pary butów na obcasach, zdążył już złapać bakcyla. A gdy Anna wychyliła się z szelmowskim uśmieszkiem z przebieralni salonu Neiman Marcus w sukni wieczorowej Caroliny Herrery za dwieście dolców i kiwnęła na niego zapraszająco palcem, był już panem świata. Wszedł do ciasnego pomieszczenia i zamknął za sobą drzwi; początkowo chichocząc, a potem jęcząc, oparli się o lustro i kochali do upadłego.

Po wszystkim, obładowani torbami, podeszli spacerkiem na State Street. W Atwood Café na miejsce trzeba było czekać pół godziny, ale Tom wręczył dyskretnie hostessie pięćdziesięciodolarowy banknot i nagle siedzieli przy najlepszym stoliku w kącie patia. Miał już zamówić piwo, gdy nagle się zastanowił.

– Mają państwo szampana?

W powietrzu czuć było wiosnę, a słońce odbijało się od okien taksówek i eleganckich, wypełnionych bąbelkami szampanówek. Tom westchnął, zamknął oczy i wciągnął głęboko w płuca powietrze.

– Tak, to jest życie.

– Mogłabym się przyzwyczaić.

Roześmiał się.

– Lepiej nie przyzwyczajaj się za bardzo. W tym tempie szybko braknie nam tych czterystu tysięcy.

Mrugnęła do niego okiem nad krawędzią kieliszka. Złożyli zamówienia i już po chwili jedli, gawędząc właściwie o niczym. Gdy Tom zmiótł z talerza ostatni kawałek łososia, zapijając go ostatnim łykiem szampana, odchylił się na krześle i założył nogę na nogę.

– W takich chwilach żałuję czasem, że rzuciłem palenie.

– W chwilach, kiedy w ciągu dwóch godzin wydajesz pięć tysiaków?

– Taki już los nas, bogaczy. – Przeczesał dłońmi włosy. – Chcesz o tym porozmawiać?

– Nie, myślę, że to dobrze, że rzuciłeś palenie.

– Mądralińska.

Anna owinęła nitkę makaronu wokół widelca i nabiła na niego krewetkę. Włożyła wszystko do ust i żuła powoli. Wzruszyła ramionami.

– A o czym tu rozmawiać?

– Chcę się tylko upewnić, że wszystko jest okej.

– Póki co, jakoś mi z tym nie najgorzej. Jestem dziewczynką. Daj mi poszaleć w sklepach i mnie masz. – Odłożyła widelec na talerz i wytarła usta serwetką. – Było fajnie. Ale nie wzięliśmy forsy po to, żeby szaleć na zakupach.

– Wiem. Pomyślałem tylko, że poprawimy sobie nastrój.

– Nie, cieszę się, że to zaproponowałeś. Ale... – Anna nachyliła się i położyła swoją dłoń na jego. – Tom, chcę spróbować jeszcze raz.

– Zrobić sobie bobaska?

– Nie bobaska, dziecko. Ludzie mówią o dzieciach jak o szczeniakach. Ja chcę tego wszystkiego. Wychowywać razem dziecko. – Przerwała na chwilę. – A ty nie?

– Jasne, jasne, że tak. Tylko... – Wzruszył ramionami i wbił wzrok w chodnik. – Nie wiem. Było nam ciężko. To znaczy, nie chodzi o to, że nie chcę dziecka. Chcę. Po prostu wydaje mi się, że wszystko to wiązało się z jakąś... harówką. Próby, czekanie, wizyty. I...

– Co?

Zawahał się. Patrzył, jak ze sklepu spożywczego wychodzą dwaj policjanci z kubkami kawy w rękach. Jeden z nich powiedział coś do drugiego, na co tamten się roześmiał.

– O co chodzi?

Spojrzał na nią. Mrużyła oczy przed słońcem, a jej włosy połyskiwały złociście i nagle zrozumiał, jak bardzo ją kocha, nagle, jak zaledwie kilka razy wcześniej w życiu, uświadomił sobie dogłębnie, jaki ma w rękach skarb – i że na ów skarb musi sobie zasłużyć.

– Być może zabrzmi to głupio, ale fajnie było dzisiaj. I w nocy też. Było jak dawniej. Jak przedtem.

– Seks.

– Jasne, ale nie tylko. Chodzi mi o wszystko. Znowu czułem, że jesteśmy razem, my dwoje kontra cały świat. Wspólnicy zbrodni. – Roześmiał się. – I to nagle dosłownie. – Jej dłoń była ciepła. Pogłaskał ją po palcu wskazującym. – Wydaje mi się, że całe to sztuczne zapłodnienie za bardzo nas stresowało. Co ty na to, żeby już nie próbować z in vitro? Może pomyślimy znowu o adopcji?

Anna otworzyła usta, a potem je zamknęła.

– Przecież już na ten temat rozmawialiśmy. Po tym wszystkim, co przeszliśmy...

– Na świecie jest mnóstwo dzieci.

– Nieprawda – zaprzeczyła. – I dobrze o tym wiesz. Jest mnóstwo starszych dzieci, a nie niemowląt. Cała procedura trwa bardzo długo, jeżeli w ogóle da się ją przeprowadzić, a tymczasem szanse, że zajdę w ciążę, będą coraz mniejsze. Poza tym nie chcę udawać Madonny i adoptować dziecka z jakiegoś dalekiego kraju. Kiedy dorośnie, może to być dla niego zbyt trudne.

Tom bawił się łyżką.

– Po prostu nie chciałbym cię stracić gdzieś po drodze.

– Wiem, o czym mówisz. Naprawdę. – Uścisnęła jego dłoń. – Ale teraz będzie zupełnie inaczej. Większość naszych problemów wynikała z braku pieniędzy.

– Tak sądzisz?

– Żartujesz? Wyczerpaliśmy już limity na trzech kartach kredytowych, na czwartej właśnie się kończy. Hipoteka. Pracujemy po sześćdziesiąt godzin tygodniowo. Dodaj do tego jeszcze wszystkie zabiegi związane ze sztucznym zapłodnieniem. Jasne, że chodziło głównie o brak forsy!

Tom pokiwał głową. Miała rację. Za każdym razem kiedy im nie wychodziło, przy każdej nowej procedurze, wizycie w szpitalu, przyczajony w jego głowie ludzik stukał jak szalony w klawisze jego mentalnego kalkulatora. Teraz nie będzie się już musiał nim przejmować. Mogą uregulować rachunki, spłacić długi, a i tak zostanie im jakieś trzysta tysięcy – wystarczy na tyle prób, na ile będą mieli ochotę. Jasne, że będzie lepiej.

– Wiesz, nie chodzi tylko o długi. Brakowało mi... – Uniósł w powietrze otwartą dłoń. – Nas.

Anna wzruszyła ramionami.

– Wiem. Wiem o tym doskonale. Ale teraz będzie inaczej. Możemy się znowu postarać. Tyle że teraz nie będziemy musieli się o nic martwić. Żadnych rachunków, paniki, że wszystko na próżno. Poza tym... – Nachyliła się. – Wyobraź sobie, że trzymasz na rękach dziecko. Nasze dziecko, twoje i moje. Możesz sobie wyobrazić, jaka będzie śliczna?

– Śliczna? – Uśmiechnął się. – Myślałem, że mamy to już za sobą. Będziesz miała chłopczyka.

– Nie ma mowy. Dostaniesz kompletnego świra na punkcie naszej maleńkiej, a ja lubię patrzeć, jak świrujesz. A teraz – powiedziała, odchylając się na krześle – zapłać tej miłej pani. Chcę wrócić do domu i przymierzyć moją nową sukienkę.

– A ja chcę cię z niej zaraz rozebrać.

Anna uniosła brew.

– A jak myślisz, po co ją chcę założyć?

6

SIEDZIELI W HONDZIE CIVIC – dziesięcioletniej, czarnej i zdecydowanie domagającej się wizyty w myjni. Wyglądała dokładnie tak samo jak pięć czy sześć innych samochodów zaparkowanych przy ulicy. Właśnie dlatego ją wybrali. Jack stał i patrzył, jak Marshall podnosi ją lewarkiem na krytym parkingu przy Lake. Budynek nawiązywał do art déco i jego fasada miała wyglądać jak kratownica samochodu. Honda była zaparkowana w samym środku miejsca, które odpowiadało chłodnicy wyimaginowanego wozu.

Jack sięgnął po kawę, wypił ostatni łyk zimnego już napoju, cisnął pusty kubek do tyłu i poprawił się na siedzeniu, starając się znaleźć wygodniejszą pozycję. Po trzech godzinach parkowania i gapienia się na przypadkowych przechodniów spieszących się do pracy każdemu wyrósłby wrzód na dupie.

– Ciągle nie widać Willa. – Marshall postukał niezapalonym papierosem o udo. Wprawdzie nie palił, ale zawsze miał przy sobie paczkę. Twierdził, że są przydatne, że łatwo dzięki nim do kogoś podejść albo zagadać jakąś siksę. – Nie boisz się, że ten mały kutas coś zełgał?

– Nie.

– Chyba masz rację. Po tym, co mu zrobiłeś, gość wsypałby Jezusa Chrystusa. – Marshall skrzywił się, tak jakby nagle coś go zabolało, i zaczął mówić piskliwym głosem. – „Obożebożeboże, błagam, tylko nie druga ręka, powiem wam, gdzie jest, tylko nie druga ręka, b ł a g a m!" – Wypuścił nosem powietrze. – To było skurwysyństwo, że i tak to zrobiłeś, jak już nam powiedział.

– Musiałem się upewnić. – Jack poczuł, że przewraca mu się w żołądku. Przed oczami stanął mu widok chłopaka leżącego tak, jak go zostawili: twarzą w dół, z rozkrzyżowanymi rękami i z plamą krwi sączącą się z szyi i barwiącą deski podłogi, niczym woda wylewająca się z porzuconego na betonie szlauchu. Wyparł z głowy ten obraz, co z czasem przychodziło mu coraz łatwiej. Gówniarz nie był jego pierwszym.

– Biedny Ray. Po prostu miał pecha, że był bratankiem Willa.

– Taa... – Jack zamknął oczy i potarł powieki czubkami palców. – Biedny Ray.

– Zabawne, jak los igra z człowiekiem. Żyjesz sobie, pilnujesz własnego interesu, zastanawiasz się, jaki kupić samochód, gdzie zatrzymać się z dziewczyną albo gdzie wyrwać kolejną, i nagle... Bam! Czołowe zderzenie z losem.

– Z losem? – Jack wzruszył ramionami. – To nie był los. To my. My to zrobiliśmy.

– Jasne. Posłańcy losu. – Marshall zaczął obracać w palcach papieros. – Mogę cię o coś spytać? Ile razy w życiu poczęstowałeś kogoś kulką?

– Kilka.

– Pamiętasz drugi raz?

– Co?

– Mam teorię. Pierwszy raz będziesz zawsze pamiętał. Tak jakbyś tracił cnotę. Pamiętam dokładnie mój pierwszy raz. Julia Buckley. Miała piętnaście lat, ja czternaście, w piwnicy jej starych. Na podłodze leżał taki pomarańczowy dywanik i zrobiliśmy to na nim. – Przerwał. – Sęk w tym, że nie przypominam sobie, kiedy dupczyłem po raz drugi. Straciło to już wtedy posmak nowości.

Jack przesunął językiem między zębami a wargami i poprawił się na siedzeniu.

– Ja pamiętam drugi raz.

– Drugi raz, kiedy kogoś zabiłeś czy dupczyłeś?

– I to, i to.

– Hm... – Marshall wyjrzał przez okno. – Zauważyłeś – zaczął powoli – że oni nigdy nie wierzą, że to się im przytrafia? Weź najtwardszego twardziela, a też nie uwierzy. A to przecież tak, jakby walnął w ciebie autobus. Każdy może wpaść pod autobus, w każdej chwili. Autobus ma gdzieś, co ty o tym myślisz, czy jesteś gotowy. Po prostu jedzie z punktu A do punktu B. – Skinął podbródkiem w stronę przedniej szyby. – Jeszcze jedna sąsiadka.

Jack podążył za jego wzrokiem i spojrzał na dwurodzinny domek kilka metrów dalej. Z drzwi prowadzących do mieszkania na piętrze wychodziła właśnie kobieta. Kiedy tam przyjechali, wszedł do przylegającej do budynku sieni i sprawdził skrzynki na listy. Na jedynce widniało nazwisko Billa Samuelsona, na tyle podobne do „Willa", by instynktownie odwrócił się, gdyby ktoś go wołał. Na piętrze według tabliczki mieszkali niejacy Tom i Anna Reedowie. Facet, który jak zakładał Jack, mógł być Tomem, wyszedł trochę wcześniej. Miał na nosie ciemne okulary z gatunku tych, jakie noszą gwiazdy rocka.

Patrzyli, jak kobieta zamyka drzwi i rusza ulicą. Miała na sobie obcisłe dżinsy biodrówki podkreślające idealny, serduszkowaty kształt jej pośladków. Wsiadła do nowiutkiego pontiaca i odjechała.

Jack sięgnął do tyłu, wyciągnął armatę i podał ją Marshallowi.

ANNA CIĄGLE NIE MOGŁA SIĘ OSWOIĆ Z TYM, jak szybko się przyzwyczaiła. Do pieniędzy. Minęło zaledwie kilka dni, odkąd je znaleźli, a już wszystko wyglądało inaczej.

Na przykład jej praca. W normalnych warunkach, biorąc pod uwagę to, ile czasu straciła na wizyty u lekarzy, przyjechałaby dzisiaj do firmy bardzo wcześnie. Spróbowałaby przedrzeć się przez górę e-maili. Podlizać szefowej. Uwodzić przez chwilę klientów, sprawić, by poczuli, że uczestniczą w procesie rozwoju projektu, nie pozwalając im jednocześnie niczego spieprzyć.

Pamiętała czasy, kiedy to uwielbiała. Uwielbiała te ekscytujące godziny spędzane w agencji reklamowej w śródmieściu, uwielbiała chodzić w butach na wysokim obcasie, pracować na czterdziestym piętrze, uwielbiała darmowe lunche i wypady na piwo w piątek po południu. Ale ostatnio wydawało jej się to tak... bezcelowe. Pracować sześćdziesiąt godzin w tygodniu, żeby tworzyć reklamy – jedyny produkt, którego ludzie aktywnie starają się unikać.

Tego ranka stwierdziła, że po prostu nie da rady. Kiedy więc Tom wyszedł, zadzwoniła i powiedziała, że jest wyczerpana po ostatnich zabiegach. Wskoczyła w ulubione dżinsy, zeszła do piwnicy i wzięła stamtąd osiem paczuszek ich forsy.

Ich forsy. To też było zabawne. Nie myślała już o niej jako o pieniądzach Billa. Od chwili kiedy okłamała detektywa, były już jej. Gdy zaciskała powieki, przed oczami wyskakiwały jej cudowne obrazki: dom spłacony, dzieciątko na rękach i następne w drodze, coroczne wakacje w Karolinie Południowej z surfowaniem. Nic wymyślnego, żadnego światowego życia czy imprez z gwiazdami Hollywood. Po prostu rodzina i poczucie bezpieczeństwa, pozwalające się nią naprawdę cieszyć. Tak naprawdę nigdy w życiu nie pragnęła niczego więcej.

Wrzuciła kierunkowskaz i skręciła w Lincoln. Był cudowny wiosenny poranek, drzewa rosnące przy sąsiednich ulicach zrobiły się nagle zielone, a w witrynach sklepów przeglądało się słońce. Idealny dzień na wagary. Postanowiła, że zafunduje sobie lunch. Może nawet zadzwoni do Sary, swojej siostry, i zapyta, czy nie ma ochoty do niej dołączyć.

Ale najpierw musi załatwić kilka spraw. Podrzuciła rzeczy do prania, zatankowała do pełna. Wpadła do drogerii po środki czyszczące i jakieś szmaty. A potem ruszyła na wschód, oddalając się od centrum.

Dzielnica miała mieszany charakter. Zapuszczone ulice – stosy worków na śmieci, mężczyźni zbijający bąki przy ścianach, sklepy oferujące kadzidełka oraz przedłużanie włosów – wciśnięte były między osiedla dla bogatych. Nieczęsto tam zaglądała. Nie chodziło o to, że to niebezpieczne okolice, ale raczej o to, że właściwie nigdy nie miała tam nic do załatwienia. Tego dnia jednak na rogu Clark Street znalazła dokładnie to, czego szukała.

Zatrzymała się przy parkomacie i rozejrzała, upewniając się, że nikt jej nie obserwuje. Dwa miejsca dalej stała pusta taksówka. W stronę Anny spojrzał przechodzień czekający na zielone światło, ale zaraz potem przeniósł wzrok na wznoszący się nieco dalej billboard firmy z branży komórkowej. Anna zmrużyła oczy, ale facet nie popatrzył na nią po raz drugi. Na następnym skrzyżowaniu grzechotał znak „Elki", kolejki miejskiej, rzucając rozedrgany cień na szare kamienie chodnika.

Od dziesięciu lat nie była w kantorze. Ostatnim razem odwiedziła tego typu przybytek, zanim jeszcze Sara zamieszkała w mieście, kiedy razem ze swoim chłopakiem złożyła jej wizytę. Żadne z nich nie pamiętało wtedy, żeby zdeponować swoje wypłaty przed wyjazdem na lotnisko. Zważywszy, że była to połowa ich weekendowego funduszu alkoholowego, doszli do wniosku, że może to stanowić pewien problem. Dopiero Tom podpowiedział, żeby wpaść do kantoru.

Nie był to ten sam kantor, ale one wszystkie wyglądają przecież tak samo. Krzykliwy neon, w środku spłowiałe linoleum i zbyt jasne neonówki, lada za dwucentymetrowym pleksiglasem. Kolejka zniecierpliwionych klientów wyglądających tak, jakby marzyli o tym, by znaleźć się w innym miejscu. Zamontowana na ścianie z tyłu kamera monitoringu nieco wystraszyła Annę. Wyjęła z torebki okulary słoneczne i założyła je.

Po jakichś pięciu minutach dotarła do okienka. Znudzona kobieta strzeliła balonem z gumy i zapytała, czego Anna sobie życzy.

– Chciałabym wykupić czek gotówkowy. – Wyciągnęła z torebki kopertę. – Proszę wypisać na Citibank.

– Ile.

Głos kobiety był tak beznamiętny, że Anna właściwie w ogóle nie odczuła, że to pytanie.

– Piętnaście tysięcy czterysta dwanaście dolarów i pięćdziesiąt siedem centów.

– Jasne, paniusiu. – Kasjerka przewróciła oczami, a potem kiwnęła ręką do klienta stojącego za Anną. – Następny.

– Chwileczkę! – Anna nie miała zamiaru dać się zbyć. – W czym problem?

– W niczym. Poza wariatką przy kasie.

– Dlaczego pani tak mówi?

– Poważnie? – Kobieta spiorunowała ją wzrokiem. – Chce pani czek gotówkowy na piętnaście tysięcy czterysta dwanaście dolarów?

– I pięćdziesiąt siedem centów.

– A jak ma pani zamiar za niego zapłacić?

Anna sięgnęła do torebki i wyjęła z niej półtorej paczuszki banknotów. Położyła je na ladzie, a potem obdarzyła promiennym uśmiechem kobietę, której nagle opadła szczęka.

Pod pojęciem armaty rozumieli remingtona tacticala 870 z pistoletowym uchwytem naładowanego trzycalowymi pociskami magnum. Marshall bardzo go lubił. Z tej odległości potrafił wybić pierwszorzędną dziurę w drzwiach i wypatroszyć dowolnego palanta, który stanąłby po drugiej stronie. Oczywiście strzał z remingtona oddany w czterech ścianach ogłuszyłby ich na dobrych parę godzin.

Jack zapukał i obaj wbili wzrok w judasza drzwi prowadzących do mieszkania „Billa Samuelsona". Mijały sekundy.

Ze środka docierał do ich nozdrzy lekki zapach dymu. Jack zapukał znowu i przestąpił niecierpliwie z nogi na nogę.

– Nie ma go.

Marshall wyczuł w jego głosie lekkie rozczarowanie, co bardzo mu się nie spodobało. Z profesjonalnego punktu widzenia nieobecność Willa w mieszkaniu była bardzo korzystna. Dawała im czas na jego przeszukanie, na znalezienie forsy, jeśli jest w środku. On sam również z przyjemnością dobrałby się Willowi do tyłka – w końcu facet okradł też jego – ale zawsze trzeba pamiętać o priorytetach. Uniósł armatę.

– Jak zamek?

Pół minuty później drzwi stanęły otworem. Sypialnia była urządzona po spartańsku: lampa, rozkładany fotel, telewizor na desce pilśniowej. Marshall wszedł pierwszy i zlustrował szybko pomieszczenie oraz korytarz. Usłyszał Jacka, który za jego plecami zamykał drzwi na zamek.

Mieszkanie sprawiało wrażenie pustego, ale Marshall wolał poruszać się z największą ostrożnością. W sypialni dostrzegł proste łóżko z materacem. Skłębione koce wskazywały, że ktoś w nim sypiał. W drugiej sypialni gospodarz urządził sobie siłownię: stała w niej ławeczka, a obok niej przesypująca się popielniczka. W korytarzu prowadzącym do łazienki światło było zgaszone, a w toalecie wyraźnie od dawna nikt nie sprzątał. Okap w kuchni był osmalony, a ściana okopcona. Marshall domyślił się, że ma przed sobą źródło dymu. Tylne drzwi prowadziły do wąskiej klatki schodowej.

– Wygląda na to, że zwinął się stąd w pośpiechu.

Jack nie odpowiedział i ruszył korytarzem. Wszedł do siłowni, rozejrzał się. Podniósł papierosa, przyjrzał się mu. Pet poplamił jego białe chirurgiczne rękawiczki.

– Co za dupek pali podczas pakowania?

– Cały Will. – Instynkt łowiecki podpowiadał Marshallowi, że Will tam jest, że niemal można go zobaczyć, jak dźwiga ciężary, robiąc sobie między seriami przerwę na papierosa.

Musiał być kłębkiem nerwów. Ciągle czuł presję, wydawało mu się, że ktoś go obserwuje, że się zbliża. Marshall przewiesił przez ramię strzelbę i sprawdził krążki przy ławeczce. Sześćdziesiąt. Ciota. – Dlaczego nie zwinął się z miasta?

– Nie mam pojęcia – odparł Jack. – Może doszedł do wniosku, że wyjedziemy pierwsi.

Marshall skinął głową. Jeżeli Will stwierdził, że w życiu go nie znajdą, zaszycie się nie było złym pomysłem. Bez forsy, z całą policją miasta Chicago na karku – faktycznie, wyjazd mógł się wydawać najlepszą opcją dla nich. Wszystkie gazety i tabloidy drukowały w kółko relacje ze skoku.

– Niech to szlag! – zaklął Jack, opuszczając swoją czterdziestkę piątkę.

– Przeszukanie chwilę nam zajmie. – Marshall wzruszył ramionami. – Ale może będziemy mieli szczęście i Will tu wpadnie. Pogadacie sobie od serca.

W CIĄGU NASTĘPNYCH PARU GODZIN odwiedziła jeszcze pięć kantorów. Wydawało się jej, że bezpieczniej będzie zrobić to w kilku miejscach. Potem podjechała do szpitala i sprawiła, że z kolei recepcjonistce opadła szczęka.

Wymyślili to wszystko poprzedniego wieczoru przy stoliku w kuchni, nad wypitą już do połowy butelką wina za trzy dolce.

– Powinno się udać – powiedział Tom. – Jeżeli nigdy nie wpłacimy pieniędzy na konto, nigdzie ich nie zgłosimy, skarbówka nie będzie wiedziała, czego szukać. Czeki gotówkowe.

Tak się złożyło, że Anna wpadła na jeszcze lepszy pomysł. Czeki gotówkowe świetnie nadawały się do spłacenia ich rachunków w szpitalu oraz innych wydatków medycznych. Ale w kantorze mogła też spłacić karty kredytowe, bezpośrednio wpłacając pieniądze.

Jeszcze rano mieli prawie siedemdziesiąt tysięcy długu. W południe – ani centa.

Uczucie to było dziwne, ale wspaniałe. W najśmielszych marzeniach nie wyobrażali sobie, że w ciągu najbliższych lat uda im się spłacić długi. Już się z tym pogodzili, z tym niewidocznym ciężarem, który miał się za nimi wlec – a tu nagle byli wolni. To jak zrzucić pięć kilogramów. Czuła coś jakby światło w sercu, które sprawiało, że się uśmiechała, że kiwała głową i stukała palcami w kierownicę w rytm dobiegającej z głośników odtwarzacza CD piosenki Mountain Goats, których wokalista, John Darnielle, śpiewał do niej, że przeżyje jakoś ten rok, nawet jeśli będzie to cholernie trudne.

Zaparkowała przy ich ulicy, przerzuciła torebkę przez ramię, a do drugiej ręki wzięła torbę z drogerii. Liście drzew nad jej głową mieniły się tysiącem odcieni zieleni, powietrze pachniało słodko kurzem i słońcem. Ruszyła ulicą, wciągając je głęboko w płuca, rozkoszując się piękną pogodą. Minęła kilka schodków prowadzących na werandę. Nuciła pod nosem, otwierając drzwi do sieni. Opanowało ją uczucie, jakiego nie doznała od lat, a które kiedyś, w czasach gdy praca była po prostu pracą, a przyszłość wyłącznie zbiorem możliwości, wydawało jej się czymś zupełnie naturalnym. Proste, cudowne uczucie, że wszystko – w s z y s t k o – będzie dobrze.

Wyjęła z torebki klucze i ruszyła po schodach na górę. Nagle się zatrzymała. Bez sensu było taszczyć środki czyszczące do ich mieszkania. Równie dobrze mogła je zostawić na dole. Podeszła więc do drzwi Billa Samuelsona i wsunęła klucz do zamka.

Ciągle nucąc, weszła do salonu i zamknęła za sobą drzwi. W powietrzu czuła ciągle zapach dymu, choć nie tak ostry jak wcześniej. Odłożywszy na podłogę reklamówkę z drogerii, podeszła do wykuszowego okna, odciągnęła haczyk i nieco je uchyliła. Tak było o wiele lepiej. Ruszyła korytarzem, mając zamiar zająć się również oknem w kuchni, zrobić mały przeciąg.

Drzwi do sypialni były zamknięte. Zdziwiło ją to. Nie pamiętała, żeby zamykali je, wychodząc ostatnio. Może zostawili otwarte okno i zatrzasnął je podmuch wiatru? Anna przekręciła gałkę i uchyliła drzwi.

Wszystkie szuflady były wyciągnięte z komody, a drzwi do szafy otwarte. Materac leżał krzywo na ramie łóżka. Poczuła się, jakby ktoś połaskotał ją piórkiem w plecy.

– Tom? – Czyżby wrócił do domu przed czasem i zaczął sprzątać mieszkanie? Weszła ostrożnie do sypialni, tak jakby podłoga mogła tam popękać pod ciężarem jej ciała. – Kochanie?

Podeszła z wahaniem jeszcze o krok, nagle wrażliwa na własny oddech, na ciężar paska torebki na ramieniu, ucisk butów na palcach u stóp. Czuła jakiś brzydki zapach, smród, który sprawił, że zadrżały jej nozdrza. Dochodził z łazienki.

Powoli wyjrzała zza załomu korytarza. Lampka na kosmetyczce była zapalona i zalewała całe pomieszczenie jaskrawym światłem. Poniżej ziały otwarte szafki, w których Anna dostrzegła to, co zostało tam po Billu: odświeżacz do powietrza, przepychacz, na wpół wypaloną świecę. Również drzwi apteczki były otwarte, a w ich lustrzanych powierzchniach odbijały się fragmenty pomieszczenia. Buteleczki zostały wywrócone, pasta i szczotka do zębów leżały na podłodze. Łazienka wyglądała, jakby ktoś ją przeszukał, bardzo się przy tym spiesząc.

Zapach był tam bardziej dojmujący niż w pokoju. Anna dopiero po chwili zorientowała się dlaczego. Spojrzała w stronę muszli. Fuj! Dlaczego Tom wyszedł, nie spłuku...

Nagle zrozumiała. Bałagan, zamknięte drzwi do sypialni, toaleta – o Jezu, obrzydliwie brudna toaleta zostawiona przez kogoś w tym stanie. Nie przez Toma. Zesztywniały jej mięśnie na karku i zakryła sobie dłonią usta. Odwróciła się gwałtownie, zdając sobie sprawę, że stoi zupełnie odsłonięta. Była pewna, że ktoś czai się za jej plecami.

Okazało się, że sypialnia jest pusta.

Musiała stamtąd wyjść. I to szybko. Ale co, jeżeli ten ktoś, kto to wszystko zrobił, ciągle jest w środku? Poczuła pulsowanie w skroniach i wilgoć pod pachami. Zaryzykować i puścić się biegiem do frontowych drzwi? Weszła tam, nucąc, wołając po imieniu Toma – zrobiła wszystko, by dokładnie powiadomić intruza, gdzie wchodzi i co robi. Mógł się teraz skradać korytarzem – kościsty mężczyzna o długich brudnych paluchach, z nożem w jednej dłoni, z drugą na rozporku pogniecionych spodni, po których głaszcze się jak...

„Weź się garść, weź się w garść, do jasnej cholery, weź się w garść!"

Mogła zrobić tylko jedno: uciekać, i to szybko. Frontowe czy tylne drzwi? Frontowe; te, którymi weszła. Istniało ryzyko, że włamywacz ciągle jest w środku, że umyka przed nią w stronę tylnych drzwi. Okej. A zatem to proste. Wyciągnij klucze. Dobrze. Ściśnij je mocno, tak żebyś mogła go nimi walnąć, jakkolwiek idiotycznie by to brzmiało. Dobrze. A teraz odwróć się i wyjdź tak samo, jak weszłaś. Nie panikuj, nie biegnij, nie ryzykuj upadku, po prostu wyjdź stąd natychmiast.

Mówiłam, po prostu odwróć się i wyjdź stąd...

Anna Reed rzuciła się w stronę drzwi, wyskoczyła na korytarz i pobiegła ile sił w nogach w stronę ulicy. Serce waliło jej tak mocno, że wydawało się, iż za chwilę pękną jej żebra.

JACK PRZEZ PRZEDNIĄ SZYBĘ obserwował kobietę, którą zauważyli wcześniej. Właśnie gwałtownie otworzyła drzwi do mieszkania Willa Tuttle'a, a następnie frontowe do sieni, i biegła teraz ulicą, jakby ścigała ją jakaś zmora.

– Chyba zorientowała się, że tam byliśmy – zauważył z ironicznym uśmiechem Marshall. – Jak myślisz, co robiła w jego mieszkaniu?

– Nie mam pojęcia – usłyszał w odpowiedzi.

– Może ona też w tym siedzi?

Jack nie odpowiedział; rozłożył jedynie ręce.

– Na szczęście zobaczyłeś, że się zbliża. – Marshall podniósł aktówkę i położył ją sobie na kolanach. – Gdyby tak weszła prosto na nas...

Jego kumpel zapalił silnik, spojrzał przez ramię i po chwili wyjechał na ulicę. Ta cała Reed pewnie zadzwoni na policję. Lepiej się zwijać. Marshall otworzył klamry walizeczki i podniósł wieko. W środku leżały równo niczym puzzle starannie ułożone paczuszki i buteleczki na lekarstwa.

– Co chcesz zrobić z tym gównem?

– Znasz kogoś, kto mógłby się tym zająć?

Marshall wciągnął przez zęby powietrze.

– Może Mikey Cook?

– Ufasz mu?

– Siostry wyruchać bym mu nie dał, ale ogólnie facet jest wporzo.

Jack skinął głową.

– Niech będzie. Jak skończymy, będziemy mogli się tego pozbyć.

Jechali przez chwilę w milczeniu.

– Will narobi teraz w gacie ze strachu – zagaił w końcu Marshall.

– Jeszcze jak. – Jack wrzucił kierunkowskaz i skręcili na południe. – Nie możemy go spuszczać z oka, żeby nam nie zwiał.

Mówił spokojnym głosem, a na jego twarzy nie drgnął nawet jeden mięsień, ale wszystko w nim aż kipiało. „Masz rację, że srasz w gacie ze strachu, Will. Nadchodzę. Idę po ciebie i moje pieniądze, i nic mnie nie powstrzyma.

Nic”.

7

Przed jego domem stał radiowóz.

Tom wyszedł akurat na chwilę z biura, gdy zadzwoniła Anna. To był jeden z *tych* poranków, tych, kiedy o wpół do dziesiątej wiesz już, że będziesz jadł lunch przy biurku, a o jedenastej zdajesz sobie sprawę, że możesz w ogóle zapomnieć o lunchu. Tych, kiedy żałujesz, że porzuciłeś marzenia o pisaniu książek i zaciągnąłeś się do korporacji, gdzie spod twych rąk wychodzi wyłącznie branżowa nowomowa. Zastępca Prezesa do spraw Pierdolonego Dnia Świra był łaskaw zmienić zdanie na temat projektu, który ekipa Toma miała sfinalizować do następnego tygodnia. Typowy bzdet, zwyczajne ego spowite w komunały o „progresywnym designie", „próbie alternatywnego myślenia", ale dziesięć tygodni ich pracy właśnie wylądowało w kuwecie. Po tego typu spotkaniu migocząca lampka sygnalizująca wiadomość w poczcie głosowej bynajmniej nie podnosi człowieka na duchu.

Potem odsłuchał wiadomość i wszystko do końca szlag trafił. Anna wpadła w panikę, ledwo oddychała. Zrozumiał tylko, że ktoś wtargnął do nich do domu i że ma natychmiast przyjechać. Stał ze słuchawką w ręku i zaciśniętymi ustami, wpatrując się w miasto poniżej, w kwadratowe żółte taksówki i przechodniów wielkości mrówek. Z jednej strony zastanawiał się, jak bardzo skomplikuje to sprawy w biurze, i zachodził w głowę, co do jasnej cholery, robiła w domu w środku dnia. Z drugiej miał ochotę natychmiast wybiec na ulicę, złapać taksówkę i zaproponować kierowcy czterdzieści dolców za trasę wartą dwadzieścia, jeżeli tylko się pospieszy.

Wygrał drugi wariant. Przez całą drogę modlił się, by nic się nie stało. Tymczasem przed jego domem stał radiowóz. Tom rzucił taksiarzowi dwa banknoty i wyskoczył z samochodu. Puścił się pędem przez tulipany zasadzone przez jego sąsiadkę i pokonując kilka schodów naraz, wbiegł na werandę.

– Anna?!

Zaczął otwierać drzwi do ich mieszkania, gdy nagle zauważył, że te do lokalu na parterze są uchylone. Odemknął je do końca i zajrzał do środka.

– Halo? Anna?

– Tom?!

Głos rozbrzmiał z korytarza; po chwili dobiegły stamtąd głośne kroki i w tej samej sekundzie rzuciła się na niego, objęła go, złapała mocno, wtuliła jego twarz w swoje włosy i poczuł zaraz, że coś mu topnieje w piersi, że rozluźnia się pięść, która – jak nagle zdał sobie sprawę – trzymała w silnym uścisku jego serce.

– Nic ci nie jest?

– Nie, nic, to tylko... – Pociągnęła nosem. – Ktoś tu był. W tym mieszkaniu. Tak się bałam...

– Już dobrze, maleńka. Już dobrze. – Trzymał ją mocno i głaskał po głowie. – Już dobrze. Opowiedz mi, co się stało.

Odsunęła się nieco i odetchnęła głęboko.

– Postanowiłam zrobić wypad na miasto. Załatwić parę spraw, zapłacić rachunki – spojrzała na niego znacząco – no wiesz, rozmawialiśmy o tym.

Owszem, rozmawiali, ale nie chciał przecież, by traciła kolejny dzień w pracy, żeby to zrobić. Przecież kantory są otwarte dwadzieścia cztery godziny na dobę. Ale to teraz było nieważne. Skinął głową.

– Kiedy wróciłam, zaniosłam tu kilka rzeczy. Weszłam do sypialni i wszystkie szuflady były otwarte, szafa również, a na podłodze walały się różne przedmioty. – Podchwyciła jego wzrok. – Tom, ktoś przeszukał mieszkanie.

Pięść przesunęła się z jego piersi do żołądka.

– Czy ty właśnie twierdzisz...

– Szukali czegoś. Kimkolwiek byli.

Zdał sobie sprawę, że stoi z otwartymi ustami, i je zamknął.

– Pewnie ktoś chciał okraść mieszkanie. – Ponieważ dostrzegł w jej oczach niepewność, mówił dalej. – Szukał biżuterii, pieniędzy, tego typu rzeczy.

– Nie zabrali telewizora ani...

– Nie zdążyli. Pewnie ich wystraszyłaś.

Miała już zaprotestować, ale powstrzymała się, bo usłyszała w korytarzu kroki. Wkrótce podszedł do nich gliniarz – wysoki mężczyzna o szerokich barach i w kamizelce kuloodpornej.

– Czy mam przyjemność z mężem?

– Tak. Tom Reed.

Wyciągnął rękę.

– Al Abramson. – Policjant uścisnął mu dłoń, po czym położył ją na kolbie swojego pistoletu i spojrzał na Annę. – Proszę pani, sprawdziliśmy cały dom, w tym oba mieszkania i piwnicę. Nikogo tu nie ma.

Westchnęła.

– Dzięki Bogu.

– Ma pani jakiś pomysł, kto to mógł być?

– Nie – zaprzeczyła. – Tom?

Pokręcił tylko głową.

– No cóż – powiedział Abramson – ze sposobu, w jaki przetrząsnęli mieszkanie, wynika, że to chyba narkomani. Sprawdzili na przykład dokładnie apteczkę. Zwyczajna sprawa. Gdy są na głodzie i potrzebują działki, rzucają się na wszystko. Raczej nie obawiałbym się, że wrócą.

– A co z...

Anna zawahała się, po czym wskazała na łazienkę.

Policjant pokręcił głową.

– To zwierzęta, nie ludzie. Dobrze, że skorzystali z toalety. Bywałem w miejscach, gdzie zrobili to prosto na dywan w salonie. – Nagle zaskrzeczało mu radio. – Przepraszam na chwilę – powiedział, po czym wyszedł na korytarz i odebrał wezwanie.

– Co zrobili? – Tom przechylił głowę i spojrzał na Annę.

– Ee... – burknęła. – Nie chcesz wiedzieć.

– Na pewno nic ci nie jest?

– Na pewno. Przeżyłam tylko lekki szok.

Przytulił ją znowu i objął mocno, czując w nozdrzach jej zapach.

– Anno, może powinniśmy im powiedzieć...

– Nie.

– Chodzi mi tylko o...

– Nie. – Oderwała się od niego. – To nasze dziecko. Nie poddam się, nie bez powodu.

Przed koniecznością odpowiedzi uratował go powrót Abramsona.

– Przepraszam państwa. Nie wiedziałem, że mieli tu państwo kilka dni temu mały incydent.

– Owszem – potwierdził Tom. – Zmarł nasz lokator. To jego mieszkanie.

Gliniarz skinął głową. Nie wyglądał na specjalnie zainteresowanego.

– Wzywała mnie dyspozytorka. Powiadomiła mnie, że w drodze jest detektyw. Halden, zdaje się.

– Poznaliśmy go tamtego wieczoru. Ale on pracuje w wydziale zabójstw, nieprawdaż? Dlaczego chce tu przyjechać?

Abramson wzruszył ramionami.

– Będą go musieli państwo sami o to spytać. Tymczasem może rozejrzą się państwo po mieszkaniu i sprawdzą, czy coś nie zginęło? Muszę to wpisać do raportu.

– Nie znaliśmy zbyt dobrze naszego lokatora – rzekła Anna. – Właściwie nie wiem nawet, czego szukać.

– Proszę tylko rzucić okiem, może coś państwo zauważą.

Wzruszyli ramionami i zaczęli chodzić po mieszkaniu. Tom pomyślał, że musiałaby zginąć lodówka, żeby dostrzegł jakąś różnicę, ale obchód dał mu czas na zastanowienie się nad sytuacją.

To, co powiedział Annie – że to tylko złodzieje – przyszło mu do głowy niejako automatycznie, żeby ją uspokoić, żeby nie pogarszać sprawy. Ale kiedy sam o tym myślał, ogarniały go poważne wątpliwości. Nigdy dotąd nikt nie próbował ich okraść. Lincoln Square to spokojna okolica. A gdy tak patrzył na otwarte szafki, na blat, na który wysypano zawartość puszek z zupą i opakowań makaronu, na wysunięte szuflady, trudno mu było oprzeć się wrażeniu, że jak na robotę kilku ćpunów mieszkanie zostało przeszukane zadziwiająco gruntownie.

„Może włamali się do tego mieszkania, a nie do naszego, ponieważ znajduje się ono na parterze. Może przetrząsnęli je w poszukiwaniu gotówki albo jakichś pigułek. Może zrobili to tak dokładnie, bo rozpaczliwie potrzebowali działki. Nie ma powodu przypuszczać, by chodziło o coś innego".

Tyle że, rzecz jasna, były ku temu powody. Kilkaset tysięcy powodów.

Detektyw Halden przywracał Annie wiarę, że jej podatki nie idą na marne. Wcielenie sprawiedliwości w szarym garniturze w prążki – był szefem od momentu, gdy pojawił się w pomieszczeniu. Pozostali gliniarze najwyraźniej zdawali się na niego, a jego obecność wpływała na nich motywująco. Halden porozmawiał z funkcjonariuszami, kiwając głową i zadając pytania. Potem przyklęknął przy frontowych drzwiach i zaświecił latarką w zamek, a następnie zrobił to samo od drugiej strony.

– Witam ponownie – powiedział, wymieniając z gospodarzami uścisk dłoni. – Abramson opisał mi już sytuację, ale chciałbym się wszystkiego dowiedzieć z pierwszej ręki. Pani Reed?

– Anna.

– Pani Anno? Chciałbym to usłyszeć od pani.

Skinęła głową. Umundurowani policjanci już sobie poszli i siedzieli teraz we trójkę przy stole w kuchni, popijając kawę. Opowiedziała mu, że pojechała załatwić parę spraw – rzecz jasna nie wspomniała, że spłaciła w całości ich siedemdziesięciotysięczny dług – a potem wróciła do domu i mieszkanie było splądrowane. O smrodzie w łazience, o tym, że ktoś, kogo nie znała, zostawił coś takiego unoszącego się w wodzie w muszli i że odczuła to jako obelgę, wtargnięcie. O swoim strachu, gdy zdała sobie sprawę, że ciągle mogą być w pobliżu, o tym, jak uciekła, zostawiając torebkę z komórką w środku, i że w końcu zadzwoniła pod 911 ze sklepu na rogu. Halden kiwał głową i od czasu do czasu coś notował. Wyprostowany, zadbany, schludny – jak z plakatu rekrutującego kandydatów na policjantów. Jej wzrok zbaczał ciągle w stronę pistoletu przy jego biodrze, matowoczarnego przedmiotu, który wywoływał u niej drżenie. Kiedy skończyła, skinął jeszcze raz głową.

– Gdy pani przyszła, drzwi były zamknięte na klucz? – spytał.

– Owszem.

– Jest pani pewna?

Zastanowiła się, ale przypomniała sobie, że postawiła reklamówkę, żeby znaleźć klucze.

– Tak.

– A okna były również zamknięte od wewnątrz?

Skinęła głową. Nagle zrozumiała, do czego zmierza.

– Tak, jak w takim razie...

– Na żadnych z drzwi nie widać śladu włamania. Przypuszczam, że albo mieli klucze, ale posłużyli się wytrychem.

– Kto mógłby mieć klucze?

– Przyjaciel? – Halden spojrzał na nią uważnie. – Proszę posłuchać, czy nie przypomina sobie pani czegoś jeszcze na temat państwa lokatora?

Zmusiła się, by przygryźć wargę, zanim pokręciła głową. Chciała sprawiać wrażenie, że się głęboko zastanawia.

– Przykro mi. Naprawdę go nie znaliśmy.

– Powiedziała pani tamtego wieczoru, że nie wiedzieli państwo, jak zarabiał na życie.

– Nie, nie wiedzieliśmy.

– A zauważyli może państwo, czy wychodzi do pracy? Nie wpadli państwo kiedyś na siebie w korytarzu?

Milczała przez chwilę.

– Chyba nie, naprawdę.

– Dlaczego pan pyta? – Tom złapał za krawędź kubka i uniósł go nieco. – Czyżby włamywacze go znali?

„Zamknij się, do jasnej cholery. Po co siać choćby ziarno wątpliwości?"

Halden pokręcił głową w niezobowiązującym geście.

– Trudno powiedzieć. – Położył pióro na okładce notatnika, którego krawędzie były oczywiście idealnie równe, po czym nachylił się ze splecionymi palcami. – Zazwyczaj nie ujawniamy informacji na temat niezamkniętych spraw, ale zważywszy na okoliczności, powinienem chyba państwu coś powiedzieć. Państwa lokator, człowiek, którego znali państwo jako Billa Samuelsona, tak naprawdę nazywał się inaczej. Jego prawdziwe nazwisko to William Tuttle. Sprawdziliśmy jego odciski palców i okazało się, że jest nam doskonale znany. – Zamilkł na chwilę. – Nie będę państwo okłamywał. Tuttle był bardzo złym człowiekiem.

– Złym? Co to znaczy? – spytał Tom.

– Był aresztowany za napaść. Odsiedział parę lat za rozbój z użyciem broni. Kilka razy był przesłuchiwany, w Kalifornii postawiono mu też zarzut rozprowadzania narkotyków, ale ostatecznie się wybronił. – Halden odchylił się na krześle i rozłożył ręce. – Chciałbym zaznaczyć, że w chwili śmierci nie był poszukiwany. To, że miał bogatą kartotekę, wcale nie oznacza, że nadal był przestępcą. Dlatego właśnie pytałem państwa o jego pracę.

Anna wyraźnie słyszała tykanie zegara na ścianie i czuła, że jej puls znacznie wyprzedza jego bieg. Pieniądze. Nie było więc wcale tak, jak sądzili; to żaden dziwak, samotnik, co to nie ufa bankom. Pieniądze pochodziły z kradzieży. I mylili się, snując domysły na temat defraudacji, czyli właściwie przestępstwa bez ofiar. Will Tuttle nie wyłudził ubezpieczenia, nie był oszustem w białym kołnierzyku. Był niebezpiecznym człowiekiem pracującym z takimi samymi jak on. Podchwyciła wzrok Toma i w jego oczach dostrzegła podobne myśli.

Musieli jakoś wyprosić Haldena. Im dłużej tam był, tym większa szansa, że coś przed nim chlapną. Widziała, że Tom po części ma ochotę przyznać się, powiedzieć detektywowi prawdę. Niestety, było to o wiele bardziej skomplikowane.

Zorientowała się, że Tom i Halden kontynuują rozmowę. Zebrała się w sobie i skupiła z powrotem na nich.

– ...przedawkowania – mówił detektyw. – A lekarstwo? Nosi nazwę fentanyl. To bardzo silny środek przeciwbólowy. Zazwyczaj nie jest dostępny w tabletkach, a w takiej postaci go tutaj znaleźliśmy. Przetworzono go, żeby go sprzedawać na ulicy.

– A więc to było samobójstwo?

Policjant pokręcił głową.

– Nie. Prawdopodobnie denat sądził, że to właściwy dla niego lek, oksykodon. Sęk w tym, że dawka okazała się na tyle silna, że wywołała atak serca. Być może nie wiedział nawet, że ma problemy z sercem. Ludzie przeważnie nie mają o tym pojęcia i nagle jest już za późno. I w tym momencie dochodzimy do sedna sprawy. – Halden wypił łyk kawy. – Żeby dostać coś takiego, trzeba znać odpowiednie osoby. Dilerów, innych narkomanów. Bardzo prawdopodobne, że któryś z nich wiedział, gdzie mieszka państwa lokator.

– I doszedł do wniosku, że warto sprawdzić, czy Samuelsonowi – to znaczy Tuttle'owi – nie zostały jeszcze jakieś narkotyki – dopowiedział Tom.

– No właśnie – potwierdził detektyw. – Doszedłem do tego samego wniosku.

Anna skrzyżowała ramiona na piersi i odchyliła się na krześle. Spojrzała w bok. Całym ciałem próbowała zasugerować detektywowi, że najwyższy na niego czas. Ale Tom ciągle mówił, ciągle pytał.

– I co, możecie coś z tym zrobić?

– Zrobić?

– Złapać tego kogoś. Odciski palców albo coś w tym guście.

Halden uśmiechnął się i pokręcił głową.

– Jeżeli państwo chcą, mogę sprowadzić ekipę techniczną. Zrobią tylko wielki bałagan i poplamią państwu te czyściutkie białe ściany, ale jeśli poczują się państwo przez to lepiej, proszę bardzo.

– Sęk w tym, że tak naprawdę to nie ma sensu?

– Gość, który potrafi posługiwać się wytrychem, miałby nie pomyśleć o rękawiczkach? Ale przypuśćmy nawet, że miał klucze. – Halden wzruszył ramionami. – Sądzą państwo, że nie ogląda telewizji?

– Powinniśmy się zatem martwić?

– Że wrócą? Nie – uspokoił ich detektyw. – Przypuszczam, że napędzili im państwo niezłego stracha. Poza tym, prawdopodobnie znaleźli to, czego szukali.

Tom spojrzał na Annę, a potem przykrył jej dłoń własną.

– To dobrze.

Zapadła cisza. Po chwili detektyw uniósł kubek, dopił kawę i odstawił go.

– No cóż. Lepiej już sobie pójdę. Mam trochę papierkowej roboty, której wymaga państwa ubezpieczalnia, ale wszystko powinno być w porządku.

Wstali i odprowadzili go do drzwi.

– Jeszcze raz dziękujemy, detektywie – powiedziała Anna, myśląc jednocześnie: „Wyszedł, już prawie wyszedł".

– Wykonuję tylko swoje obowiązki – odparł skromnie. Wsunął swoje złote pióro do kieszeni garnituru. – Jeszcze jedno.

Tom przekrzywił głowę.

– Tak?

– Will Tuttle był złodziejem. Kto wie, co ukradł, co mogło zostać w mieszkaniu. Biżuteria, narkotyki. Co tam, może nawet gotówka.

– No i?

Halden wzruszył ramionami.

– Życie bywa zabawne. Czasem stajemy nagle w obliczu sytuacji, w której reagujemy zupełnie inaczej, niż mogliśmy się tego spodziewać.

– Co to ma znaczyć?

– Cóż, załóżmy tylko, powiedzmy, że ktoś znajduje coś, co należało do Willa. Decyzja, żeby to sobie zatrzymać, byłaby najbardziej zrozumiałą w świecie. Przecież gość nie żyje, co to więc za kradzież?

Oczy detektywa były jak reflektory. Anna czuła, że coś miażdży jej płuca. Miała sucho w ustach, za to jej dłonie nagle zrobiły się wilgotne. Wbiła wzrok w policjanta, próbując rozpaczliwie wymyślić jakąś odpowiedź.

– Nie jestem pewien, do czego pan zmierza – powiedział Tom spokojnym, może nawet nieco urażonym tonem.

Odzyskała nagle siłę: jej partner w zbrodni ratuje ją, gdy się poślizgnęła.

– Czy pan sugeruje, że coś mu zabraliśmy?

Halden po prostu przygwoździł ich znowu do ściany swoim spokojnym, wszechwiedzącym spojrzeniem; przewiercił nim Annę na wskroś, wiedział, co zrobili. Był sprytniejszy, niż przypuszczała, sprytniejszy i bardziej domyślny; wiedział, kiedy siedzieli przy stole i rozmawiali, może nawet wiedział od samego początku. Anna poczuła gwałtowną chęć, by otworzyć usta i pozwolić, by popłynęła z nich prawda. Przemogła się i zacisnęła zęby.

Po długiej chwili detektyw wzruszył wreszcie ramionami.

– Coś państwu powiem – skwitował. – Jeżeli przypomną sobie państwo coś przydatnego, proszę zadzwonić, okej? Im szybciej, tym lepiej. – Sięgnął do gałki. – Dziękuję za kawę.

Wyszedł, pozwalając, by drzwi same zatrzasnęły się za jego plecami.

8

– Kurwa, chyba nie mówisz poważnie?!

– Owszem.

Anna siedziała po turecku na blacie w kuchni i patrzyła, jak jej mąż wychyla bourbona z wodą, w którym zresztą praktycznie nie było wody.

– Nadal chcesz ją zatrzymać?

– Owszem.

Tom spojrzał na nią z miną, którą przybierał zawsze, gdy nie potrafił zdecydować, czy powinien być zdumiony czy wściekły. Po pierwsze, nie wyglądał z nią najlepiej; po drugie, po tych wszystkich latach kojarzyła jej się przede wszystkim z ich kłótniami. Wypuścił nosem powietrze, potrząsnął głową i wypił kolejny łyk bourbona.

– Nie powinniśmy byli jej w ogóle zabierać.

W jego głosie dało się wyczuć lekko oskarżycielski ton. Cień aluzji, że może to jej wina, że go to tego namówiła. Pomyślała, że powinna mu coś wyjaśnić, ale doszła do wniosku, że to bez sensu, i wzruszyła tylko ramionami.

– Teraz to już bez znaczenia – stwierdziła.

– Gdybym znał prawdę...

– Gdybyśmy oboje ją znali, zostawilibyśmy forsę i zadzwonilibyśmy po gliny. Ale skąd mogliśmy wiedzieć? No skąd? Bill wprawdzie był trochę dupkiem, ale kto patrzy na swoich sąsiadów, myśląc: „Kurde, facet wygląda mi na brutalnego zbrodniarza”? – Pokręciła głową. – Tak jak mówiłeś, gość był samotnikiem. Bardziej rozsądne wydawało się wyobrażanie go sobie, jak ciuła grosz do grosza, niż jak macha spluwą przed oczami jakiegoś sprzedawcy.

– Sprzedawcy? – Tym razem to Tom pokręcił głową. – Nie bądź naiwna. Takiej forsy nie znajduje się w kasie. Nie sądzę też, żeby czterysta tysięcy baksów dało się zwinąć z banku. Musiał je komuś ukraść. Być może osobie, która nasrała nam dzisiaj po południu w łazience. Pomyślałaś chociaż o tym?

– Oczywiście.

– I nadal chcesz ją zatrzymać?

– Powiem ci coś, kotku. Nie będę naiwna, jeżeli ty nie będziesz głupi. – Oparła się o szafkę. – Jak to sobie wyobrażasz? Oddamy forsę i powiemy, że nam przykro? To nie jest takie proste.

Pokręcił głową, jednym łykiem dopił resztę drinka, a potem otworzył Maker'sa i nalał sobie kolejną szklaneczkę, tym razem w ogóle zapominając o wodzie. Zakręcił butelkę i odstawił ją na blat. Uniósł rękę i pomasował palcami czoło. Gdy się odezwał, jego głos dobiegał zza dłoni.

– Może jesteśmy w stanie jakoś odzyskać pieniądze?

– Jak?

– Może da się anulować te transakcje? Albo, zaczekaj – ożywił się – przecież spłaciłaś karty kredytowe. Możemy po prostu wyciągnąć z powrotem z nich pieniądze.

– Dwadzieścia pięć tysięcy wylądowało na koncie szpitala. Nie odzyskamy tej sumy. A co do reszty – naprawdę chcesz wyciągnąć z bankomatu pięćdziesiąt tysięcy dolarów w gotówce? Byliśmy bliscy katastrofy, o mało co nie musieliśmy sprzedać domu. W ten sposób będzie gorzej niż przedtem.

– Okej, zatrzymajmy więc to, co wydaliśmy, i zwróćmy resztę. Gliny nie będą wiedziały, ile było na początku.

Spojrzała na niego, zmarszczywszy czoło.

– Wystarczy, że pierwszy lepszy niegłupi detektyw przejrzy nasze rachunki. Detektyw Halden raczej nie wygląda na głupiego.

– Jasne, ale przecież tylko nas ostrzegał. Próbował pomóc.

– Próbował *pomóc*? Nie próbował pomóc, węszył. Miał nadzieję, że spieprzymy sprawę, że coś palniemy. Jest gliną. Sądzisz, że jak oddamy mu pieniądze, podziękuje i udzieli nam rozgrzeszenia?

– Jakoś nie potrafię sobie wyobrazić, żebyśmy za coś takiego wylądowali w więzieniu.

– Może nie. Ale jak sądzisz, ile będzie nas kosztował adwokat? – Anna pokręciła głową. – Jeżeli się teraz poddamy, nasz dług wzrośnie dwukrotnie, będziemy musieli sprzedać dom, może nawet ogłosić bankructwo. A wszystko dla sukienki zbyt eleganckiej, żeby ją nosić, i pary okularów słonecznych, które zgubisz w ciągu miesiąca.

Tom spojrzał na nią wściekle.

– Ktoś dzisiaj włamał się nam do domu. Mam w dupie nasze długi. Zacznij myśleć rozsądnie.

W jego oczach pojawiło się oskarżenie.

Podchwyciła jego wzrok i odbiła piłeczkę.

– Myśleć rozsądnie? Proszę bardzo. Ktoś włamuje się do domu, przeszukuje go i *nie znajduje forsy*. A więc forsy tam nie ma. Zaś nas nic z nią nie łączy.

– I wydaje ci się, że po prostu się odczepi?

– A tobie się wydaje, że jak zwrócisz pieniądze glinom, to ten ktoś się odczepi? Może mamy wywiesić tabliczkę: „Oddaliśmy forsę, proszę, zostawcie nas w spokoju"? Tak czy inaczej – wzruszyła ramionami – zastanów się nad tym. Dlaczego ktoś miałby zakładać, że to właściciele mieszkania ukradli pieniądze? Kimkolwiek są ci ludzie, najprawdopodobniej dojdą do wniosku, że Will je ukrył. Dla pewności sprawdzili mieszkanie, a teraz zaczną szukać gdzie indziej.

Słowa te sprawiły, że Tom wreszcie się zamknął. Oparł się o blat z drugiej strony, położył na nim łokcie, a pomiędzy nimi postawił drinka. Anna znała już tę postawę – Boże, po tych wszystkich latach z jakiejże to postawy, gestu czy miny nie potrafiłaby czytać jak z billboardu – i wiedziała, że jej mąż zastanawia się, że najgorętsze emocje zdążyły już w nim wystygnąć.

– Posłuchaj. – Wyprostowała zdrętwiałe nogi, zeskoczyła z blatu i stanęła po jego drugiej stronie naprzeciw Toma. – Wiem, że to przerażające, ale musimy to przeczekać.

Westchnął i spojrzał na swojego drinka.

– Nie chciałem tylko, żeby coś złego przytrafiło się...

Zamilkł, nie wypowiedział słowa „tobie". Próbował ją chronić. Z jednej strony było to słodkie, ale z drugiej irytujące. Nie potrzebowała teraz rycerza w sportowej marynarce; potrzebowała partnera, kogoś z głową na karku, kto potrafiłby zmierzyć się z problemem.

– Wiem, kotku. Wiem. – Wzięła go za rękę. – Ale nic się nie wydarzy. Będziemy ostrożni. Nie wydamy już ani centa. Zapomnimy, że mamy tę forsę, będziemy żyli jak dawniej. Nikt się nie domyśli, że zabraliśmy pieniądze, nikt nie będzie miał powodu, aby nas podejrzewać. A jeśli stanie się coś złego, to wtedy je oddamy.

Tom bawił się szklanką, obracając ją w dłoni i wpatrując się w wirujący złocisty płyn.

– Co ci jest?

Wzruszył ramionami.

– Potwornie się z tym czuję. I nawet nie chodzi mi o pieniądze. Nie do końca.

Anna parsknęła śmiechem.

– Nie wierzysz mi?

Pokręciła głową.

– Nie wierzę, że naprawdę chciałeś to powiedzieć. – Położyła mu dłoń na policzku, czując pod palcami twardy niebieskoczarny zarost. – Znam cię, kotku. Lepiej niż ktokolwiek. – Uśmiechnęła się do niego. Zauważyła zmarszczki wokół jego oczu i poziome bruzdy na czole. – Nie myśl o tym jak o pieniądzach. Nigdy nie chodziło o nie.

– W takim razie o co?

Jego pytanie zaszokowało ją. Myślała, że czują to samo, że był tylko jeden prosty powód, dla którego je zabrali, najprostszy w świecie, który wyłącznie dla nich okazał się skomplikowany. Przez chwilę wpatrywała się w niego, a potem obeszła blat i stanęła tuż przed nim. Sięgnęła po jego dłoń – jego palce były dłuższe i bardziej szorstkie niż jej – drugą podciągnęła sobie koszulkę i przycisnęła rękę Toma do swojego brzucha, pozwalając mu poczuć swoje ciepło. Patrzyła na niego, nie mówiąc ani słowa.

W końcu powoli, z oporem skinął głową.

– Okej.

Nie mogła zasnąć.

Tom leżał na plecach z ręką zwisającą z łóżka i prześcieradłem skłębionym wokół bioder. Anna oparła się na łokciu i spojrzała na niego, na rysy jego twarzy ledwo widoczne w słabym świetle zegarka. Ile już nocy kładli się razem? Tysiące. Zbyt wiele, żeby je zliczyć. Tysiące nocy szczotkowania zębów i przemywania twarzy, rozmów na temat rachunków, opowiadania anegdotek, drżących uścisków. Czuła zapach jego skóry, jego włosów. Jego słabe chrapanie unosiło się i opadało w powietrzu, przytłumione jednostajnym szumem maszyny do deszczu. Powiedziała mu, że lubi ją z powodu jej rytmu; nigdy nie miała serca wyznać mu prawdy, że gadżecik zagłusza jego chrapanie.

Parkiet pod jej stopami był chłodny. Ruszyła przed siebie ostrożnie, omijając skrzypiące miejsca. Zamknęła drzwi do łazienki i wysikała się w ciemności, a potem spłukała muszlę i zapaliła światło. Spojrzała w swoje odbicie w lustrze – nie miała na sobie nic z wyjątkiem pary bawełnianych majtek i białej koszulki; od poduszki zmierzwiły się jej włosy i zaczerwieniła skóra. Patrzyła i patrzyła, i nagle zmęczyła się myśleniem o tym, zerwała z wieszaczka na drzwiach szlafrok, zgasiła światło i wyszła ostrożnie na korytarz.

Dom był we władaniu nocy. Dobrze znane przedmioty wydawały się obce: blat był groźny, stół w kuchni i krzesła przypominały żuka o licznych odnóżach. Otworzyła tylne drzwi.

Do starej klatki schodowej światło docierało tylko przez pleksiglasowe okno, szła więc przed siebie ostrożnie, żałując, że nie włożyła pantofli i że musi gołymi stopami wyczuwać krawędzie drewnianych stopni. Im niżej schodziła do piwnicy, tym mniej docierało tam światła. W końcu zamknęła oczy i pozwoliła, by prowadziły ją same stopy. Poruszała nimi powoli i delikatnie: ślizg, zejście w dół, dotyk następnego schodka. Kiedy poczuła beton, otworzyła oczy i poszukała po omacku na ścianie włącznika światła.

Przykurzona żółć zaatakowała ciemności, ale z niezbyt imponującym skutkiem. Na lewo Anna zauważyła ogromny bojler, na prawo udrapowany pajęczynami grill. Powietrze było przesycone zapachem starości, wyczuła też w nim lekką woń wybielacza dobiegającą z pralki. Ruszyła przed siebie przez zimny beton, starając się unikać kamyków i gwoździ, zalegających tam od dziesięcioleci. Dziwny kształt z mackami okazał się piecem. Minęła go, po czym podeszła do ściany i podniosła panel ze sklejki, zakrywający wnękę pod podłogą. W jej uszach rozbrzmiał głośno i oskarżycielsko zgrzyt.

„Przecież nie kradnę. Nie kradnę. Niczego mu nie zabieram, nawet go nie okłamuję. Dbam tylko o nasz najlepiej pojęty interes. On pragnie tego tak samo mocno jak ja, ale z jakiegoś powodu jest przerażony, uważa, że musi mnie chronić.

Muszę ochronić nas przed tym, jak on chroni mnie".

Przykucnęła i sięgnęła daleko w ciemność. Pogrzebała przez chwilę między rurami, aż wreszcie natrafiła na pasek torby gimnastycznej. Pociągnęła, zdziwiona jej ciężarem oraz tym, że musiała ją kilka razy przysuwać, zanim wreszcie udało jej się złapać ją pod odpowiednim kątem i podciągnąć do góry. Położyła panel i wstała. Wróciła po własnych śladach. Kiedy zgasiła światło, ciemność opadła na nią niczym koc.

„Skoro uważa, że mnie chroni, to może zrobić coś głupiego. Może spanikować i zupełnie bezmyślnie oddać pieniądze. Nie stać nas na to. Musimy myśleć. Planować. Postępować ostrożnie. Nie robię niczego innego. Po prostu jestem ostrożna".

Otwierając tylne drzwi domu, czuła w ustach kwaśny smak. Powietrze było chłodne, ciężkie od bujnie rosnącej zieleni. Przez ulicę z niebezpieczną prędkością przemknęła ciężarówka, wyjąc silnikiem na wysokich obrotach. Przy krawędzi budynku Anna zawahała się, uświadamiając sobie nagle, że ma na sobie tylko szlafrok i majtki, a jej włosy sterczą w nieładzie. Ale minęła już trzecia, był środek nocy i na chodniku nikogo nie dostrzegła. Podeszła do samochodu i zrobiła to, co musiała zrobić, przykrywając na koniec torbę stosem ubrań, które miała zamiar oddać organizacji charytatywnej.

Wracając do domu, czuła w piersi pustkę, tak jakby coś wydrążyło ją od środka – próżnię, która chciała wciągnąć ją całą. Serce biło jej szybko, a nocne powietrze przedarło się w końcu przez materiał szlafroka i Annie zesztywniały nagle sutki, a po kręgosłupie przeszedł dreszcz.

„Zrobiłam to, co należało. Kocham cię, Tom. Naprawdę".

Wbiegła po schodach i zakradła się z powrotem do własnego mieszkania.

9

Nie. Nie, nie, nie, do kurwy nędzy – nie!!!

Jack trzęsącymi się rękami odłożył gazetę na knajpiany bar, żeby móc ją przeczytać dokładnie. Tak jakby problem leżał w jego rozdygotanych palcach, a nie w czarnej farbie drukarskiej „Tribune".

Z łamów wpatrywał się w niego Will Tuttle. Zdjęcie miało dobrych parę lat, zrobiono je jeszcze w hollywoodzkim okresie Willa: farbowane końcówki włosów, zmierzwiona czupryna i uśmiech numer pięć, zarezerwowany dla fotografii na pamiątkowych kubeczkach. Ponad nim walił w oczy nagłówek, który zmieniał wszystko:

„PODEJRZANY O MORDERSTWO ZNALEZIONY MARTWY W MIESZKANIU PRZY LINCOLN SQUARE"

Autor artykułu opisywał, że niby Tuttle był głównym podejrzanym w sprawie niedawnego „Skoku na Gwiazdę", podczas którego zginęły dwie osoby. Że niby był kryminalistą, że miał na koncie napaść oraz grabież z bronią w ręku i że żył pod przybranym nazwiskiem. Że niby właściciele jego mieszkania, Anna i Tom Reedowie, usłyszawszy alarm przeciwpożarowy, weszli do jego lokum i znaleźli go tam martwego, że najwyraźniej zmarł na skutek przedawkowania leku. Że niby policja póki co nie chce niczego komentować, twierdząc jedynie, że prowadzi drobiazgowe śledztwo i podąża za wszelkimi tropami w sprawie „Skoku na Gwiazdę".

A zatem gdy oni przez kilka dni obserwowali dom, Will był już martwy. Jack zacisnął dłonie w pięści, wbijając mocno paznokcie w skórę. Bobby nie żyje, a teraz on nie może nikomu odpłacić za jego śmierć, z nikim wyrównać rachunków. Umierając, kutas wymusił pata.

– Czas pomyśleć o wyjeździe z miasta – powiedział Marshall.

Jack zgarnął gazetę z baru i zmiął ją w kulkę, patrząc, jak twarz Willa marszczy się i odkształca. Zmiażdżył ją w rękach, po czym cisnął w stronę kubła na śmieci po drugiej stronie baru. Kierowca ciężarówki, siedzący dwa miejsca od nich, spojrzał na niego nieprzyjaźnie. Jack podchwycił jego wzrok.

– Coś się nie podoba?

Facet szybko pokręcił głową i zajął się z powrotem swoimi jajkami. Jack nie odrywał od niego wzroku, aż w końcu widelec w ręku gościa zaczął się trząść.

Marshall odchrząknął.

– Słyszysz mnie? Gość zszedł, czas w drogę.

– Przedawkowanie... Na litość boską, typas odpłynął, jakby uciął sobie drzemkę.

– Posłuchaj, krew za krew. Jego bratanek nie miał lekko.

– To nie wystarczy.

– Chcesz się odlać na jego grób? – Marshall wzruszył ramionami. – Wporzo. Machniemy mu taką salwę honorową, że w życiu pozagrobowym będzie musiał nauczyć się pływać. A potem się zmyjemy.

Jack potarł oczy, mocno przyciskając je palcami. Przed powiekami zaczęły mu wirować krwawopurpurowe gwiazdki.

– W gazecie nic nie ma o forsie.

– Przecież by o niej nie pisali.

– Może nie. Ale gdyby tam była, znaleźlibyśmy ją.

– Czyli gdzieś ją schował. To duże miasto.

Jack uniósł kubek z kawą i wypił łyk zimnego gorzkiego napoju. Próbował przypomnieć sobie wszystko, co wiedział o Willu. Nie było tego zbyt wiele, w gruncie rzeczy prawie go nie znał. Kilka razy byli razem na robocie, ale w zasadzie gość trzymał się na uboczu. Jeśli przekazał forsę jakiemuś kumplowi, Jack nie miał pojęcia, jak go znaleźć. Mogła też znajdować się w jakimś miejscu nie do wyśledzenia. Skrytka bankowa, opłata uiszczona za kilka lat z góry, czterysta patoli w środku. Przypomniał sobie Bobby'ego, jak tamtego wieczoru wpatrywał się w pieniądze, jak na jego twarzy malowało się pełne zachwytu zdumienie. Jego brat umarł za tę forsę.

– On nie może być górą – powiedział Jack.

– Kto?

– Nigdzie nie wyjeżdżam. W każdym razie bez forsy.

– Jakiej forsy? – Marshall wzruszył ramionami. – Stary, forsa zniknęła.

– Moglibyśmy jeszcze raz sprawdzić mieszkanie.

– Po co? Sam to powiedziałeś: gdyby tam była, znaleźlibyśmy ją.

– Możemy na coś trafić. Na coś, co nam podpowie, gdzie jej szukać.

– Liczysz na to, że narysował mapę do skarbu?

Jack pokręcił głową.

– Może znajdziemy adresownik. Możemy sprawdzać po kolei jego znajomych. Albo rachunek za skrytkę.

Przed oczami stanął mu jego ojciec, jak pochylony nad jednym z drewnianych modeli samolotów, nad którymi spędzał całe godziny, z wprawą majstruje przy nim szorstkimi dłońmi. Za pomocą kawałka balsy wprowadza klej do rozpórki przy skrzydle. Sprawdza, czy syn go obserwuje, po czym uśmiecha się i mówi swoim ciężkim angielskim: „Krok po kroku, synu. Pamiętaj o tym, a uda ci się zrobić wszystko".

Marshall wciągnął przez zęby powietrze i zabębnił palcami o ladę.

– No nie wiem, Jack.

– Zaczekaj chwilę. Może oni się znają. A może znają jego innych znajomych. – Nagle uderzyła go pewna myśl. Potarł dłonią policzek. – Ożeż kurwa! Nie tylko to! Oni t a m byli! Przed nami! Przed policją!

– Kto?

– Właściciele! – Jack podniósł wzrok. – Tom i Anna Reed!

– NIECH MI PANI UWIERZY, jestem z tego powodu równie niezadowolony jak pani.

Christopher Halden odchylił się na krześle. Siedział z nogami na blacie biurka, które dzielił z Karpińskim, detektywem pracującym na drugiej zmianie. Po stronie Haldena panował ład i porządek: segregator na teczki, pojemnik na długopisy, lista telefonów do ekipy technicznej i medycznej, przypięta na ścianie obok zdjęcia chatki, którą wynajmował w północnym Wisconsin. Karpiński był flejtuchem. Na chwiejącej się niepewnie stercie jego papierów walały się resztki kanapki z tuńczykiem.

– Jak to się mogło stać? Dlaczego nie dowiedzieliśmy się o tym pierwsi?

Głos Anny Reed w słuchawce był niemalże piskliwy.

– Nie powiedzieliśmy państwu, ponieważ póki co to jedynie teoria. Państwa lokator, Will Tuttle, jest, jak to u nas nazywamy, znanym współpracownikiem mężczyzny zabitego w czasie „Skoku na Gwiazdę". To oznacza...

– Oglądam *Prawo i porządek*.

– No właśnie. A zatem wie pani dobrze, że to, iż kiedyś ze sobą pracowali, wcale nie oznacza, że Tuttle był zamieszany w tę sprawę. Po prostu ktoś, najprawdopodobniej któryś z pracowników biura lekarzy sądowych, podniecił się za bardzo i zadzwonił do dziennikarzy.

– Ale użyli naszych nazwisk. Jak mogli to zrobić?

– Państwa nazwiska znajdują się w publicznie dostępnych aktach. Wystarczy jeden telefon, by dowiedzieć się, że są państwo właścicielami budynku. A szczegóły na temat tego, jak znaleźli państwo ciało, były częścią raportu z miejsca wypadku.

– Twierdzi pan zatem, że ktoś po prostu...

– Twierdzę tylko, że ktoś, kto lubi być w centrum zainteresowania, przekazał to prasie. Jeżeli dowiem się, kto to taki, osobiście dobiorę mu się do tyłka. Ale w tym momencie nie mogę zrobić nic więcej.

Z trudem powstrzymał westchnienie. Uspokajać, tłumaczyć, hołubić – ta poza stawała się męcząca. Czasem miał ochotę wrzasnąć na delikwenta, żeby przestał w końcu *jęczeć*. Niech popracuje tu przez tydzień, niech trzy razy w tygodniu ślęczy w sierpniowym upale nad martwymi ciałami albo ośmiolatkami, których trafiła zabłąkana kula w czasie ulicznej strzelaniny, a sam dojdzie do wniosku, jak dobijające mogą być jego błahe problemy.

Nastąpiła długa pauza.

– Sądzi pan, że był wmieszany w tę sprawę? – zapytała w końcu zdenerwowanym głosem Anna.

– W „Skok na Gwiazdę”? – Halden podniósł pióro i zakręcił nim młynka w palcach. Od jego złotej powierzchni migotliwie odbijało się światło. – Dlaczego pani pyta?

– No cóż, zastanawiałam się, czy ludzie, którzy się do nas włamali, nie szukali przypadkiem pieniędzy.

– Jakich pieniędzy?

– Tych, które ukradli – wyjaśniła. – Mam rację?

– Nie wyciągajmy pochopnych wniosków, dobrze? – Halden nadał głosowi ton, którego używał w czasie rozmów z pogrążonymi w smutku członkami rodzin. – Mężczyźni, którzy odpowiadają za ten napad, to niebezpieczni ludzie. Mają *mnóstwo* znanych współpracowników. Nieważne, co wypisują gazety, nie ma żadnego powodu, by twierdzić, że Tuttle był w to zamieszany.

Miała już coś powiedzieć, ale nagle się powstrzymała. Tak jakby chciała zaprotestować, lecz zmieniła zdanie.

– Rozumiem. Pewnie ma pan rację.

– Pani Anno, jeśli mogę coś doradzić, to jeżeli nie czuje się pani bezpiecznie, niech pani na jakiś czas wyjedzie. Zostanie z rodziną. Albo niech pani kupi sobie psa.

– Zainstalowaliśmy już alarm.

– Słusznie. – Zerknął na zegarek. Dwadzieścia po dwunastej. Jeżeli ma zamiar jeszcze cokolwiek zrobić tego dnia, powinien spędzać mniej czasu na rozmowach z upierdliwymi obywatelami, a więcej na ulicy. – A teraz, jeżeli nie mogę zrobić dla pani nic więcej...

– Nie. – Anna Reed zrozumiała aluzję. – Dziękuję za rozmowę. Powiadomi nas pan, jeżeli czegoś się dowiecie?

Zapewnił, że to zrobi, po czym rozłączył się, kręcąc głową. Po raz dziesiąty tego ranka spojrzał na zdjęcie – domek na zachód od Minocqua. Była to chatka myśliwska, ale Halden miał dosyć polowań, nawet nie wyściubiając nosa z Chicago. Nie, kiedy stuknie mu dwadzieścia dziewięć plus jeden dzień, kupi to cholerstwo, zamiast je wynajmować, i wprowadzi się tam z psem, kartonem książek, czterdziestokilogramowym workiem kawy i być może z Marie, pod warunkiem że uda mu się przekonać ją, iż siedemdziesiąt pięć procent poborów detektywa wystarczy dla nich obojga.

Bywały czasy, kiedy miał nadzieję, że zakończy służbę na wyższym stanowisku, ale z upływem lat nadzieje te spłowiały. Gorsi gliniarze, którzy nie wzdragali się przed całowaniem przełożonych w dupę, wyrabiali się jakoś politycznie i awansowali. Ale nie on. Nie miało to zresztą większego znaczenia. Pewnego cudownego dnia, w jakiś lutowy wieczór, owinie się Lasami Państwowymi Chequamegon jak kocem i nigdy już z nich nie wypełznie. Będzie czytał, spacerował i uprawiał seks. Czasem w sobotę wpadnie do Iron River na parę budweiserów.

Zamknął leżącą przed nim teczkę, postukał nią o biurko, żeby wyrównać brzegi, i odłożył do skoroszytu, zastanawiając się niezobowiązująco, czy Will Tuttle faktycznie uczestniczył w „Skoku na Gwiazdę". Właściwie nie bardzo go to obchodziło; sprawa była jakimś koszmarem i cieszył się, że nie musi nad nią pracować. Jasne, jeżeli komuś uda się ją rozwiązać, dostanie bilet do raju – awans, relacje w prasie, odznaczenia, pełen zestaw. Ale bandyci byli zawodowcami i policja do tej pory nie trafiła nawet na cień tropu. Dolary przeciw orzechom, że faceci są już gdzieś w Key West i przepijają swoje czterysta tysięcy dolarów.

Chwileczkę. Pieniądze.

Przecież w informacjach udzielanych prasie policja w ogóle o nich nie wspominała. Opinia publiczna wiedziała tylko, że Gwiazda został obrabowany i że w strzelaninie zginęli ochroniarz oraz jeden z bandytów. Ludzie nie mieli pojęcia o brakującej gotówce. Adwokat Gwiazdy, z tych za pięćset dolców za godzinę, już o to zadbał. Ale Anna Reed powiedziała, że „może szukali pieniędzy".

Być może to nic nie znaczy. Luźna uwaga obywatelki o bujnej wyobraźni.

A może to ślad.

Pomasował sobie podbródek. Zadzwonił telefon, ale zignorował go. Nie może po prostu zacząć się szarogęsić. Detektywi prowadzący sprawę z radością powitaliby pomoc, ale gdyby się okazało, że się myli, byłby już w nią umoczony, związałby swoje nazwisko ze śledztwem, które najprawdopodobniej jest z góry skazane na porażkę. Co nie najlepiej wróżyło na przyszłość.

Poza tym miał tylko przeczucie. Żeby rozegrać wszystko jak należy, musiałby dysponować czymś więcej. Halden wpatrzył się w świetlówki. Postukał się palcami po wardze.

Był pewien sposób, żeby to sprawdzić, oczywiście, że był. Nie do końca zgodny z prawem, ale nikt przecież nie musiał o tym wiedzieć. Gdyby udało mu się uzyskać to, czego potrzebował, zawsze mógł się cofnąć i zrobić wszystko zgodnie z przepisami. Podniósł słuchawkę i wybrał numer.

– Christopher Halden? D e t e k t y w Christopher Halden? Czemuż zawdzięczam ten zaszczyt? Dojrzałeś do tego, żeby postawić stówę przeciw Cubsom?

– Nigdy w życiu, Tully. To nasz sezon.

– Niech żyją optymiści.

– Ciągle mi to powtarzają. Posłuchaj, nadal zajmujesz się węszeniem w prywatnych interesach obywateli?

– A ty nadal zabawiasz się z trupami?

– Jakoś trzeba zarobić na życie. Chciałbym, żebyś coś dla mnie sprawdził.

– Zaczekaj, już biorę notatnik. – W słuchawce rozbrzmiał odgłos skrzypiącego krzesła. – Okej, słucham – powiedział po chwili Lawrence Tully.

– Reed. R-E-E-D, Thomas i Anna. Mieszkają pod adresem... – Halden otworzył własny notatnik, przewrócił kilka stron i przeczytał adres. – Jestem ciekaw, czy pan i pani Reed nie weszli ostatnio w posiadanie większej sumy pieniędzy.

– Zapisałem. Chcesz, żebym tylko rzucił okiem czy mam się przyłożyć?

– Coś pomiędzy.

– Żaden problem. Kiedy doślesz papiery?

– Tym razem nie doślę, Tully.

Nastąpiła chwila milczenia.

– Wiem, że minęło sporo czasu, odkąd byliśmy partnerami. Wiem, że jestem tylko skromnym pośrednikiem w branży informacji, z kilkoma znajomymi tu i tam. Ale mógłbym przysiąc, że czytałem gdzieś, że dopóki nie masz sądowego nakazu albo pisemnej aprobaty sędziego...

– To nie dla sądu.

Kolejna pauza.

– Sprawa osobista?

– Niezupełnie. Po prostu mam przeczucie i chcę coś sprawdzić. Poza rejestrem.

Tully westchnął.

– Co oznacza, że pracuję za darmo.

– Oferuję stek i dozgonną wdzięczność.

– Szczęściarz ze mnie. – Tully odchrząknął. – W porządku, niech będzie, znaj pana. Daj mi kilka dni. Obiad mi zafundujesz, jak będę miał czas.

– Wiszę ci przysługę.

– Jasne, jasne. Pamiętaj o mnie, jak trafisz szóstkę.

Skrzynka na listy była pusta. Zważywszy, że zazwyczaj zalegała tam cała masa ulotek, było to trochę dziwne, ale Anna się tym nie przejęła. Pewnie nowy listonosz. Weszła po schodach i otworzyła drzwi do ich mieszkania.

Zabuczał panel alarmu i wstukała szybko kod. Była to dla niej nowa zabawka i trochę ją przerażała. Nigdy dotąd czegoś takiego nie miała i choć system okazał się dosyć prosty, zdawała sobie sprawę, że to tylko kwestia czasu, kiedy zapomni go rozbroić albo wpisze złą sekwencję i po kilku minutach do jej własnej podłogi przygwoździ ją jakiś wyrośnięty ochroniarz.

Tom zadzwonił do firmy i zamówił ekipę instalatorów jeszcze w dzień włamania. Znowu chciał ją chronić. Oczywiście mogli przyjechać tylko w czasie godzin pracy i oczywiście on miał ważne spotkanie, znowu więc musiała zadzwonić, że jest chora. Na szczęście odezwała się automatyczna sekretarka jej szefowej i Anna zostawiła tylko wiadomość. Lauren pewnie nie będzie szczęśliwa, ale w sumie co za różnica. Przecież Anna od dawna miała zarezerwowane wolne popołudnie, bo umówiła się, że poniańczy siostrzeńca.

Cały ranek patrzyła więc, jak ekipa uprzejmych techników wgryza się w ich ściankę działową i montuje w oknach czujniki. Jeden z panów opowiedział jej o systemie, pokazując, jak wpisywać kod i jak go zmieniać. Tom zamówił najdroższy wariant. Była tam nawet funkcja, która pozwalała wprowadzić sekwencję wyższą o jedną cyfrę. Alarm w takim wypadku miał się wyłączyć, ale wysyłał jednocześnie sygnał na policję. Sprytne. Ponieważ zaś zajęła się również pieniędzmi, byli teraz właściwie bezpieczni.

Kiedy o tym pomyślała, poczuła przypływ wyrzutów sumienia, ale po raz kolejny je stłumiła. Po prostu była ostrożna. Jeżeli Tom się zorientuje, będzie wkurzony i obrażony, a tego przecież nie chciała. Z drugiej jednak strony umówili się, że na wszelki wypadek żadne z nich nie będzie nawet dotykało pieniędzy. Dzięki temu unikną podejrzeń. Tom dowie się zatem prawdy jedynie wtedy, gdy sam będzie oszukiwał, próbował coś zrobić bez jej wiedzy.

Brak ofiar, brak znamion przestępstwa.

Zadzwoniła jej komórka. Biuro. Spojrzała na wyświetlacz, zastanawiała się przez moment, czy odebrać, ale w końcu machnęła na to ręką.

– Dlaczego jej nie zgarniemy? – zapytał Marshall z ustami pełnymi chipsów. – Jak coś wie, nie będzie trudno z niej to wyciągnąć.

– Nie mamy pojęcia, czy byli jakoś powiązani. Za wcześnie na to. – Zaczekał, aż jej pontiac skręci z Racine w Wolfram, i dopiero potem wyjechał zza zakrętu, trzymając się kilka samochodów za nią. – Coś jej się stanie i gliniarze domyślą się, że chodzi o Willa. Zwalą się całą bandą i stracimy szansę. – Zawsze nazywał ich gliniarzami, nigdy psami, bo wiedział, że wielu porządnych Polaków wybrało karierę właśnie w policji. – Musimy mieć pewność.

– Zatrzymuje się.

– Widzę.

Jack zwolnił obok wolnego miejsca. Niech Bóg błogosławi miasto. Na przedmieściu nawet cywil zauważyłby, że jest śledzony. Tutaj, zwłaszcza że poruszali się skradzioną czarną hondą, byli całkowicie anonimowi. Po prostu sąsiedzi. Wrzucił kierunkowskaz i się cofnął. Anna Reed nawet nie spojrzała w ich stronę. Zamknęła bagażnik pontiaca, przerzuciła sobie przez ramię torbę gimnastyczną i ruszyła beztrosko w stronę jednego z domków. Patrzył, jak idzie, kołysząc ponętnie biodrami. Ładna babka – i ta pogodna poświata wynikająca z poczucia bezpieczeństwa.

– I co teraz?

Jack rozłożył ręce.

– Patrzymy.

– ANIUTKA!

Sara otworzyła drzwi i rozłożywszy szeroko ramiona, przestąpiła próg, witając siostrę. Miała na sobie męską flanelową koszulę, którą bez wątpienia odziedziczyła po którymś z byłych facetów, a włosy związała w kucyk.

– Cześć, kochanie!

Anna odłożyła torbę gimnastyczną i pozwoliła, aby Sara zamknęła ją w serdecznym uścisku. Tom powiedział kiedyś, że Sara jest najlepszą przytulanką na świecie i chociaż wtedy Anna poczuła ukłucie zazdrości, od tamtej pory zawsze wracała do tego myślami, gdy siostra się na nią rzucała. Potrafiła wyściskać człowieka bez cienia zahamowania.

– Jak sobie radzisz?

Pytanie zadała szeptem, zmartwionym głosem.

– Dobrze. – Po tym, co się wydarzyło w ciągu ostatnich kilku dni, Annie zajęło minutę, by zorientować się, że Sara mówi o nieudanym in vitro. Jeszcze do niedawna myśl o tym wytrącała ją z równowagi, teraz jednak wszystko się zmieniło. – Lepiej niż w zeszłym tygodniu.

Jej siostra odchyliła się nieco i uśmiechnęła.

– Cieszę się. – Uścisnęła jej rękę i cofnęła się do mieszkania. – Wchodź.

Anna ruszyła za nią, wiedząc, co zaraz nastąpi. Zbierała siły, zaciskając zęby – ale tak, żeby tego nie było widać. Mieszkanie pachniało mlekiem, pieluszkami i talkiem, wieczorami spędzanymi na uspokajaniu i gaworzeniu, popołudniowymi drzemkami we dwoje. Nadzieją, obietnicą, zaufaniem i miłością. Ślinieniem się, poceniem, złocistym słonecznym światłem.

Pachniało bobaskiem.

I jak zawsze coś w Annie natychmiast się złamało, odfrunęło niczym uwolniony z uwięzi latawiec. Podobnie reagowała na wszystkich przyjęciach z okazji przyjścia na świat dziecka albo gdy kupowała śpioszki dla prawie zapomnianych koleżanek z college'u, czy też czasami, gdy tylko widziała gdzieś kobietę w ciąży, z twarzą rozpaloną rumieńcem zapowiadającym zbliżający się finał. Żeby to ukryć, zrobiła to co zawsze, czyli zaczęła mówić o rzeczach bez znaczenia.

– Ładnie tu u ciebie.

Sara, która była już w drodze do kuchni, odpowiedziała jej, rzucając słowa przez ramię.

– Jasne, że tak. W jednej minucie nad brzegiem jeziorka wyjesz do księżyca z chippendalesami, a w następnej jesteś już Betty Crocker. – Pokręciła głową. – Czasem nie wiem nawet, jak to się stało.

Mówiła zmęczonym głosem, ale Anna nie wyczuła w nim żalu. Zmusiła się do uśmiechu.

– No nie wiem. Betty Crocker umiała gotować. – W korytarzu z liny do bungee jumpingu zwisało nosidełko dla dziecka. Pociągnęła za nie: zaczęło podskakiwać w górę i w dół. – Gdzie Małpik?

– Julian śpi, dzięki Bogu. Kawy?

– Jasne.

Anna odsunęła kolorową plastikową grzechotkę i usiadła przy stoliku. Sara wróciła z dwoma kubkami kawy oraz pudełkiem ciasteczek pod pachą.

– Co masz w torbie?

– Dres – odparła Anna. Kłamstwo przyszło jej łatwo, zwyczajnie spłynęło jej z ust. – Pomyślałam, że może potem wpadnę do fitness clubu.

Sara skinęła głową i rozerwała opakowanie ciasteczek.

– A teraz na poważnie, trzymasz się?

– Wszystko w porządku. – Wypiła łyk zbyt gorącej kawy. – Za każdym razem jest łatwiej. To trochę okropne, nie?

– Och, kochanie.

– Nie wiem. Może następnym razem.

– Chcecie znowu spróbować?

– Jasne. Prędzej czy później los musi się do nas uśmiechnąć, prawda?

– Ale myślałam...

Sara przekrzywiła głowę.

„Cholera jasna!" Zapomniała opowiedzieć, jak to są załamani i że nie mają forsy na opłacenie rachunków.

– Wiesz, jak to jest. Przez jakiś czas możemy żyć na kartach kredytowych.

Nie zabrzmiało to przekonująco, ale Sara nie drążyła dalej. Przez chwilę siedziały w krępującym milczeniu.

– Chodź – odezwała się wreszcie Sara. – Pomożesz mi wybrać sukienkę na rozmowę kwalifikacyjną.

Zabrała kawę i ruszyła przed siebie. Anna opadła na łóżko, a jej siostra zniknęła w szafie ściennej.

– A jak między tobą i Tomem?

Głos Sary był zupełnie pozbawiony emocji.

– W porządku. To trochę trudne. – Anna bawiła się skrawkiem kołdry. – Jesteśmy ze sobą od zawsze i kochamy się, ale czasem wydaje mi się, że małżeństwo wymaga ogromnej pracy.

– Taak... Dlatego właśnie zakładam, że moje związki mogą trwać co najwyżej pół roku.

Anna roześmiała się.

– To dziwne. Im dłużej kogoś kochasz, tym trudniej jest ci wyartykułować dlaczego. – Spojrzała na Sarę, która wyszła z szafy, trzymając jaskrawoczerwoną sukienkę z ogromnym rozcięciem z przodu. – Nie – skwitowała.

– Nie?

– Chyba że starasz się o posadę sekretarki ze specjalnymi przywilejami.

– Jeśli tylko znajdę szefa, który wygląda jak George Clooney, to czemu nie? – Zniknęła znowu. – Co miałaś na myśli, mówiąc, że trudno to wyartykułować?

– Chodzi o to, że tak bardzo przyzwyczajasz się do myśli, że go kochasz, że czasem zapominasz, żeby naprawdę go kochać.

Nachyliła się nad zdjęciem na stoliku nocnym, na którym roześmiana Sara siedziała z odchyloną głową z trzema przyjaciółkami w boksie w jakimś barze.

– Mogę cię o coś spytać?

– Jasne.

– Jesteś pewna, że Tom pragnie dziecka tak mocno jak ty?

Anna ucieszyła się, że Sara nie widzi, jak się krzywi.

– Nie wiem. Do jakiego stopnia on chce, a do jakiego stopnia robi to dla mnie. Trochę to niejasne.

– A co ty na to?

Sara wysunęła przez drzwi rękę, w której trzymała kostium w prążki.

Bloo...

Cofnęła rękę.

– Nie przeraża cię to?

– Żartujesz?

Anna otworzyła szufladę stolika nocnego siostry i zajrzała do środka, częściowo żeby się czymś zająć, częściowo ze wścibstwa. Balsam do ust, chusteczki, srebrny wibrator – okej, tego nie powinna oglądać – pocztówki.

– Oczywiście, że tak.

– Nie zrozum mnie źle, myślę, że byłby cudownym tatą, ale...

– Wiem – przerwała jej Anna, przeglądając pocztówki: czarno-białe zdjęcie tancerza flamenco, wzorek w awocado i pomarańcze, stado ptaków w locie. – Jasne, że mnie to przeraża. Ale szczerze mówiąc, nie sądzę, żeby to stanowiło problem. Widziałaś go kiedyś z dziećmi? Dostaje kompletnego...

Odłożyła pocztówki do szuflady i ze zdumienia otworzyła usta.

– Kompletnego co?

– Po co trzymasz broń?

– Co?

Leżał pod pocztówkami. Rewolwer, krótki, podobny do tych, jakie nosili gliniarze na starych filmach. Anna wpatrzyła się w niego, chcąc go dotknąć, a jednocześnie wzdragając się przed tym.

Jej siostra wyszła z szafy z białą bluzką w ręku i wypisanym na twarzy poczuciem winy, które próbowała pokryć agresją.

– Zachciało ci się węszyć?

– Po co ci broń, Saro?

Wzruszyła ramionami.

– Kumpel gliniarz dał mi ją, kiedy przeprowadziłam się do miasta. Powiedział, że... No wiesz... Kobieta sama...

– Kumpel gliniarz?

– No dobra, facet gliniarz.

– I zatrzymałaś ją?

– Wtedy wydawało się to nawet romantyczne. A jak zerwaliśmy, nie wiedziałam, co z nią zrobić.

– A Julian?

– Jest za mały, żeby grzebać w szufladach.

– Chyba, kurwa, żartujesz! – Spojrzała na siostrę, czując, że ściągają jej się rysy twarzy. – Ciekawe, ilu rodziców mówiło to samo tuż przed tym, jak ich dziecko miało wypadek?!

– Trochę dramatyzujesz.

Anna wytrzymała jej wzrok i uniosła brwi. Po chwili Sara przewróciła oczami.

– No dobra. Pozbędę się jej.

– Dzięki.

– To znaczy, nadal sądzę, że mały do niej nie sięgnie i...

– Saro!

– Okej, okej. – Uniosła bluzkę. – Jak myślisz?

Anna pokręciła głową, rzuciła pocztówki na rewolwer i zamknęła szufladę.

– Z szarą spódnicą – powiedziała, westchnąwszy.

– Krótką?

– Długą.

Sara cisnęła bluzkę na łóżko.

– Nudziara z ciebie.

Dokończyły kawę i poszły rzucić okiem na Juliana. Leżał w łóżeczku z rozpostartymi pulchnymi rączkami i zmierzwionymi włoskami. Miał szeroko otwarte oczy i wpatrywał się w ruchomą czarno-białą zabawkę zwisającą z sufitu. Kiedy zobaczył Annę, zagaworzył, uśmiechnął się i puścił bąka. W jej serce wbiły się małe szpileczki.

– Popatrz, kto się obudził! – zaszczebiotała Sara przesadnie dziecięcym głosikiem. – Widziałeś, kto przyszedł? – Nachyliła się i podniosła go, jedną rękę wsuwając Julianowi za głowę. Wyprostowała się z jękiem. – Zrobiłeś się taki *duży*!

– Cieść, cieść! – szepnęła Anna i wyciągnęła palec. Julian zacisnął wokół niego drobniutką piąstkę – i już wiedziała. Zrobią to. Pieniądze wszystko umożliwią. To było jak w bajce. Magiczna lampa spełniająca życzenia. A ona miała tylko jedno.

Szafka na bieliznę? Zbyt często otwierana.

Na górę szafy? Centymetrowa warstwa kurzu wróżyła jak najlepiej. Ale nie było tam wystarczająco dużo miejsca.

Zadzwoniła komórka, ale Anna ją zignorowała. Pod łóżkiem? Zbyt ryzykowne.

Kiedy Sara, puszczając w pośpiechu przez ramię wiązankę przekleństw i ostatnich instrukcji, zatrzasnęła za sobą drzwi, Anna „odbeknęła" Juliana i zmieniła mu pieluszkę, obtarłszy jego maleńką pupkę i zasypawszy ją talkiem. Płakał przez chwilę, aż wreszcie włączyła odtwarzacz CD, puściła płytę Cake'ów *Prolonging the Magic* i zaczęła tańczyć po mieszkaniu siostry, kołysząc Małpikiem w rytm muzyki i śpiewając, że owce pójdą do nieba, a kozy do piekła. Uśmiechnął się i zaczął radośnie gaworzyć, machając piąstkami, jak gdyby dopingował kapelę na koncercie.

– Masz dziesięć miesięcy i już jesteś gwiazdą rocka – powiedziała. – Złamiesz wiele serduszek, dzieciaku.

Kiedy zmęczył się ich duetem, zaniosła go do jego „gabinetu" – plastikowej obręczy kolorowych zabawek, pośrodku której zawieszone było płócienne siodełko. Mały radośnie walił piąstkami we wszystko co popadnie. Zaciągnęła go do korytarza, żeby mieć na niego oko, gdy krążyła po mieszkaniu.

Salon nie wyglądał obiecująco. Szafa na płaszcze, kilka półek z DVD, regał. Poza tym, wydawało jej się, że jest zbyt na widoku. Sypialnia pod względem psychologicznym była bardziej odpowiednia – znajdowała się w głębi mieszkania i była oddzielona od pozostałej części drzwiami. Nie mogła tam jednak znaleźć dobrego miejsca, takiego, w którym Sara nie natknęłaby się przypadkiem na torbę.

Czuła się paskudnie, szukając w domu siostry zakamarków, w których mogłaby schować skradzione pieniądze. Zastanawiała się przez chwilę, czy nie wynająć skrytki bankowej. Wewnętrzny głos kazał jej jednak odrzucić ten pomysł. Po pierwsze, wydawało się to zbyt ryzykowne. Kamery, ochroniarze, policja na telefon. Poza tym pracownicy banku mają pewnie własne klucze, którymi mogą otwierać skrzynki. Oczywiście to trochę irracjonalne podejrzewać ich o to, ale doszła do wniosku, że lepiej przechować forsę w miejscu, o którym nikt nie wie. Do którego miałaby dostęp o każdej porze dnia i nocy.

Kuchnia – może w kuchni? Siostra Anny uważała makaron z serem za niezwykle ambitne wyzwanie i często żartowała, że jej umiejętności kulinarne zaczynają się i kończą na zamawianiu. W szafce pod kuchenką upakowane były buty. W piekarniku leżały dwa bochenki chleba. Anna przykucnęła i zajrzała do szafki, w której znajdowały się patelnia, rondel i garnek o objętości wystarczającej do ugotowania makaronu. Może wepchnie torbę do tyłu? Nachyliła się głębiej, obmacując wnętrze. Było tam mnóstwo miejsca, a szafka przywierała do ściany pod pewnym kątem, tworząc trudno dostępny zakamarek. Chyba się nada. Jęknąwszy, wcisnęła do środka torbę, po czym popchnęła ją mocno. Pliki banknotów przesuwały się, poruszały i trzeba je było trochę poupychać, ale w końcu zniknęły z widoku i Anna mogła ustawić garnki na miejscu.

Nieźle. Wstała, zajrzała do środka pod różnymi kątami. Postanowiła, że zostawi tam torbę na parę godzin i do końca popołudnia zdecyduje, czy wszystko okej. Otworzyła lodówkę, wyjęła dietetyczną kolę, syknęła puszką i wróciła do salonu. Dzień był cudowny; granica między wiosną a latem zaczynała się już zacierać i Anna z przyjemnością przyglądała się promieniom słońca przedzierającym się przez drzewa i krzewy, by w końcu zagubić się w fikuśnych cieniach. Na ulicy panował spokój. Chodnikiem szła kobieta z psem, cicho stukała tablica z projektem budowy. Trochę dalej w czarnej hondzie siedziało dwóch mężczyzn. Gdy na nich spojrzała, rozległ się odgłos zapalanego silnika i samochód odjechał.

Pieniądze będą tutaj bezpieczne. Gdyby Sara na nie przypadkiem trafiła, rozpozna torbę i zadzwoni do Anny. Wyniknie z tego nieprzyjemna awantura, ale była pewna, że jej siostra w końcu zrozumie. A dzięki temu ich dom jest czysty.

Usiadła po turecku przed Julianem, uparcie wciskającym co chwilę guzik, który sprawiał, że krowa ryczała „Muu!”. Za każdym razem gaworzył, jak gdyby ze zdziwieniem. Zastanawiała się, czy zaskakiwał go dźwięk czy też fakt, że to on go wywoływał. Doszła do wniosku, że pewnie to drugie. To właśnie było najcudowniejsze w dzieciach. Kiedy odkrywają świat, człowiek patrzy na nie i sam zaczyna odkrywać na nowo siebie. Są tak bezbronne, a mimo to mają jakąś zdolność do...

Co ona, do jasnej cholery, wyprawia?

Tak się skupiła na tym, by znaleźć kryjówkę, że nie myślała o niczym innym. Ale teraz, kiedy siedziała z Julianem, obserwując, jak wciska bez końca ten sam guzik, nagle rzeczywistość brutalnie przypomniała jej o sobie. Czy ona naprawdę chciała ukryć ukradzione pieniądze w mieszkaniu własnej siostry? Pieniądze, z powodu których zginęło już kilka osób?

Wstała, czując, jak krew uderza jej do głowy. Pobiegła korytarzem do kuchni, otworzyła gwałtownie szafkę, z łoskotem odsunęła na bok garnki, a potem złapała za pasek i wyciągnęła torbę. Nie. W żadnym razie.

Wierzyła święcie we wszystko, co powiedziała Tomowi – że złodzieje w żaden sposób nie są w stanie powiązać ich z pieniędzmi. Ryzyko było zupełnie minimalne, a biorąc pod uwagę korzyści, chętnie wzięła je na siebie. No właśnie – na siebie.

Ponownie zadzwoniła jej komórka. Ciągle myśląc o tym, czego omal nie zrobiła, odebrała, nie rzuciwszy nawet okiem na wyświetlacz, by sprawdzić kto to.

10

Wgryzając się w ociekającą tłuszczem kanapkę, Tom stwierdził, że choć powinien być wściekły – wcale nie jest. Właściwie czuł się nawet dobrze. Lepiej niż dobrze. Wspaniale. Jak król życia.

Co było trochę dziwne. Poranek okazał się katastrofą: powitał go wezwaniem na dywanik przez szefa jego szefa. Wewnętrzna polityka, walka o wpływy dwa poziomy nad nim, ale dziś to on miał posłużyć za kozła ofiarnego i być upokarzająco szczegółowo przepytywany z projektu, który prowadził od wielu miesięcy. Projektu, który Daniels parafował na każdym etapie, tak przy okazji, choć oczywiście dzisiaj jego szef siedział cicho jak mysz pod miotłą i przybrał śmiertelnie poważną minę, tak jakby Tom go w czymś zawiódł.

Wszystko to powinno go porządnie wkurzyć, i faktycznie wkurzyło, ale mimo to nastrój bynajmniej mu nie siadł. Przyczyna była bardzo prosta – w połowie spotkania zdał sobie sprawę, że mu to zwisa. Że gdyby chciał, mógłby powiedzieć wszystkim w gabinecie, żeby całowali kota w otwór, puścić sobie na iPodzie album Dropkick Murphys i wyjść z pokoju z uniesionym wysoko w górę środkowym palcem. Dziecinna wizja, na którą nie pozwalał sobie od lat, od momentu gdy rozpoczął na poważnie życie zawodowe. Chłopięce marzenie, z rodzaju tych, które snuć mogą tylko osoby nieobarczone żadnymi obowiązkami.

Albo które mają w torbie sportowej trzysta tysięcy dolarów.

Odgryzł kolejny kawałek włoskiej wołowiny i zaczął go żuć z lubością, rozkoszując się chrzęstem ostrych papryczek, unurzanych w gąbczastej masie mięcha i bułeczki. Gdy przewracał stronę czytanej powieści, tłuszcz błyszczał mu na palcach. Mr. Beef to w Chicago prawdziwa instytucja i choć spacer z biura skrócił jego przerwę na lunch do minimum, dziś miał w głębokim poważaniu, czy zdąży wrócić na czas.

Początkowo myślał, że Anna oszalała, chcąc zatrzymać pieniądze, zwłaszcza po włamaniu. Ku własnemu zdziwieniu stwierdził jednak, że po artykule we wczorajszej gazecie, w którym powiązano Willa Tuttle'a ze sprawą „Skoku na Gwiazdę", jego żołądek się uspokoił. Owszem, pieniądze były kradzione i przypuszczał, że z racji tego, pragnąc je zatrzymać, zaliczał się odtąd do kategorii złych ludzi. Ale z drugiej strony ukradziono je gwieździe Hollywood, która zgarnia piętnaście milionów za film, nawet jeśli jego ostatni hit na temat asteroidów okazał się totalnym gównem. W dodatku tabloidy od początku huczały od plotek, że Gwiazdor kupował narkotyki.

– Można?

Szykownie ubrany czarny mężczyzna wskazał na puste krzesło po przeciwnej stronie stolika. Tłum wpadający do baru na lunch zdążył się już przerzedzić i wokół było sporo wolnych miejsc, ale Tom wzruszył ramionami i burknął:

– Proszę.

Biorąc po uwagę to, skąd pochodzą pieniądze, dlaczego nie miałyby wylądować w ich kieszeni? Lepiej tam, niż u jakiegoś hollywoodzkiego gówniarza albo u złodziei, którzy chcieli go obrabować.

Po drugiej stronie stolika mężczyzna ostrożnie wsunął srebrny krawat między czwarty a piąty guzik pomarańczowej koszuli.

– Uwielbiam od czasu do czasu zjeść kiełbaskę, ale można się od niej pobrudzić.

Tom nie odpowiedział. Zanurzył frytkę w ketchupie i wsunął ją sobie do ust. Przeważnie jadał zdrowo, ale czasem lubił obeżreć się czymś tłustym.

– Tak, proszę pana – kontynuował mężczyzna. – A przecież nikt nie lubi brudu. Mam rację?

Tom skinął głową, nie podnosząc wzroku.

– Brud – natręt przytrzymał bułeczkę w szczupłych palcach – jest oznaką niezrównoważonego umysłu. A niezrównoważony umysł jest oznaką słabości.

Tom położył palec na marginesie książki. Facet nie wyglądał na wariata. Miał na sobie drogi, szyty chyba na miarę garnitur, a wąs na tle ciemnej skóry dodawał mu powagi. Mógł być przedsiębiorcą albo nawet dbającym o wygląd politykiem.

– Zgadza się pan ze mną, panie Reed?

– Słucham?

Skąd gość...

– Czy zgadza się pan, że niezrównoważony umysł jest oznaką słabości?

– Przepraszam. Czy my... Czy my się znamy?

– I na tym właśnie polega problem ze słabością. Okazując słabość, odsłania się pan przed wrogiem. Światem rządzi siła. Kiedy jest pan silny, rzeczywista przemoc okazuje się niepotrzebna. – Mężczyzna odgryzł kawałek kiełbaski i zaczął powoli przeżuwać. Podniósł serwetkę i starannie wytarł palce. – Kocha pan swoją żonę, panie Reed? – zapytał nagle.

Tom poczuł, że przez dolną część ud przechodzi mu lodowaty dreszcz. Mogąc wybierać między strachem a wściekłością, zdecydował się na to drugie. Zaczął wstawać.

– Słucham?! – zawołał. – Kto do jasnej cholery...

– Anna. Jest śliczna.

Trzy słowa. Tylko trzy słowa, a świat zawirował pod ich ciężarem, tak jakby restauracja przechyliła się nagle na bok. Usiadł z powrotem, z trzęsącymi się rękami. Pieniądze. Na pewno chodzi o pieniądze. Jezu.

– Kim pan jest?

– Zazwyczaj jestem zbyt zajęty, żeby czytać tak dużo, jak miałbym ochotę – powiedział mężczyzna, ignorując pytanie. – Ale od czasu do czasu mam interes do załatwienia w Los Angeles i lubię czytać w czasie lotu. Głównie książki historyczne. Ostatnio, wracając, machnąłem coś na temat Czyngis-chana. Interesujące. Jego imperium było większe niż Rzym, uwierzy pan? Czyngis przemierzył c a ł y świat. Walczył przez całe życie. Doszło do tego, że w kolejnych krajach wzbudzał tak wielki strach, że mieszkańcy składali broń na samą wieść, że się zbliża. A wie pan, co się działo, gdy to zrobili?

Tom poczuł, że zaraz pęknie mu żyła na czole. Rozejrzał się po sali. Wyjście znajdowało się zaledwie kilka metrów dalej. Ale między jego stolikiem a drzwiami siedział muskularny mężczyzna w rdzawoczerwonym dresie. Stał przed nim nietknięty kubełek frytek. Miał ogromne, przerażające łapska, a oczy, leniwie na wpół otwarte, wbijał w Toma.

– Widzę, że zauważył pan André. Ale czy pan mnie słucha, panie Reed?

Odzyskał mowę.

– Co się działo?

– Nic. – Mężczyzna uniósł brwi. – Nic. Czyngis-chan zapraszał ich do swojego imperium. To znaczy, musieli dostarczyć niewolników, płacić trybut. Ale ogólnie rzecz biorąc, wszyscy mogli zająć się swoimi sprawami. Za to jeżeli stawiali opór – no cóż. Zrównywał miasta z ziemią. Zabijał wszystkich, kobiety, dzieci, nawet bydło. Posypywał ziemię solą, żeby nie można było na niej niczego zasiać. Wie pan dlaczego? – Nachylił się. – Ponieważ stawiając opór, próbowali go zmusić do okazania słabości. Zwyciężając, musiał zatem okazywać wyjątkową siłę. Miało to wyglądać tak, że każdy, kto podważa jego reputację, którą nazywali twarzą, musi cierpieć. I nie chodziło tylko o jego wrogów, ale też o wszystkich, którzy ich kochali, pomagali im, a nawet udzielali im schronienia.

Tom miał ochotę po prostu powiedzieć: „Bierz pieniądze. Przepraszam, przepraszamy, weź pieniądze i do widzenia". Ale przypomniawszy sobie, co mężczyzna mówił o słabości, postanowił spróbować opanować drżenie w głosie i jednak się nie wygadać.

– A co to ma wspólnego ze mną i z moją żoną?

Mężczyzna w garniturze złączył końcówki palców w piramidkę. Z jego wzroku emanowała pewność siebie, a z głosu spokój.

– Nie tak dawno kilku osobników sprawiło, że straciłem twarz. A jak już mówiłem, w świecie, w którym się obracam, to nie może mieć miejsca. Zrównuję więc z ziemią miasta i posypuję solą ziemię. Rozumiemy się?

Tom z trudem przełknął ślinę i skinął głową.

– Świetnie. A teraz zadam panu pytanie i sugeruję dobrze zastanowić się nad odpowiedzią.

„No to koniec". Poczuł pustkę w środku, mieszaninę strachu, adrenaliny i zagubienia. Być może nie powinno go boleć oddanie tego, co nigdy do nich nie należało. Ale bolało. Rozrywało to powłokę bezpieczeństwa wokół nich, którą właśnie zaczął się cieszyć. Ich marzenia o dziecku legły w gruzach. W dodatku z przerażeniem zdał sobie nagle sprawę, że wydali już bardzo dużo. Czy uda mu się przekonać ich, że tylko tyle znaleźli? Pamiętał sposób, w jaki nieznajomy wymówił imię jego żony, artykułując każdą sylabę tak, jakby do niego należała, tak jakby mógł im zrobić wszystko co mu się żywnie podoba.

Kiedy jednak mężczyzna zadał pytanie, Tom zaczął się zastanawiać, czy dobrze usłyszał.

– Po czyjej jesteście stronie?

– Słucham?

– Sugeruję, żeby się pan dobrze zastanowił, panie Reed, i to zaraz. Ponieważ udzielił pan schronienia moim wrogom. – Intonacja jego głosu przypominała księdza czytającego ustęp z Biblii. – Może pan sobie być tym, kim wydaje się pan być. Zwykłym człowiekiem, najzwyklejszym w świecie. Ale nawet jeśli, to udzielił pan schronienia moim wrogom, i już za samo to muszę odzyskać twarz, karząc pana. Pytam więc jeszcze raz, po czyjej jesteście stronie?

Tom wziął głęboki wdech. Próbował wymyślić odpowiedź, która by usatysfakcjonowała jego rozmówcę. Ale do głowy przychodziła mu tylko czysta prawda.

– Nie jestem... Nie jesteśmy po niczyjej stronie. My tylko... – Rozłożył dłonie spodem do góry. – Wynajęliśmy mieszkanie, nic więcej.

– Wynajęliście je Willowi Tuttle'owi.

– Dopiero niedawno dowiedzieliśmy się, że tak się nazywa. Po jego śmierci. Przedstawił się nam jako Bill Samuelson. Ledwie go znaliśmy. Co miesiąc płacił czynsz, nie awanturował się.

– Kogo jeszcze znacie?

– Słucham?

– Jack Witkowski. Znacie go?

– Nie.

– Marshall Richards?

– Nie. Nikogo nie znamy.

– Nikogo nie znacie? Na całym świecie?

– Chciałem powiedzieć...

– Nie przekonał mnie pan, panie Reed.

Toma zaczęły swędzieć dłonie i wydawało mu się, że skóra na jego karku płonie żywym ogniem.

– Przysięgam panu, nic o tym nie wiedzieliśmy. My tylko... My tylko chcemy mieć dziecko. Mam przerwę na lunch, na litość boską! – Tom wbił wzrok przed siebie, nie wiedząc już, jak dotarł w to miejsce i jak ma się z niego wydostać. Gdyby chodziło tylko o niego, spróbowałby uciec albo zacząć krzyczeć. Ale wspomnieli o Annie. – Niech pan posłucha, to były naprawdę ciężkie tygodnie. Najpierw pożar, potem zmarł nasz lokator, następnie dowiedzieliśmy się, że był kryminalistą. A teraz pojawia się pan i grozi mojej żonie? Nie znam tych ludzi. Nic a nic nie wiem. Jestem tylko, tylko zwyczajnym facetem. – Zerknął na zegarek. – Cholera jasna, za pół godziny mam spotkanie.

Przez długą chwilę mężczyzna po drugiej stronie po prostu się w niego wpatrywał. W końcu na jego ustach pojawił się cień uśmiechu.

– Spotkanie, tak?

– Tak – potwierdził Tom. – Dobija mnie ta robota.

Mężczyzna roześmiał się i pokręcił głową. Poskładał serwetkę, rzucił ją na nadgryzioną kiełbaskę. Spojrzał przez ramię.

– Dobija go ta robota.

André uśmiechnął się, odsłaniając białe zęby. Gdzieś w środku Tom poczuł lodowaty chłód.

– Wyłuszczę to panu. – Mężczyzna odsunął od siebie jedzenie i położył dłonie na stole. – Nawet jeżeli panu uwierzę, niewiele to zmieni. Ponieważ jeśli nie jest pan po niczyjej stronie, to nie jest pan też po mojej stronie.

Tom przełknął ślinę. Wbił wzrok w mężczyznę. Spróbował zebrać myśli.

– Co mogę dla pana zrobić? – zapytał w końcu.

– Wreszcie rozsądne pytanie. Wiedziałem, że mam do czynienia z inteligentnym człowiekiem. – Jego palce powoli uderzały w drewno jak w klawisze pianina. – Nie wdając się w szczegóły, sprzedaję produkt, który nie bardzo podoba się policji. Will Tuttle ma znaczną ilość mojego towaru. Chcę go odzyskać.

Towar. W tabloidach szeptano coś, że Gwiazda kupował narkotyki. Wszystko stało się jasne. Gość nie był jednym ze złodziei. Nie szuka pieniędzy – szuka ludzi. Ludzi i narkotyków, które mu ukradli.

– Jeżeli zatem znajdzie pan to, co straciłem, cóż...

– Będzie pan wiedział, po czyjej jestem stronie.

– No właśnie.

Tom skinął głową. Facet widać był przekonany, że narkotyki są w mieszkaniu Willa. Co oznaczało, że Tom musi je tylko odnaleźć. Przez ułamek sekundy miał nadzieję. Potem przypomniał sobie o włamaniu z zeszłego tygodnia. Mieszkanie zostało przeszukane. Narkotyki prawdopodobnie zniknęły.

Z drugiej strony, dano mu możliwość wybrnięcia z trudnej sytuacji. Facet wyłuszczył sprawę jasno: zabije ich, nawet jeśli są niewinni. Jeśli nie złapie jedynej liny ratunkowej, jaką mu rzucono...

Poza tym może włamywacze nie znaleźli narkotyków? Żadnym sposobem nie mógł się dowiedzieć, jak długo szperali w mieszkaniu. A przecież Tom lepiej znał budynek.

– Rozumiem.

Mężczyzna w garniturze skinął głową.

– Świetnie. André?

Gdy André wstał, okazało się, że nie jest tak wysoki, jak przypuszczał Tom – miał może trochę powyżej metra osiemdziesiąt – ale poruszał się jak bokser, rękawy jego dresu były ciasno wypchane mięśniami, a pięści gotowe do akcji. Sięgnął dwoma palcami do wewnętrznej kieszeni, wyciągnął z niej wizytówkę i położył ją na stoliku.

Tom ledwie to zauważył. Ledwie widział, jak mężczyzna po drugiej stronie wstaje i obaj wychodzą. Ponieważ gdy André rozpiął kurtkę, Tom dostrzegł w niej coś jeszcze. Kaburę i ogromny czarny pistolet.

Tom nie dotarł na spotkanie.

Z powodu korków droga taksówką do domu zabrała mu prawie trzydzieści minut. Trzydzieści minut gapienia się w okno i obracania w palcach wizytówki. Była elegancka w swej prostocie: kartonowy papier z kremową teksturą i wytłoczonym numerem telefonu. Bez nazwiska. Trzydzieści minut myślenia o pistolecie. Kiedy dotarł na miejsce, nawet nie zajrzał na górę, żeby zostawić tam rzeczy. Po prostu otworzył drzwi do mieszkania na dole i wziął się do roboty.

Miał ochotę przewrócić je do góry nogami, wyciągać skrzynki z szaf i wysypać ich zawartość na podłogę, pozrzucać książki z regałów, stukać w dna szuflad i w ściany, szukając jakiejś wnęki. Gdyby jednak mieszkanie wyglądało, jakby przeszło przez nie tornado, Anna pomyślałaby, że znowu ktoś się do niego włamał. Musiałby jej opowiedzieć o ochroniarzu, który sprawiał wrażenie, że nie może się doczekać, by Tom udzielił nieprawidłowej odpowiedzi na zadane pytanie, oraz o dilerze narkotyków, który znał jej imię. Na samo wspomnienie poczuł, że wzbiera w nim żółć. Nie był agresywnym typem, ale gdyby miał spluwę, broń, choćby nawet kij bejsbolowy, to wtedy...

„Popełniłbyś samobójstwo, to właśnie byś zrobił. Pracujesz w Korporacji Ameryka. Oni handlują narkotykami. Jak sądzisz, jakie miałbyś szanse?"

Odwrócił i kopnął ciężki rozkładany fotel. Siła uderzenia niemal zerwała mu mięśnie w nodze, ale mebel zakołysał się tylko, zawahał i opadł ciężko z powrotem na podłogę. Kopnął go jeszcze raz, a potem znowu, aż wreszcie podszedł do niego, złapał za oparcie i cisnął nim na bok. Fotel przechylił się i wywrócił.

Przez jakąś sekundę wyobrażał sobie, że się rozpadnie i wysypią się z niego woreczki z kokainą. Ale mebel wylądował tylko z głuchym łoskotem, wzbudzając chmurę kurzu i odsłaniając brudny fragment parkietu pełen niedopałków. Tom westchnął i usiadł na brzegu wywróconego fotela. Pomasował czoło, zamknął oczy.

A potem wstał i zabrał się do pracy.

Marshall włożył ręce do kieszeni i oparł się o drzewo. Wymienił uśmiechy z przechodzącą chodnikiem kobietą z wózkiem. Przyglądał się przez chwilę jej figurze, po czym skupił się z powrotem na ceglanym domku. Słońce padało na szyby pod mało sprzyjającym kątem i nie widział zbyt wielu szczegółów, ale wyraźnie dostrzegał sylwetkę mężczyzny.

Wyjął paczkę papierosów, wytrząsnął jednego. Kiedy dziewięć lat temu postanowił rzucić, wychodził z siebie, by unikać dymu i palaczy. Robił zakupy w sklepach ze zdrową żywnością, ponieważ nie sprzedaje się tam tytoniu, przestał chodzić do barów. I nagle pewnej nocy dotarło to do niego – nie wygrał z nałogiem. Po prostu go unikał. To fajki wygrały.

Od tego czasu zawsze miał przy sobie paczkę. Pieprzyć je.

Przesunął papierosem po wardze, poczuł zapach tytoniu. Początkowo nie miał zamiaru wychodzić z samochodu. Kiedy jednak zobaczył Toma Reeda, który nie tylko wrócił do domu w środku dnia, ale w dodatku zamiast do siebie poszedł prosto do mieszkania Willa, stwierdził, że warto spróbować. Nagle od strony domu dobiegło głuche tąpnięcie, tak jakby coś upadło na podłogę z dużej wysokości. Zaczął się zastanawiać, czy nie zaryzykować i nie podejść bliżej.

Raz kozie śmierć. Wetknął papierosa za ucho i ruszył przed siebie. Dotarł do ścieżki prowadzącej między obserwowanym domem a sąsiednim i poszedł nią kawałek, nie odwracając głowy w stronę budynku, ale spoglądając z ukosa na okno. Odbijające się w nim światło nadal uniemożliwiało mu dostrzeżenie szczegółów, ale stwierdził przynajmniej, że facet stoi tyłem do ulicy.

Marshall bezszelestnie oparł się o okno i ręką osłonił sobie oczy, żeby lepiej widzieć. Fotel leżał na boku. Tuż za nim Tom Reed przykucnął przed szafką. Przetrząsał jej zawartość, szybko poruszając rękami. Na oczach Marshalla Tom zamknął jedną szafkę i zabrał się za drugą, a potem za kolejną. Kiedy skończył, wstał i zaczął opróżniać regały. Facet najwyraźniej nie zwracał uwagi na otoczenie i Marshall poczuł się na tyle bezpiecznie, że odczekał jeszcze kilka minut.

W końcu odwrócił się i ruszył po własnych śladach do samochodu. Wciągnął powietrze przez zęby. Rozejrzał się po wnętrzu wozu: kubek po kawie w stojaku, plik poczty na fotelu pasażera, wiśniowy odświeżacz powietrza zwisający z lusterka.

Tom Reed nie przeglądał po prostu rzeczy należących do byłego lokatora. Nie sprzątał, nie zastanawiał się, co można sprzedać, a co ma wylądować w kuble na śmieci. Tom Reed czegoś szukał.

Marshall zapalił silnik i odjechał.

Tom sprawdził każdą szafkę, każdy kredens. Obmacał wnętrza szuflad, po czym powyciągał każdą z nich i zajrzał za nie. Przewrócił materac, zdjął poszewkę, szukając szpar. Sprawdził kieszenie we wszystkich ubraniach. Otworzył i zamknął lodówkę, a potem otworzył ją znowu i zajrzał do każdego pojemnika.

Zdjął wieko z rezerwuaru na wodę w toalecie, żeby sprawdzić, czy coś nie jest w środku zawieszone. Zaświecił latarką do kominka. Oparł drabinę o tylne schody i wspiął się przez klapę na dach. Przyniósł swoją skrzynkę z narzędziami i otworzył od tyłu kuchenkę. Zajrzał do szpary za apteczką.

„Myśl".

Jeżeli narkotyki tam były, to włamywacze musieli je znaleźć.

„Myśl, człowieku! Spróbuj spojrzeć na to szerzej".

Okej, wnioskowanie logiczne, a zatem: Skoro narkotyków tam nie ma, to Tuttle schował je gdzie indziej.

Myśl ta sprawiła, że poczuł świeży zastrzyk energii i wrócił do mieszkania. Zaczął szukać tropów, począwszy od skrzynki na listy. Ich była zupełnie pusta, trochę dziwne, za to Willa okazała się wypchana katalogami i innymi ulotkami, z których wszystkie zostały wysłane na nazwisko Billa Samuelsona. W kuchni Tom znalazł listę zakupów (jajka, oliwa z oliwek, fajki) oraz „Tribune" sprzed tygodnia. Ulotki dostawców jedzenia na wynos z zagiętymi rogami. W łazience – numer „Perfect 10" z okładką dumnie reklamującą „Najpiękniejsze naturalne kobiety świata!". Dziesięć czy dwanaście kartoników z zapałkami z dziesięciu czy dwunastu barów.

Nie znalazł kluczyka do skrytki bankowej. Terminarzyka czy małego czarnego notesu pełnego numerów telefonów, z których jeden byłby zakreślony na czerwono. Mapy z miejscem zaznaczonym dużym „X".

Żadnych narkotyków, żadnych wskazówek, gdzie Tuttle mógłby je ukryć. Po trzech i pół godzinie Tom był pewien tylko jednego: cokolwiek chciał odzyskać mężczyzna w garniturze, nie było tego w jego mieszkaniu.

Pozostało mu tylko jedno.

Tom zauważył brud pod paznokciem kciuka i wydłubał go paznokciem środkowego palca. Śmierdział potem, na jego koszuli pojawiły się mokre plamy. Zegarek na stoliku nocnym pokazał właśnie piątą. Za chwilę wróci Anna. Wróci do domu, wyniańczywszy Małpika. To była zawsze dla niej delikatna sprawa; całym sercem kochała małego, ale obcowanie z tym, co miała jej siostra, a czego jej brakowało, było dla niej trudne. Wracała zazwyczaj w strzępach, na granicy łez.

Mężczyzna w garniturze nie wyznaczył terminu, nie kazał mu przynieść w zębach „towaru" w ciągu czterdziestu ośmiu godzin. Ale po co miałby to robić? Wiedział, że Tom natychmiast popędzi do domu i przewróci go do góry nogami. Liczył na to. Pewnie dał mu noc, może następny dzień. Zwlekanie nie miało sensu. Albo Tom dostarczy co trzeba, albo nie. Co oznaczało, że bardzo niedługo dwóch niebezpiecznych facetów przyjdzie po coś, czego Tom nie ma.

Wciągnął powietrze, przytrzymał je w płucach, wypuścił. Próbował uszeregować myśli. Był przerażony jak nigdy w życiu, ale chodziło o coś więcej. A właściwie o coś zupełnie innego. Cała ta sytuacja wydawała się absurdalna i rozpaczliwie próbował spojrzeć na nią w szerszej perspektywie. Nie poddać się po prostu, nie wchodzić w to, kurczowo trzymać się nadziei, że wszystko się jakoś ułoży.

Przypomniał sobie uśmiech André, jego wilgotne usta i białe zęby. Wstał i ruszył korytarzem, masując sobie kark.

No dobra. Spróbujmy jeszcze raz. Jeszcze tylko raz.

Narkotyków nie było w mieszkaniu. Nie miał też bladego pojęcia, gdzie ich szukać. Co gorsza, ponieważ nie wspomniał słowem o włamaniu, wpędził sam siebie w kozi róg. Przechytrzył samego siebie. Wówczas wydawało się to niezłym pomysłem, ale teraz, gdyby chociaż spróbował powiedzieć prawdę... Jezu... „Właściwie to kilka dni temu nasz dom został przez kogoś przetrząśnięty. Sorki – czyżbym o tym nie wspomniał?"

Nie miał nawet czego zaoferować; kartoniki z zapałkami i rachunek za kablówkę nie uratują im życia. Nie miał czego dać mężczyźnie w garniturze.

Chwileczkę. Nie do końca. Miał trzysta tysięcy dolców w torbie gimnastycznej. Tom stanął przed wykuszowym oknem i wyjrzał na ulicę. Pieniądze były pewnym wyjściem.

Pytanie tylko, co się dzieje, kiedy człowiek wręcza worek z forsą zabójcy. Być może ten strzela do niego, żeby zatrzeć ślady. A może uśmiechnie się, podziękuje uprzejmie i pójdzie sobie. Skąd, do cholery, Tom może to wiedzieć? To nie jest jego świat.

Właściwie nie miał wyboru.

Wyszedł, zostawiając za sobą lekki zapach dymu. Wspiął się po schodach, czując ból w mięśniach po kilku godzinach harówki. Otworzył drzwi i ze zdziwieniem usłyszał krótki podwójny sygnał. Nowy system alarmowy. Anna zostawiła mu kod w poczcie głosowej; wprowadził go, myśląc o tym, jakie to zabawne, że zaledwie wczoraj wydawało mu się, że to ich ochroni. W kuchni nalał sobie szklankę zimnej wody i wypił powoli. Wiedział, że gra na zwłokę, miał nadzieję, że zaraz wpadnie na jakiś inny pomysł.

Nie wpadł. Przy kanapce z włoską wołowiną zmieniło się całe jego życie. Był amatorem w grze, której reguł nie rozumiał. Wiedział tylko na pewno, że jeśli będzie zwlekał zbyt długo, mężczyzna w garniturze wróci, opowiadając swoje kretyńskie historyjki o Czyngis-chanie i zagrażając wszystkiemu, co Tom kocha.

Odstawił szklankę i wyjął wizytówkę z szuflady, w której ją schował. Podniósł słuchawkę, wystukał numer. Po pojedynczym sygnale włączyła się poczta głosowa. Wysłuchując wiadomości, wygłaszanej spokojnym i głębokim głosem, powtarzał w myślach, że robi co trzeba. A przynajmniej że niczego lepszego nie potrafi wymyśleć.

– Detektyw Halden? – zapytał, usłyszawszy sygnał. – Mówi Tom Reed. Myślałem o tym, co powiedział pan wtedy, wychodząc. Musimy porozmawiać. Proszę do mnie pilnie oddzwonić.

Zostawił numer swojej komórki, po czym rozłączył się, oparł łokcie na blacie, schował twarz w dłoniach i zaczął się zastanawiać, jak ma powiedzieć swojej żonie, że pragnąc ratować jej życie, musiał zrujnować jej marzenia.

11

WNĘTRZE KAZE ZOSTAŁO ZAPROJEKTOWANE w stylu, który Tom nazywał w myślach „kosmicznym zen": białe ściany, białe stoliki, białe światło, minimalistyczne talerze i kieliszki. Zamówili butelkę sake – kelnerka przelała trunek do fikuśnej karafki, czegoś pomiędzy wazą a lufką. Osobiście miał dosyć ambiwalentny stosunek do sushi, ale Anna je uwielbiała i zawsze z rozkosznym uśmiechem przeżuwała każdy kawałek. Tego wieczoru potrzebował wszelkiego rodzaju amunicji, żeby wywołać na jej ustach uśmiech.

W każdym razie potrzebowałby, gdyby wreszcie zebrał się na męską rozmowę i wydusił z siebie to, co miał do powiedzenia. Zadzwoniwszy do detektywa, Tom zrzucił biznesowe ciuchy i wskoczył pod prysznic. Zmywając z siebie brud, układał w głowie plan. Po kilku godzinach z Julianem Anna wróci zmęczona i smutna. Pierwszym elementem strategii powinna więc być kolacja, coś wykwintnego przy cichym stoliku w kącie. Butelka wina. Co tam! Dwie butelki. Potem, gdy zmiękczy nieco Annę świeżą seriolą i przegrzebkami zawiniętymi w plasterki bekonu oraz nieco doprawi dobrym alkoholem, weźmie ją za rękę, poprosi, żeby go wysłuchała, i będzie mówił, aż powie wszystko. Powie jej, że mylili się na całej linii, że stracili całkowicie grunt pod nogami. Że popełnili wielki błąd i że czas najwyższy przestać wychodzić z siebie, żeby zatrzymać coś, co do nich nie należy, i skupić się na przetrwaniu.

Ale Anna go zaskoczyła. Nie tyle weszła do domu, co wfrunęła. Jej oczy były jasne i czyste i nie dostrzegł w nich niczego, co by wskazywało, że zaraz się rozryczy. Zamiast tradycyjnego szybkiego misia i cmoknięcia zarzuciła mu ręce na plecy i przyciągnęła go do siebie, rozwierając usta, spomiędzy których jej język szybko znalazł drogę do niego, i przyciskając z całej siły biust do jego piersi. Pocałunek trwał pół minuty i pod koniec Tom był już twardy.

– Cześć – powiedziała na bezdechu głosem Marilyn Monroe, obdarzywszy go znaczącym uśmiechem, a potem przylgnęła do niego brzuszkiem. – Tęskniłeś?

– Jak zawsze – odparł.

Roześmiała się.

– Tak, tak – stwierdziła i oderwała się od niego z uśmiechem. – Udowodnij to. Postaw mi kolację.

Dobry nastrój nie opuszczał jej przez cały wieczór. Nuciła, przebierając się z koszulki i dżinsów w letnią sukienkę oraz japonki ze srebrnymi kółeczkami. Zawiązała włosy w dwa kucyki, co nazywała stylem „Inga z wymiany studenckiej". Od dawna nie widział jej tak szczęśliwej, tak radośnie cieszącej się chwilą. Wiedząc, że musi to popsuć, czuł się, jakby miał za chwilę udusić szczeniaczka.

Ponieważ wieczór był ciepły, postanowili przejść się trzy kilometry do restauracji. Po drodze Anna trajkotała jak dziewczynka, wskazując na kwiaty i uśmiechając się, gdy czuła zapach barbecue, opowiadając o siostrzeńcu, opisując, jak wyrósł, jak gaworzył rozchichotany, gdy robiła zabawne miny. W pewnym momencie, mijając ciąg dobrze utrzymanych drewnianych domków, spojrzała na niego z ukosa.

– Wszystko w porządku?

– Co?

– Jakoś nic nie mówisz.

– Jestem po prostu... odprężony.

Przyjęła jego wyjaśnienie bez komentarza i wróciła do tematu. Mówiła o Julianie, potem o letnich nocach oraz o ich planach wyjazdu na czwartego lipca. Tom szedł obok niej, nienawidząc siebie samego za to, że skłamał. Postanowił, że powie jej, jak tylko złożą zamówienie.

Ale zaczęli od martini. Potem zamówili przekąski. Mała butelka sake, pierwsza porcja sushi. Kolejna butelka, kolejna porcja. Tom szalał, tak jakby kolejne sześć kawałków nigiri mogło jakimś cudem wynagrodzić stratę pieniędzy i pogrzebanie ich planów.

W końcu na bambusowej desce zostało już tylko kilka płatków różowego imbiru. Zaczął przekonywać samego siebie, że koniecznie muszą zamówić deser. Lody albo deskę serów. Wyglądała tak ślicznie w blasku świecy, jej rysy były tak łagodne, oczy tak błyszczące.

„Zrób to. Musisz to zrobić".

Nie mógł uwierzyć, że nie zauważyła jego milczenia, że nie drążyła głębiej, zadowalając się jednym pytaniem. Właściwie gadała przez cały wieczór, ale nie dominowała, raczej tryskała energią. Tak jakby nie widzieli się przez miesiąc, a nie przez jedno popołudnie.

Podeszła kelnerka, wzięła karafkę i napełniła miseczki, najpierw jej, potem jego.

– Może deser?

– Nie – powiedziała Anna, w tym samym momencie, w którym Tom powiedział: – Tak.

Obie kobiety roześmiały się.

– Może przyniosę menu i rzucą państwo okiem? – zaproponowała.

– Poproszę.

Bawił się pałeczkami, wybierając z deski pojedyncze ziarenka ryżu.

Żona spojrzała na niego i przechyliła głowę.

– Jesteś ciągle głodny? Po tym wszystkim?

– Myślałem, że może ty masz jeszcze na coś ochotę.

– O Boże, nie! Nic już w siebie nie wmuszę. I tak będziesz musiał mnie zatoczyć do domu. – Przekręciła się i wypięła brzuch. – Widzisz? Wyglądam, jakbym była w czwartym miesiącu.

Spojrzał na nią szybko, czekając, aż na jej twarzy wymaluje się smutek. Ciągle im się to zdarzało, gdy na przykład znajomi bez złych intencji rzucali jakiś żart, który okazywał się przytykiem. Czasem, jak teraz, również im zdarzało się coś chlapnąć. Ale uśmiech na twarzy Anny wcale nie zgasł.

– Co? – zapytała, podchwytując jego wzrok.

– Ja tylko...

Rozłożył ręce.

Wzruszyła ramionami. W jej oczach ciągle igrały iskierki.

– Jestem już zmęczona tym ciągłym stąpaniem po polu minowym. – Uniosła spodeczek z sake. – Za nas.

Tom podniósł swój. Mieli się już stuknąć, ale nagle powstrzymał się.

– Anno...

– Zaczekaj. – Odchyliła się, zadzwoniła swoją szklaneczką o jego, po czym wypiła jednym haustem. Odstawiła miseczkę, ale nie puściła go i zaczęła wodzić palcem po jego brzegu. – Muszę ci coś powiedzieć.

Pierwsza myśl, jaka przyszła mu do głowy, to że jest w ciąży. Często wyobrażał sobie, jak mu to powie, jak będzie się z nim droczyć, jak go zaskoczy. Ale przecież piła sporo, więc na pewno nie chodziło o to. Zamoczył usta w sake i czekał.

– Chcę, żebyś najpierw ty mnie wysłuchał, dobrze?

Jej słowa rozbrzmiały niczym echo zdania, które sam planował wypowiedzieć.

– Brzmi poważnie.

– Bo to co mam powiedzieć, jest poważne. Jest i nie jest. Pewnie dlatego paplę cały wieczór jak idiotka. Bałam się ci powiedzieć. Na pierwszy rzut oka zabrzmi to jak coś złego. Ale tak nie jest.

Tom zaczął się niepokoić.

– Okej.

Wzięła głęboki wdech. Spojrzała na niego.

– Straciłam pracę.

– Co?

Anna uniosła w górę palec.

– Pozwól mi dokończyć, dobrze? – Zaczekała, aż skinie głową, po czym wróciła do rozmowy. – Wiesz, że opuściłam w firmie sporo dni. Wszystkie te wizyty lekarskie i tak dalej. Cóż, najwidoczniej dzisiaj miarka się przebrała. Lauren dzwoniła. Powiedziała, że jej przykro, ale klienci skarżą się na mnie. Agencja zobowiązała się, że dostarczy projekty w ciągu trzech miesięcy, ale jesteśmy do tyłu. Prawdę mówiąc, głównie z powodu opóźnień ze strony klienta, ale czegoś takiego mu przecież nie powiesz. Lauren musiała zwalić na kogoś winę, a ja opuściłam tyle dni, więc... – Anna wzruszyła ramionami. – Wybrała mnie.

– Zaczekaj. Nie mogą cię tak po prostu zwolnić. Bez ostrzeżenia.

– Ostrzegała mnie. Miesiąc temu.

– Nic nie mówiłaś.

– Wiem. Przepraszam. Akurat byliśmy w środku terapii i nie chciałam o tym rozmawiać.

Nie lubił, kiedy miała przed nim sekrety, ale nie drążył dalej.

– Mimo wszystko. Możesz iść do działu personalnego...

– Pozwól, że skończę. – Przekrzywiła leżącą na kolanach serwetkę, po czym zreflektowała się, poskładała ją i odłożyła na stół. – Tom, nie byłam tam szczęśliwa. Od dłuższego czasu nie byłam. Mam dosyć reklam. Pracuję tyle godzin i po co? Żeby śnić o arkuszach Excela? Przekonywać ludzi w Wichita, żeby kupowali dżinsy, których nie potrzebują? – Pokręciła głową. – To dzięki tobie zdałam sobie z tego sprawę.

– Dzięki mnie?

– Pamiętasz, jak powiedziałeś, że za nami tęsknisz. Tęsknisz za tym, jacy byliśmy. – Spojrzała na niego. Jej oczy utworzyły most pomiędzy nimi i zachęcała Toma, by go przekroczył. – Miałeś rację. Zbyt ciężko pracowałam. O b o j e zbyt ciężko pracowaliśmy. Ale do niedawna nic nie mogliśmy na to poradzić. Dom, rachunki od lekarza, karty kredytowe – żadnym sposobem żadne z nas nie mogło złapać oddechu, nie mówiąc o tym, by zatrzymać się i zastanowić, czego tak naprawdę chcemy. Teraz...

Nie dokończyła zdania. Nie musiała. Słowa rozbrzmiały dokładnie w jego głowie. „Teraz, kiedy mamy pieniądze..."

Zdał sobie sprawę, że rano myślał dokładnie tak samo. Kiedy siedział na tym kretyńskim spotkaniu i zbierał łomot, na który nie zasłużył, pocieszał się myślą, że pieniądze umożliwiają mu ucieczkę. Nie skorzystał z tej możliwości, ale przecież nie musiał.

– Znajdę inną pracę – powiedziała. – Nie mówię, że mam zamiar siedzieć w domu i zbijać bąki. Ale teraz mogę trochę odczekać, zastanowić się, co tak naprawdę chcę robić. Może będę gdzieś uczyć, może pójdę do szkoły dla pielęgniarek? Gdzieś, gdzie moja praca będzie miała z n a c z e n i e, rozumiesz? Nie mamy już problemów finansowych. Pomyśl, jak to wszystko ułatwia. Będziemy spędzali więcej czasu razem, staniemy się znowu tacy, jakimi chcemy być. Ty i ja kontra cały świat. Jak dzisiaj. – Uśmiechnęła się, a potem sięgnęła przez stolik i położyła swoją dłoń na jego. Jej szczupłe palce były chłodne, a w diamentowym pierścionku odbijało się światło świecy. – Może się nawet okazać, że w ten sposób łatwiej będzie mi zajść w ciążę. Stres to jeden z najważniejszych czynników. Im jestem szczęśliwsza, bardziej zrelaksowana, tym większe mamy szanse. Teraz wszystko się zmieni, kochanie.

Zawirowało mu w głowie. Rozumiał doskonale każde jej słowo. Miała całkowitą rację. Zdawał sobie sprawę, że dawno temu przestała lubić swoją pracę, że trzymała się jej kurczowo wyłącznie po to, by spłacać hipotekę, opłacać ubezpieczenie oraz cotygodniowe rachunki. Oboje poświęcili teraźniejszość dla przyszłości.

Poza tym, człowieku, jaka ona jest dzisiaj rozpromieniona! Uśmiecha się, śmieje tak jak kiedyś, a przecież obawiał się, że już nigdy...

Pomyślał o mężczyźnie w garniturze oraz jego ochroniarzu. O wilgotnych ustach, białych zębach i wielkiej czarnej giwerze. O wiadomości, którą zostawił detektywowi i której nie dało się już wymazać. Musiał powiedzieć prawdę. Po prostu musiał. Nawet gdyby miało ją to zabić.

– Co o tym sądzisz?

Na jej twarzy zamigotało światło świecy, uwydatniając kości policzkowe i łagodny dołek na szyi. Pamiętał, jak kiedyś całował ten dołek i mówił, że chciałby rozbić namiot i spędzić w nim resztę życia, a ona się śmiała, śmiała się przytulona do niego.

– Tom?

Rozwarła nieco usta, tak jakby miała się za chwilę roześmiać – albo rozpłakać.

– Myślę, że to wspaniały pomysł – powiedział i uścisnął jej dłoń.

12

Drabina była cienka, chwiejna i niesamowicie wysoka, a on stał na samym jej szczycie. Przy każdym jego oddechu kołysała się, a kiedy próbował ją ustabilizować, przechylała się tylko bardziej. Śmierdział kurzem. Uniósł obie dłonie, żeby podeprzeć się o sufit, ale ruch ten sprawił, że drabina przekrzywiła się jeszcze mocniej. Usłyszał trzask, poczuł drżenie. Drewno stęknęło. Zaczął się wywracać. Rozpaczliwie próbował złapać się czegoś, jego palce ześlizgiwały się po gładkiej powierzchni w poszukiwaniu uchwytu, ale ciężar był zbyt duży i drabina przechyliła się, a potem poszybowała w ciemność.

Gdy się wywracała, stracił całą nadzieję. Jego łydki, jego mięśnie brzucha drżały, spodziewając się upadku, ale nawet gdy zbliżał się nieuchronnie do ziemi, w głębi duszy, choć sparaliżowany strachem, Tom Reed odczuwał coś w rodzaju ulgi.

Otworzył raptownie oczy. Poszewka była mokra, a Anna leżała obok, pogrążona we śnie. Czuł jej nieco kwaskowaty oddech. Wciągnął w płuca powietrze, odwrócił poduszkę i przekręcił się na drugi bok.

„Nie trzeba geniusza, żeby zanalizować taki sen".

Po kolacji złapali taksówkę. Anna wzięła go za rękę i uśmiechając się do siebie samej, nie wypuściła jej przez całą drogę. Otworzyła okno i nagły powiew powietrza, w połączeniu z niewyraźną plamą świateł oraz dotykiem jej dłoni, sprawił, że Tom zapomniał o wszystkim. Chwila poza czasem, której w czasie krótkiej przejażdżki do domu pozwolił się całkowicie wessać.

Kiedy jednak wspięli się po schodach i otworzyli drzwi, nagle rozległa się seria piskliwych sygnałów systemu alarmowego i jego głowę z powrotem wypełnił strach. Wyczyścili zęby i zwalili się do łóżka, zbyt zmęczeni i pijani, by rozmawiać czy się kochać. Anna zasnęła niemal natychmiast.

Jemu sen nie przyszedł tak łatwo. Leżał, gapiąc się w sufit i próbując obmyślić jakiś plan wyjścia z sytuacji. Tak żeby zatrzymać pieniądze, pozbyć się złych ludzi i żyć swoim wymarzonym życiem: prostym, szczęśliwym, spełnionym. Powtarzał w nieskończoność w myślach rozmowę z mężczyzną w garniturze. Za każdym razem niemal budził Annę, żeby przyznać się jej do wszystkiego i za każdym razem dochodził do wniosku, że to zły pomysł. Nie chciał jej oszukiwać. Pragnął najpierw wszystko wyprostować. Próby ciążowe, włamanie, a teraz praca – miała dosyć na głowie. Powie jej, kiedy wymyśli, co zrobią.

Gapił się w sufit, myślał i żałował, że rzucił palenie. Wydawało się, że jego umysł porusza się po okręgu, krąży po orbicie wokół wilgotnych ust, białych zębów i wielkiego czarnego gnata. Wokół zagrożenia, nadziei, przyszłości. Wokół wiadomości nagranej na poczcie głosowej. Wokół jutra zbliżającego się o wiele za szybko.

I nagle, jakoś po trzeciej, znalazł rozwiązanie. Wyjście z sytuacji. Tak proste, że niemal je przeoczył. Co najzabawniejsze, sprowadzało się to do tego, by powiedzieć prawdę. Mniej więcej. Zapadł w płytki sen przerywany koszmarami o upadaniu.

Stracił prawie cały dzień, próbując skontaktować się z detektywem Haldenem. Aż do trzeciej po południu wymieniali tylko wiadomości na poczcie głosowej. Kiedy wreszcie udało mu się z nim połączyć, Halden zaprosił Toma na posterunek. Zaoferował najgorszą kawę na świecie oraz rozmowę w jednym z pokojów przesłuchań.

– Jeśli chodzi o kawę, bardzo chętnie – odparł Tom – ale czy możemy spotkać się w pół drogi? Na rogu North i Wells jest Starbucks. Muszę z panem porozmawiać najszybciej, jak to tylko możliwe.

Nie była to do końca prawda; wprawdzie chciał pogadać szybko, ale przede wszystkim nie uśmiechała mu się rozmowa na posterunku policji, na boisku gospodarzy.

Kawiarnia była przytulna, choć urządzona standardowo – jak tysiące innych w całym kraju. Tom pomyślał, że to jedna z zalet sieciówek, choć z drugiej strony również ich największa wada. Wkrótce nie będzie sensu w ogóle gdzieś wychodzić. Zamówił kawę, bez bitej śmietany, bez smakowego syropu, bez karmelu, po prostu kawę w dużym kubku – czy którykolwiek z klientów faktycznie czuje się bardziej światowo tylko dlatego, że prosi o „venti" zamiast „dużej"? – i zajął miejsce przy stoliku obok okna w rogu sali.

Po kilku minutach pojawił się Halden. Skinął Tomowi głową i zamówił kawę, odsuwając nieznacznie poły kurtki, żeby odsłonić srebrną odznakę. Dziewczyna przy kasie uśmiechnęła się i Tom zauważył, że nie podliczyła policjanta.

– Witam pana, panie Reed.

– Dzień dobry, detektywie. Dziękuję, że pan przyszedł.

Gliniarz usiadł, założył kostkę jednej nogi na kolano drugiej i wypił łyk kawy. Nie zadawał pytań, odchylił się tylko w fotelu i czekał na Toma.

„Pamiętaj, jesteś przerażony, zdezorientowany i nie masz nic do ukrycia".

Nie była to trudna rola. Zwłaszcza że w dwóch trzecich wcale nie musiał niczego grać.

– Przejdę od razu do sedna. Ktoś grozi mnie i mojej żonie.

– Kto?

– Nie wiem. Kiedy jadłem wczoraj lunch, dosiadł się do mnie facet, którego w życiu nie widziałem, i zaczął mówić.

Znał moje nazwisko, imię mojej żony. I zapytał mnie, czy ją kocham.

Halden wbił język w wewnętrzną stronę policzka.

– Wasze nazwiska były w gazecie.

– To jeszcze nie wszystko. – Tom przerwał na chwilę. – Gość uczestniczył w „Skoku na Gwiazdę".

Gliniarz się nachylił.

– Skąd pan wie?

– Przechwalał się.

Tom dał mu minutę, żeby zdążył przetrawić jego kłamstwo – nie tyle zresztą kłamstwo, co nieco podkoloryzowaną prawdę.

– Powiedział, że przez jakichś facetów stracił twarz. Że jednym z nich był Will Tuttle. Że ponieważ udzieliłem schronienia jego wrogowi, sam stałem się jego wrogiem.

– „Udzieliłem schronienia jego wrogowi"? Użył takich słów?

– Dokładnie takich. Opowiedział mi historię, która miała je wyjaśnić, o Czyngis-chanie. Chyba chciał mnie nastraszyć. – Tom wypił łyk kawy i wrócił myślami do momentu, kiedy mężczyzna wypowiedział imię Anny, dodając, że jest śliczna. – Udało mu się. Sram w gacie ze strachu. Przyprowadził ze sobą faceta, który wyglądał jak gangster. Wielki kolo z gnatem.

– Wyciągnął pistolet?

– Nie. Po prostu zadbał, żebym zobaczył jego kaburę.

Detektyw powoli skinął głową, zachowując twarz pokerzysty.

– Co było potem?

– Powiedział, że muszę wybrać stronę. Że ci goście, którzy dokonali napadu, zabrali mu jakiś towar. Nie powiedział co, ale domyślam się, że narkotyki. Czytałem o nich w gazetach. Tak czy inaczej, powiedział, że są w moim domu i że jeśli ich nie oddam, zabije nas oboje.

I znowu trochę podkoloryzował, podał przybliżoną, choć obecnie bardziej dla niego użyteczną wersję prawdy.

– Rozmowa odbyła się wczoraj?

– Tak.

– W czasie lunchu?

– Owszem.

– Dlaczego więc pan zwlekał i nie zadzwonił do mnie od razu?

Tom westchnął i wzruszył ramionami. Wbił wzrok we własne palce, którymi kreślił abstrakcyjne figury na stole.

– Pomyślałem, że jeśli znajdę to, czego facet szuka, może zostawi nas w spokoju. Wróciłem do domu i przewróciłem mieszkanie do góry nogami.

– I?

– Jeżeli narkotyki tam w ogóle były, to zabrali je włamywacze. Inni bandyci. – Potrząsnął głową i zrobił minę skrzywdzonej ofiary. To był decydujący moment: musiał być autentyczny. – Detektywie, nie wiem, co robić. Jesteśmy zwykłymi, normalnymi ludźmi. I nagle mamy na głowie handlarzy narkotyków i morderców. Moja małżonka jest przerażona. Ja też. Potrzebujemy pomocy.

Kiedy poprzedniego dnia Tom nagrywał Haldenowi pierwszą wiadomość, miał zamiar wszystko powiedzieć. Oddać pieniądze i błagać o pomoc. Wydawało się to jedynym wyjściem. Kiedy jednak przewracał się w nocy w łóżku, przypomniał sobie, że diler narkotyków nic nie wie o forsie, a przynajmniej, że mają ją Tom i Anna. Żądał tylko, żeby oddać mu narkotyki – i w tym właśnie Tom upatrywał swojej szansy.

Plan, żeby pójść z tym na policję, był ryzykowny. Według terminologii dilera z pewnością kwalifikował się jako zmiana stron. W dodatku gdyby Halden postanowił powęszyć trochę dokładniej, mógł natknąć się na rachunki, które spłacili. Spełniłyby się wszystkie proroctwa Anny na temat bankructwa czy nawet więzienia.

Lecz mężczyzna w garniturze wyraził się jasno: powiedział, że ich zabije. Idąc na policję, Tom nie pogorszył ich sytuacji. Poza tym, właśnie przekazał detektywowi informację dotyczącą najgłośniejszego od wielu lat napadu w Chicago. Wprawdzie była to do pewnego stopnia zmyłka, ale jak najbardziej opierała się na faktach. Mogła naprowadzić gliniarzy na właściwy trop. Dopóki zaś będą zajęci ściganiem złych chłopców, zostawią we względnym spokoju dobrych.

Halden kiwnął Tomowi kubkiem z kawą.

– Czy facet podał jakieś nazwisko?

– Nie.

– To jak ma pan się z nim skontaktować?

– Dał mi wizytówkę. – Tom wyjął ją z tylnej kieszeni i położył na stoliku. Tak długo wpatrywał się w wypisany na niej numer, że nauczył się go na pamięć. Przypuszczał, że będzie go pamiętał przez następne dwadzieścia lat. – Kazał mi zadzwonić. Szybko, bo inaczej... Skrzywdzi... Annę. – Tom przypuszczał, że im gorszym typem okaże się w jego opowieści diler, im bardziej będzie podkreślał, że facet dał im mało czasu, tym lepiej dla nich. – Jesteście w stanie dotrzeć do jego nazwiska po numerze?

Halden pokręcił głową.

– Raczej wątpię. To pewnie telefon na kartę. – Nachylił się, żeby podnieść wizytówkę. Złapał ją za brzeg i przyglądał się jej przez długą chwilę. – Wie pan co – odezwał się w końcu – gdy odsłuchałem pańską wiadomość, myślałem, że ma pan mi coś jeszcze do powiedzenia.

Tom nawet nie drgnął. Spróbował przypomnieć sobie, co dokładnie mówił detektywowi.

– Co pan ma na myśli?

– Wspomniał pan, że zastanawiał się nad tym, co powiedziałem.

– Że to źli ludzie? Dlatego właśnie zadzwoniłem.

– Nie, co powiedziałem, wychodząc.

– Czyli co?

Halden zmrużył oczy.

– Nie rób ze mnie durnia.

– Gdzieżbym śmiał...

Detektyw napił się kawy i odstawił kubek.

– Panie Reed, teraz już chyba zaczyna pan rozumieć, z jakim rodzajem ludzi ma pan do czynienia. Oni rzadko wybaczają. Nie chciałby pan mieć z nimi na pieńku. Jeżeli ma mi pan coś do powiedzenia, cokolwiek, wydaje mi się, że to dobry moment. Być może to pana ostatnia szansa.

Halden wbił w niego wzrok, pozwalając, by jego słowa wisiały przez chwilę w powietrzu. Tom poczuł, że pocą mu się dłonie. Mały chłopczyk gdzieś w środku niego, trzęsący portkami na myśl o karze, chciał się poddać, powiedzieć prostu prawdę. Spaść z drabiny i pławić się w uldze, jaką niesie ze sobą upadek.

– Nie wiem, o czym pan mówił wtedy, detektywie – powiedział jednak – i nie wiem, o co panu chodzi teraz. Wiem tylko, że ktoś grozi mnie i mojej żonie. Potrzebuję pańskiej pomocy. Proszę.

Gliniarz przez chwilę mierzył go wzrokiem. Nie zamrugał, nie odwrócił się.

– Czy może mi pan powiedzieć coś więcej o tym facecie? – zapytał w końcu.

Maglował Toma jeszcze przez pół godziny. Kazał mu kilka razy streścić rozmowę z gangsterem. Tom był na to przygotowany i trzymał się możliwie najbliżej prawdy. Po prostu, choć diler narkotyków był spokojny i opanowany, a jego groźba przemocy pozostawała na drugim planie, w opowieści Toma stał się brutalny, wredny, bezpośredni. Nie licząc tego, opisał dokładnie wszystkie szczegóły: krój i kolor garnituru mężczyzny, jego rolexa, noszonego luźno na lewym nadgarstku, sposób mówienia, wygląd jego „współpracownika” Andrégo, a nawet opowieść o Czyngis-chanie. Przypomniał sobie nazwiska, o które pytał go gangster: Jack Witkowski i Marshall Richards. Zauważył, że gdy je wypowiadał, w oczach gliniarza coś jakby błysnęło.

Halden złotym piórem robił notatki w tym samym zeszyciku co u nich w kuchni. Miał bardzo staranny charakter pisma.

– No dobra – powiedział w końcu.

– Co teraz będzie?

– Pogadam z szefostwem i kolegami na komisariacie i skontaktuję się z panem najszybciej, jak to będzie możliwe.

– Ale co...

– Muszę uzyskać pewność, panie Reed. Jeśli ten facet rzeczywiście uczestniczył w „Skoku na Gwiazdę", jego odnalezienie będzie dla nas absolutnym priorytetem. Sądzę, że zastawimy na niego pułapkę, być może poprosimy pana, żeby pan do niego zadzwonił i powiedział, że znalazł jego towar. Zgodzi się pan na to?

Tom spodziewał się tego pytania, ale zadbał, by zanim odpowie, na jego twarzy wyraźnie wymalowało się wahanie.

– Oczywiście. Jeżeli w ten sposób pomogę wam go złapać.

– To całkiem możliwe. Skontaktuję się z panem wkrótce, pewnie jeszcze dzisiaj. Proszę nie wyłączać komórki.

– A co z nami?

– Może przeniesie się pan z żoną do hotelu? Na noc albo dwie.

– A co jeżeli nas znajdzie?

Nie musiał udawać zaniepokojenia w głosie.

– Nie znajdzie. – Halden odstawił kubek, poprawił krawat. – Zna państwa nazwiska, ponieważ wyczytał je w gazecie. Pewnie obserwował państwa dom, śledził pana w drodze do pracy, a potem zaczekał, aż wyjdzie pan na lunch. Superzbrodniarze pojawiają się tylko na kartach komiksów. Ten facet ma po prostu prenumeratę „Tribune".

Tom powoli skinął głową.

– Myślę, że faktycznie moglibyśmy trochę odpocząć.

– Święte słowa. Niech pan sobie dogodzi. Dogodzi żonie.

Wstali. Detektyw Halden wręczył Tomowi kolejną wizytówkę, poważnym tonem każąc mu natychmiast dzwonić, gdyby cokolwiek się wydarzyło. Tom skinął głową, a potem wymienili uścisk dłoni i wyszli razem z kawiarni. Halden wyciągnął komórkę, zanim jeszcze otworzył drzwi swojego jasnoniebieskiego crowna vica. Tom nie mógł powstrzymać uśmiechu.

Ryzyko się opłaciło. Perspektywa rozwiązania sprawy „Skoku na Gwiazdę" była dla Haldena zbyt smakowitym kawałkiem, żeby nie złapał przynęty. Sprawa należała do tych z gatunku seksownych, dzięki którym bez wątpienia można zyskać spore uznanie. Jak wszyscy, Halden tęsknił za kopem w górę. Skupi się teraz na dilerze narkotyków, będzie truł dupę szefom, żeby jak najszybciej zastawić pułapkę na gościa. Nie będzie miał czasu, by wtykać nos w nie swoje sprawy.

Tom poczuł się o pięć kilo lżejszy. Wyciągnął komórkę.

– Hej, kotku! – przywitała go żona.

– Hej – odparł. – Gdzie jesteś?

– Na mieście.

– Spotkajmy się w domu. Spakujemy trochę rzeczy i przeniesiemy się do hotelu.

– Do hotelu? Co się stało?

– Opowiem ci, jak się zobaczymy.

– Wszystko w porządku?

– Tak – powiedział z uśmiechem. – Już tak.

Podszedł pieszo trzy skrzyżowania do stacji Sedgwick i zaczekał na pociąg Brązowej Linii. Na peronie oprócz niego stali tylko jakaś bezdomna i napakowany facet, który wszedł po schodach tuż za nim. Z postawionego na wzniesieniu przystanku Tom mógł dostrzec Sears Tower, wybijającą się na tle miejskiego krajobrazu. Może powinni uderzyć do śródmieścia, przenocować w jakimś czterogwiazdkowym hotelu, Penisula albo Ritzu, z puszystymi szlafrokami i bajeranckim basenem? Trochę zaszaleć?

Przyjechał pociąg. Zbliżała się piąta i był już zatłoczony: ludzie wracali z pracy. Utorował sobie drogę na tył wagonu i oparł się o drzwi, oddzielające go od sąsiedniego. „Elka" trzęsła i kołysała, a Tom wrócił myślami do detektywa, do tego, jak sprężył się na samą wzmiankę o „Skoku na Gwiazdę". Powinno zadziałać. Najważniejsze jednak, że teraz mógł o wszystkim powiedzieć Annie. Początkowo będzie przerażona, wściekła na niego, że to ukrywał, ale potem ucieszy się, że znalazł rozwiązanie. Gliniarze skupią się na dilerze narkotyków, a o forsie nikt nic nie wie – są czyści.

Gdy pociąg dotarł do Rockwell, tłum zdążył się już przerzedzić. Z wagonu wysiadło kilkanaście osób – wszyscy pogrążeni we własnym świecie, składający gazety lub zerkający na zegarki, spieszący w różnych kierunkach. Po duchocie panującej w pociągu Tomowi zrobiło się zimno. Kilka ulic dzielących go od domu pokonał pieszo, wsłuchując się w wiatr igrający z liśćmi, wdychając zapach jedzenia i kwiatów, wypełniający wieczorne powietrze.

– Przepraszam, kolego – zaczepił go nagle facet, w którym rozpoznał pasażera z peronu na Sedgwick. Był potężnie zbudowany, nie tyle gruby, co zwalisty, miał ciemne włosy, a jego policzki porastała jednodniowa szczecina. – Mam pytanko.

– Tak? – zdziwił się Tom.

Ledwie zdążył otworzyć usta, gdy nagle jego żołądek eksplodował. Ugięły się pod nim kolana i zgiął się wpół, wstrząsany torsjami. Rozpaczliwie próbował wciągnąć w płuca powietrze, a jego umysł wyprzedził daleko ciało, próbując zrozumieć, dlaczego zupełnie obcy człowiek uderzył go w brzuch pięścią przypominającą kawał betonu.

– Jesteś prawo- czy leworęczny, dupku? – zapytał mężczyzna.

13

Jack złapał przydupasa za włosy i zwlókł go ze schodów. Na ulicy nikogo nie zauważył, ale było tuż po piątej, a o tej porze ludzie przeważnie wyprowadzają psy i zaczynają rozpalać grille. Lepiej nie kręcić się na widoku.

Otworzył drzwi na korytarz, wciągnął gościa do środka i rąbnął nim o ścianę. Facet nie zdążył wyciągnąć rąk i uderzył w nią mocno. Zatoczył się otumaniony i spojrzał na Jacka niczym owieczka, tak jakby mruganie mogło sprawić, że zło samo odstąpi.

– Otwieraj drzwi! – rozkazał Jack.

Mężczyzna zakrztusił się i powoli wyprostował.

– Kim ty...

Jack uderzył go otwartą dłonią, trafiając dokładnie w policzek. Nie tak dawno w ten sam sposób potraktował Gwiazdę, i efekt był podobny. W oczach Toma Reeda pojawiły się strach i poczucie bezsilności. Strach i poczucie bezsilności – bardzo dobrze. To silne emocje zaciemniające człowiekowi umysł. Najgorszą rzeczą, jaką w tym momencie mógł facet zrobić, było właśnie otworzyć drzwi i pozwolić się wciągnąć do zamkniętej przestrzeni, z dala od oczu wścibskich sąsiadów. Powinien był wybiec na ulicę, wrzeszcząc na całe gardło. Ale strach i poczucie bezsilności nie pozwoliły mu trzeźwo myśleć.

– Otwieraj drzwi!

Facet skinął głową, sięgnął do torby i wyjął z niej kółeczko z kluczami. Odwrócił się i wsunął jeden z nich do drzwi prowadzących na schody.

– Nie te. Drugie drzwi.

– Co?

Jack wyciągnął swoją chromowaną czterdziestkę piątkę i machnął nią raz czy dwa. Tom Reed otworzył szeroko oczy.

– Okej, zabierz portfel.

– Otwieraj drzwi, Tom!

Przez chwilę gość stał jak wryty, aż wreszcie zrozumiał. Odsunął się na bok i otworzył drzwi do mieszkania Willa Tuttle'a.

– Do środka!

Jack wszedł do mieszkania, poczekał, aż znajdą się w salonie i zamkną się za nimi drzwi. Dopiero wtedy zamachnął się i powalił swoją ofiarę ciosem prosto w prawą nerkę.

Tom Reed upadł, jakby nagle zawiodły go wszystkie mięśnie. Zwinął się na podłodze w pozycji embrionalnej, złapał za bok oraz za brzuch i zaczął kwiczeć niczym zwierzę. Poruszał spazmatycznie nogami jak żaba. Jack odwrócił się i zamknął drzwi na zamek. Stał przez chwilę w miejscu, obserwując wijącego się mężczyznę, a potem powiedział:

– A teraz utniemy sobie małą pogawędkę.

Nie mógł się ruszać, nie mógł myśleć. W plecach czuł coś jakby ciemne słońce plujące lancetami płomieni, grudkami lawy, które paliły się i skwierczały. Tom walczył o oddech, zwyczajny oddech. Świat przed jego oczami wydawał się chybotliwy i wilgotny. Widział wzorek parkietu na podłodze, czuł ziemisty zapach brudu pozostawionego przez przechodzące tamtędy tysiące razy buty. Nagle dobiegło go krótkie metaliczne szczęknięcie. Odgłos przekręcanego zamka. Nigdy w życiu nie słyszał niczego bardziej przerażającego.

– A teraz utniemy sobie małą pogawędkę.

Tom zasapał się, a potem jęknął. Głos był gdzieś nad nim. Mężczyzna z peronu na Sedgwick. Potężnie zbudowany, choć nie gruby. Ze spluwą. Facet, który znał jego imię. Tom rozpaczliwie próbował uporządkować myśli.

– Nie spotkaliśmy się nigdy – powiedział mężczyzna – ale czuję się, jakbyśmy się znali od dziecka, Tom. Zdumiewające, ile można się dowiedzieć o człowieku, przeglądając jego pocztę. – Z góry sfrunął jakiś papier. Biała zadrukowana kartka. – Wiesz co to? Potwierdzenie transakcji z karty Visa. Wysyłają je zawsze, jak się wpłaca pieniądze poza placówką banku. Według tego papierka w zeszłym tygodniu spłaciłeś piętnaście klocków zadłużenia. Dokładnie: piętnaście tysięcy czterysta dwanaście dolarów i pięćdziesiąt siedem centów.

Skrzynka pocztowa. Dzień wcześniej zauważył, że jest pusta, Anna również coś o tym wspominała. Założyli, że to nowy listonosz, typowe opóźnienie, jakie często zdarza się na poczcie. Teraz nagle zrozumiał. Facet obserwował go od wielu dni.

– Kto spłaca naraz piętnaście tysięcy czterysta dwanaście dolarów i pięćdziesiąt siedem centów?

Oprawca trącił go butem. Tom się odsunął. Ruch sprawił, że świat nagle zawirował, ale wydawało się, że przynajmniej poziom bólu powoli się stabilizuje. Udało mu się wciągnąć powietrze. Wziął głęboki haust, starając się oczyścić umysł.

– Powiem ci kto: ostatni kretyn. Pierwszorzędny, certyfikowany idiota, ktoś, komu przez całe życie wszystko podawano na tacy i wydaje mu się, że to normalne. Ktoś, kto znajduje czterysta tysięcy kawałków i dochodzi do wniosku, że może je sobie z a t r z y m a ć.

Tom położył dłoń na podłodze i spróbował się podeprzeć. Wywołało to w jego kręgosłupie uczucie, jakby ktoś oblewał go gotującym się olejem. Powoli podniósł się na kolana, na wpół oczekując, że zaraz zostanie z powrotem powalony na ziemię. Nie mógł jednak tak po prostu leżeć.

– Myślałeś, że tak jest urządzony świat? – Głos był teraz bliżej, dyszał Tomowi zapachem kawy prosto w twarz.

Zamrugał, próbując skupić wzrok, i zauważył, że mężczyzna nachyla się nad nim, ciągle z pistoletem w dłoni. Wielkim, chromowanym, ciężkim gnatem. – Myślałeś, że jak ci czterysta tysięcy spada z nieba, to możesz je sobie zatrzymać? Tak myślałeś?

Tom zakasłał i wyprostował plecy. Próbował sobie wyobrazić, jak rzuca się na mężczyznę, przygważdża go do drzwi i wyrywa mu z dłoni pistolet. Próbował, ale jakoś nie mógł w coś takiego uwierzyć.

– Na litość boską, czy mama nie opowiadała ci bajek na dobranoc? Jak znajdujesz skrzynię pełną złota, to powinieneś wiedzieć, że strzeże jej potwór. T a k i już jest ten świat. Jeśli czegoś chcesz, musisz zabrać to komuś takiemu jak ja. – Uniósł szybko pistolet, wyrównując lufę tak, że Tom musiał zajrzeć w sam środek ziejącego w niej ciemnego otworu. Przypominał czarną dziurę. Bolało go całe ciało i wydawało mu się, że jego głowa pęka. – Myślisz, że potrafisz to zrobić? – zapytał mężczyzna.

Tom zmusił się, by spojrzeć w górę, omijając wzrokiem pistolet. Gość wyglądał na Polaka: miał grubo ciosane rysy twarzy i ciemne włosy. Myśl ta zaprowadziła go do kolejnej, której uchwycił się rozpaczliwie. Nazwisko. Jack Witkowski. Mężczyzna w garniturze zapytał, czy Tom zna Jacka Witkowskiego.

– No jak?

Tom niechętnie spojrzał Jackowi w oczy. Powoli pokręcił głową.

Mężczyzna uśmiechnął się.

– Świetnie.

Schował broń do kabury i wyciągnął prawą dłoń. Tom złapał ją i z trudem wstał. Ogarnęły go mdłości, zaczął dygotać na całym ciele, ale zmusił się, by stać prosto.

– A więc – odezwał się Jack – gdzie są moje pieniądze?

Jeszcze godzinę temu odpowiedziałby inaczej. Kluczyłby, próbowałby kłamać. Udawałby, że nic nie wie. Teraz jednak nagle uświadomił sobie dogłębnie dwa fakty. Po pierwsze, siedział w gównie głębiej, niż kiedykolwiek to sobie wyobrażał. Po drugie, wkrótce wróci do domu Anna.

– W piwnicy.

– Pokaż mi.

Tom wyobraził to sobie: betonowy sufit i ściany, pojedyncze okno na samym końcu, przytłumione światło wiszącej nad głową żarówki, tylko trochę rozjaśniającej cienie. Wyobraził sobie ciało leżące twarzą do dołu na brudnej podłodze, kamerę robiącą powolny odjazd od strużki krwi wydobywającej się z tego, co zostało z głowy. Obraz ten zapożyczył z filmu Scorsesego, tyle że to było jego ciało, jego krew. Zaraz jednak pomyślał znowu o Annie.

– Tędy.

– Idziesz pierwszy. Powoli.

Wymagało to niewyobrażalnego wysiłku, ale Tom odwrócił się w końcu plecami do mężczyzny i pistoletu. Nerka bolała go tak bardzo, że miał ochotę wyć. Ruszył powoli, rzucając nerwowo oczami w obie strony. Wzór słoi drewna, zapach jego własnego potu, rysy i nacięcia w listwach – wszystko było jakieś złowieszcze, a świat wydawał się tak wszechobecny, tak atakował go mnogością szczegółów, że niemożliwością było brnąć dalej przed siebie.

Schody na tyłach domu zajeżdżały nieco śmieciami. Ruszył nimi w dół. Przy każdym kroku drewno stękało, jęczało. W kątach wisiały pajęczyny; w miejscu, w którym jakiś rok temu rozerwał mu się worek, walały się jakieś resztki. Jego umysł przyglądał się temu jakby z zewnątrz. Obserwował, jak Tom maca ścianę, szukając włącznika światła, jak piwnicę zalewa nikła żółta poświata przypominająca odcieniem brudny kołnierzyk. Widział, jak mija pralkę i suszarkę, piec, jak podchodzi do panelu ze sklejki, zakrywającego przestrzeń pod podłogą. Odwrócił się i spojrzał na kroczącego za nim mężczyznę.

Widok ten natychmiast przywrócił go do rzeczywistości. Znowu poczuł własne ciało. Spoglądał na szerokie ramiona, na postawę pełną gotowości, na wyciągnięty, nieruchomy pistolet. Wydawało się, że Jack jest w swoim żywiole, wyglądał jak ktoś, kto właśnie w ten sposób zarabia na życie.

– Moja żona i ja – zaczął Tom – chcieliśmy mieć...

– Cicho. – Jack zmrużył oczy. – Gdzie moje pieniądze?

Tom przełknął ślinę. W tyle gardła czuł kwaśny smak i podobny zapach w nozdrzach.

– Tam – wskazał na wnękę pod podłogą. – W torbie gimnastycznej.

– Daj mi ją.

Wziął głęboki wdech. Może jeśli odda pieniądze, cały ten koszmar wreszcie się skończy. Jack Witkowski zabierze swoją własność i zostawi ich w spokoju. Wrócą do swojego dawnego życia, do rachunków, harówki, do gotowania obiadów i oglądania powtórek, do wszystkich tych głupot, które sumowały się w ich kolejne dni, sumowały się w ich życie. Do tych wszystkich cennych chwil, od których – jak im się wydawało – tak bardzo chcieli uciec.

Tom zrobił jeden krok, złapał za krawędzie panelu ze sklejki, podniósł go i oparł o ścianę. Z ciemnej dziury zaleciało stęchlizną. Przykucnął i sięgnął do środka. Szukał dłonią paska torby. Nic. Zaczął obmacywać wnękę, zahaczając palcami o metalowe rurki i wzbijając w powietrze kłęby kurzu. Schylił się jeszcze mocniej, oparł na ramieniu i zaczął szukać w obu kierunkach, doszedłszy do wniosku, że pewnie wsunął torbę głębiej, niż mu się wydawało. Nadal nic.

Przyklęknął i zajrzał w ciemną dziurę. Gdy jego oczy przyzwyczaiły się do mroku, dostrzegł tylko kilka białych kupek kurzu, jakieś pajęczyny oraz niewyraźne kształty rurek. Nigdzie nie było torby gimnastycznej. Po prostu zniknęła. Wpatrywał się w ciemność, usiłując coś z tego zrozumieć.

„Włamanie" – pomyślał. Zaraz jednak doszedł do wniosku, że nie – przecież jak tylko z domu wynieśli się gliniarze, zaraz z Anną zbiegli do piwnicy i sprawdzili, czy pieniądze są na miejscu.

Wokół panował bezruch. Tom klęczał na podłodze z głową wetkniętą w dziurę, jak dziecko bawiące się w chowanego. Jakaś część jego osobowości wmawiała mu, że jeśli nie spojrzy w oczy czającemu się za plecami zagrożeniu, to jakimś cudem ono zniknie.

– Połóż się i wyciągnij prosto rękę – odezwał się nagle Jack.

Jack patrzył, jak jego ofiara sztywnieje. Pieprzony cywil. Większości ludzi solidny cios w nerkę wystarcza za lekcję poglądową. Ale nie temu głupiemu skurwysynowi. Gość ciągle się stawia.

W ciasnej piwnicy kliknięcie odwodzonego kurka zabrzmiało jak wystrzał z armaty.

– Nie, zaczekaj, proszę! – Tom Reed dźwignął się na kolana i osłonił dłońmi twarz. Wyglądał na zrozpaczonego, ogarnęła go zwierzęca panika i przewracał dziko oczami. – Były tutaj. Przysięgam, były tutaj!

– Kładź się – rozkazał Jack – i wyciągnij rękę.

– Mieliśmy włamanie! – wybuchnął Tom. – Na początku tygodnia. Nie znaleźli wtedy pieniędzy, ale pewnie wrócili. Zorientowali się, że zapomnieli przeszukać piwnicę. Niczego nie zauważyliśmy, bo nie weszli do żadnego z mieszkań, ale musieli zakraść się tutaj i...

– Tom – odezwał się spokojnie Jack – jak sądzisz, kto włamał się do waszego domu? – Pokręcił głową. – Chcesz sobie utrudnić życie, proszę bardzo. A teraz się, kurwa, kładź!

Przez długą chwilę Tom tylko spoglądał na niego z pobladłą śmiertelnie twarzą, na której rysowało się wyraźnie niewyobrażalne przerażenie. Nic nie jest bardziej przerażające niż potwór, którego człowiek sam hoduje w swojej głowie. Chciał jeszcze coś powiedzieć, ale Jack przesunął pistolet z jego twarzy na brzuch.

– Już!

Tom Reed położył się powoli na brudnej podłodze. Wyprostował kolana, oparł się na łokciach. Leżał tak przez chwilę, po czym przesunął się i spoczął na plecach. Wyciągnął rękę. Oczy wbił w sufit, ale wydawało się, że patrzy gdzieś o wiele dalej, wyżej.

Jack zwolnił kurek colta 1911, ale nadal celował z niej w brzuch Toma. Położył przód stopy na jego ręce, tuż poniżej łokcia. Przycisnął mocno. Usta jego ofiary poruszały się bezgłośnie, rytmicznie i miarowo niczym w modlitwie czy zaklęciu. Pojawiło się w nich znane Jackowi napięcie, podniecenie, strach i zastrzyk energii, świadomość balansowania na cienkiej krawędzi życia, gdzie świat stwarzał się na nowo z minuty na minutę. Pozwolił, by chwila ta rozciągnęła się nieco, by strach mężczyzny zgęstniał i ściął się.

– Tom, gdzie są moje pieniądze?

Gość zaczął rzucać głową na boki. Jego skóra zrobiła się lepka. Oczy miał jak spodki.

– Przysięgam na Boga – jęknął. – Były tutaj.

Jack pokręcił głową. Na wszelki wypadek wymierzył pistolet w Toma. Potem uniósł prawą stopę i opuścił z całej siły obcas.

„Nie bój się, nie bój się, nie bój się, o Boże, co on robi, dlaczego on, jego noga, dlaczego on, o Boże, czemu on, nie może, o Boże, nie bój się, niebójsię, niebójsięniebój...”

Mężczyzna opuścił stopę i świat Toma eksplodował.

– Schowaliśmy je pod podłogą, schowaliśmy je pod podłogą, przysięgam na Jezusa, schowaliśmy je tutaj!

Wrzeszczał ile sił w płucach, próbując przytłumić choć odrobinę ból.

Jack podniósł znowu stopę i Tom wciągnął gwałtownie w płuca powietrze. Szarpnął za but, przytrzymując go w miejscu, ale nagle zobaczył, że palec naciska spust pistoletu, i zmusił się, by przestać.

Za drugim razem do jego świadomości przebił się także dźwięk, równie potworny jak ból: mięsisty chrzęst palców rozcieranych na betonie na miazgę. Nagle rozległo się trzaśnięcie, tak jakby ktoś złamał gałązkę i jego mały palec wykręcił się pod nienaturalnym kątem. Tom spojrzał na niego i poczuł, że coś się w nim podnosi, próbował powstrzymać odruch wymiotny, „ból, ból, piekący, ostry-jak-rozharatana-jak-potłuczona-butelka ból”.

– Gdzie jest forsa?

– Schowaliśmy ją pod podłogą!

Przy trzecim tąpnięciu obcas trafił w brzeg ślubnej obrączki z nierdzewnej stali, którą kupili u jubilera na Michigan Avenue i która przyjęła na siebie większość energii ciosu, ale to co zostało, wystarczyło w zupełności, a nawet ze sporą nawiązką. Tomowi mało oczy nie wyskoczyły z orbit, walczył z czarnymi płatami przesłaniającymi mu świat i myślał o obrączce, obrączce, o żonie, o swojej ślicznej obrączce i żonie, o Jezu! O Annie, która wkrótce zjawi się w domu.

– Przysięgam, kurwa, na Jezusa! – wrzasnął, ryknął, wodząc po ścianach oczami jak wariat. – Znaleźliśmy pieniądze w jego kuchni, w mące i cukrze, włożyliśmy je do torby gimnastycznej i zanieśliśmy tutaj, tylko moja żona i ja, i nie ruszaliśmy ich stąd, do kurwy nędzy, przysięgam, p r z y s i ę g a m! Nie wiem, gdzie są, możesz mnie zabić, ale kurwa nie wiem, bo s c h o w a l i ś m y j e p o d p o d ł o g ą!

Mężczyzna uniósł ponownie stopę. Przymrużył oczy i zatrzymał się. Spojrzał w dół, a Tom wbił w niego wzrok, który niemal krzyczał, że jeszcze nigdy w życiu, nigdy nie był tak prawdomówny. Żeby Jack uwierzył. Żeby nie nadepnął znowu. Uderzenia serca trwały całe dekady; chłód betonu, zapach krwi, kurzu i wybielacza, ogień pożerający jego dłoń.

W końcu Jack opuścił stopę. Powoli. Zdjął drugą z ręki Toma i przykucnął. Pistolet trzymał luźno, jakby od niechcenia, i Tom przez chwilę zastanawiał się, czy nie powinien rzucić się w jego kierunku, ale sama myśl o tym, by poruszyć palcami u dłoni, przyprawiała go o mdłości. Jack patrzył, światło żarówki podkreślało ostre rysy jego twarzy, ale jego oczy były bardziej sugestywne niż oblicze.

– Hm... – burknął w końcu, po czym wstał i się cofnął. Przeczesał dłonią włosy.

Tom, uwolniony, przekręcił się na bok i ujął lewą dłoń w prawą, delikatnie, tak jakby mu zdrętwiała, tyle że wydawało mu się, iż zamiast szpileczek wgryza się w nią ostrze piły. Palce miał zakrwawione i porozrywane, zmiażdżone na twardym betonie. Mały bez cienia wątpliwości był złamany. We wskazującym ziało paskudne rozdarcie. Wszystkie były czerwone i opuchnięte niczym kiełbaski.

„Nic im nie będzie. Nic ci nie będzie. Palce się zagoją. Włożysz je do lodu, obandażujesz, pojedziesz do szpitala. Ale najpierw musisz się wydostać z tego gówna".

Powoli, starając się używać wyłącznie mięśni brzucha, usiadł prosto. Był zamroczony, w czaszce czuł głuchy ból.

– Przysięgam – powiedział – przysięgam, że schowaliśmy tam pieniądze. Nie mam pojęcia, gdzie mogą być.

Jack powoli skinął głową.

– Wiesz co? Wierzę ci. Nie wiesz, gdzie są. – Usiadł obok Toma. – Ale powiem ci coś. Założę się, że Anna wie.

Zanim Tom zdążył zrozumieć, co to oznacza, Jack zatoczył łuk rękojeścią pistoletu i świat nagle przestał istnieć.

PULSUJĄCY BÓL.

Ręka bolała go wściekle, równomierne pulsowanie docierało aż do serca. Głowa też. Gdy uchwycił się strzępków świadomości, pomyślał najpierw, że od dawna nie miał takiego kaca. Zasnął na...

Wszystko wróciło. Otworzył raptownie oczy. Usiadł szybko, ale plaśnięcie bólu kazało mu opaść z powrotem do tyłu. Powoli. Bardzo powoli. Siedział na fotelu. Na rozkładanym fotelu. W mieszkaniu Willa, na dole. Dłoń miał opartą na ramieniu. Był sam. Gdzie się podział Jack?

Nie zdążył jeszcze dokończyć tej myśli, gdy w jego głowie pojawiło się o wiele ważniejsze pytanie: O Boże, gdzie jest Anna?

Wyobraźnia na ułamek sekundy podsunęła mu przed oczy obraz rodem z horroru: Anna leży z wyciągniętą ręką i otwartymi szeroko ustami, głowę ma odchyloną, a Jack unosi stopę. A potem inny: Jack rzuca ją na podłogę, rozpina spodnie, żona Toma woła o pomoc, a on leży nieprzytomny w fotelu...

Usiadł znowu. Ból wrócił rozpaloną do białości falą, ale Tom zamknął oczy, zacisnął zęby i postanowił go przeczekać. Mniejsza z bólem. Ona tu jest, musi jej pomóc, dostać się do niej. A nawet jeżeli jeszcze jej nie ma, wkrótce będzie.

Z korytarza dobiegł dźwięk. Ktoś otworzył drzwi lodówki. Jack był w kuchni. Musiał się czuć bezpiecznie, gdy Tom stracił przytomność, skoro zostawił go samego. Po prostu lut szczęścia. Tom wstał, obejmując lewą rękę prawą. Świat zakołysał się, a potem powoli ustabilizował. Co teraz?

Może nawet udałoby mu się dotrzeć do frontowych drzwi, ale co by było, gdyby Anna wróciła do domu, zanim zdążyłby sprowadzić gliniarzy? Mógłby zadzwonić na komórkę, ale przecież mogła być w pociągu albo mogła jej się wyczerpać bateria.

Nie. Nie wyjdzie, dopóki się nie upewni, że oboje są bezpieczni. W takim razie co teraz? Telefon? Nie uda się: słuchawka została w kuchni. Komórkę miał w torbie, której jednak nigdzie nie widział. Pokój był skromnie umeblowany: fotel, kino domowe, telewizor, lampa. Przesunął wzrokiem po kominku, półkach, korytarzu. Jego skrzynia na narzędzia. Zostawił ją w korytarzu, kiedy szukał narkotyków.

Dwa razy się nie zastanawiał. Zmusił stopy, by ruszyły przed siebie. Jeden krok. Drugi. Tom z walącym jak oszalałe sercem nachylił się nad pomarańczową plastikową skrzynką. Klamry nie były zatrzaśnięte. Dzięki Bogu, wczoraj się spieszył. Instynktownie sięgnął do pudła lewą, bliższą ręką. Przesunął złamanym palcem po wieku. Przed oczami eksplodowały mu gwiazdy. Miał ochotę wrzeszczeć, wyć, ryczeć z bólu, kląć i kopać w ścianę. Wstrzymał jednak oddech i nawet nie jęknął.

„Nie zatrzymuj się, nie masz czasu, dalej, dalej, musisz być silny". Zacisnąwszy zęby, zmusił prawą rękę, by sięgnęła do skrzyni. Otworzył delikatnie wieko. Na wierzchniej tacy leżało parę drobnych narzędzi: szczypce, probówka, miniaturowa latarka, kilka niepasujących do niczego śrubek. Oraz dziesięciocentymetrowy składany nóż. Tom podniósł go dwoma palcami. Miał nadzieję, że znajdzie młotek, ale doszedł do wniosku, że nóż będzie lepszy: można go szybciej wydobyć i łatwiej ukryć. Ostrożnie zamknął wieko skrzyni.

Usłyszał jakiś dźwięk na korytarzu i gwałtownie uniósł głowę. Dopiero po chwili skojarzył znajomy odgłos: szczęknięcie i syknięcie. Jack wziął sobie piwo, tak jakby odwalał jakąś chałturę. Toma ogarnął gniew, poczuł zadziwiającą, bezgraniczną nienawiść, wywołaną tą czystą arogancją. Gość najwidoczniej uznał Toma za kompletnego cieniasa.

Wykrzywiwszy usta, wrócił do fotela. Otworzył nóż i wsunął go sobie ostrożnie do prawej kieszeni. Następnie usiadł i zamknął oczy. Czekał. Być może został pokonany, ale kompletnym cieniasem nie był.

JACK WYPIŁ DUŻY ŁYK OLD STYLE'A. Zimne piwo gładko spłynęło mu po gardle. Zerknął na zegarek, stwierdził, że dochodzi szósta. Kobitka wkrótce wróci do domu. Już prawie koniec.

Minął korytarz. Tom Reed siedział ciągle na fotelu. Zmienił jednak trochę pozycję, a oddychał nieco mniej regularnie, niż gdy był nieprzytomny. Na jego zaczerwienionej lewej dłoni widać było rozciętą skórę i zaschniętą krew.

– Obudziłeś się?

Gość nie odpowiedział, ale jego powieki nieco drgnęły.

– Tak, obudziłeś się.

Jack minął go i podszedł do frontowego okna. Wyjrzał na zewnątrz. Cicha, spokojna uliczka. Oldschoolowe domki dwurodzinne, między nimi kilka bungalowów. Mnóstwo drzew, ale czuć ciągle, że to miasto, a do restauracji i barów jest zaledwie parę kroków. Ludzie wyprowadzają psy na spacer, uśmiechając się do siebie, przystając, żeby pogawędzić.

– Pozwól, że o coś spytam. Ile kosztuje taka chata?

Nastąpiła długa chwila ciszy.

– Chyba żartujesz – powiedział w końcu Tom.

– Dlaczego? Ja też muszę gdzieś mieszkać. – Odwrócił się od okna i podszedł do drzwi. Otworzył zamek. – Ile?

– Nie wiem.

– Nie wiesz? Przecież kupiłeś ten dom.

– I co z tego?

– No ile?

Tom pomasował prawą dłonią czoło.

– Przy następnym skrzyżowaniu jest dom na sprzedaż. Właściciel chce pięćset dwadzieścia pięć tysięcy.

– Pół miliona dolarów. – Jack zagwizdał i przesunął dłonią po drewnianej ramie okna. – Pomyśleć, że dom, w którym się wychowałem, mój ojciec kupił za jakieś trzydzieści kawałków. Mały domek przy Archer, z miniaturowym podwórkiem i spadzistym dachem. Mieszkaliśmy z bratem w jednym pokoju, dopóki... Niech to szlag, dopóki się nie wyprowadziłem. – Wypił łyk piwa. – Ale to było dla niego coś, kupić taki dom. Większość Polaków, których znaliśmy, wynajmowała mieszkania.

– Co miałeś na myśli, mówiąc, że Anna wie, gdzie są pieniądze?

Jack podszedł do ściany i oparł się o nią.

– Dwoje ludzi coś gdzieś chowa, a jedno z nich potem jest nagle zdziwione, że to coś zniknęło?

Wzruszył ramionami.

– Nie zrobiłaby tego.

– Lepiej dla ciebie, żebyś się mylił. – Jack pomasował sobie ramiona, żeby je trochę rozluźnić. Im dłużej trwa robota, tym trudniej. Za dużo czasu na potencjalną wpadkę. Sąsiad zaglądający przez okno, cywil nabierający nagle odwagi, nigdy nie wiadomo. Miał czterdzieści trzy lata i więcej takich fuch za sobą, niż był w stanie zapamiętać. Czas przejść na emeryturę. Jak już podzielą z Marshallem forsę, wyjedzie do Arizony. Zobaczy, czy Eli ciągle chce go przyjąć na wspólnika do prowadzenia baru. Jack wyciągnął z kabury na pasku komórkę i otworzył klapkę. Aparat był w zasięgu sieci. – Wiem, wiem, trochę to kurewstwo. Trudno uwierzyć w coś takiego. Ale to zabawne, jak pieniądze zmieniają ludzi. Nawet tych, którym ufasz.

– Jeśli Anna wie, gdzie są pieniądze... – Tom zawahał się i Jack zauważył, że myślenie o tym w ten sposób sprawia mu ból. – Czy wtedy zabierzesz je sobie i zostawisz nas w spokoju?

– Masz problem z hazardem czy co?

– Słucham?

Jack jednym długim łykiem dokończył piwo.

– Kupiłeś dom w dzielnicy, w której trzeba za niego wybulić pół miliona. – Postawił puszkę na podłodze i nastąpił na nią. Zauważył, że Tom Reed skrzywił się na ten widok. Zarechotał, po czym nachylił się, żeby podnieść puszkę. Schował ją do kieszeni. – Masz niezłą robotę, porządną pensję i piękną żonę.

– I co z tego?

– Zastanawiam się tylko, dlaczego zabraliście te pieniądze? – Zamilkł na chwilę i spojrzał swojej ofierze w oczy.

– Naprawdę chciałbym to wiedzieć. Czego ty właściwie chcesz – omiótł gestem wnętrze domu – czego byś już nie miał?

– To nie jest takie proste.

– Dlaczego nie?

Tom pokręcił głową, ale nic nie powiedział.

– No dobra, jasne, to kuszące. Forsa zawsze kusi człowieka. Ale musiałeś przecież zdawać sobie sprawę, że życie nie jest takie proste, co? Gdzieś w głębi duszy? No wiesz, to był worek z pieniędzmi.

– My... – Tom zawahał się. – Nie wiedzieliśmy, skąd pochodzi forsa. Myśleliśmy, że należy do niego. Że oszczędzał, nie ufał bankom.

– A co to niby zmienia?

– Umarł. Nikomu nie wyrządziliśmy krzywdy.

– I na tym właśnie polega problem z takimi jak wy. – Jack strzelił kośćmi w kciukach. – Nie twierdzę, że ja bym jej nie wziął. Wziąłbym. Jasne, że tak. Ale nie wmawiałbym sobie, że nikomu nie robię krzywdy. Chciałbym jej, więc zabrałbym ją sobie. Wiesz, o co mi chodzi?

– Nic.

– Wyrażę to inaczej. – Przechylił głowę. – Naprawdę myśleliście, że nie napytacie sobie w ten sposób biedy?

Tom otworzył usta, ale zaraz je zamknął. Nastąpiła chwila przedłużającej się ciszy. Nagle przy biodrze Jacka zawibrował telefon. Jack wyciągnął czterdziestkępiątkę.

– Tylko, kurwa, żadnych głupot. Rozumiemy się?

Tom ledwie dostrzegalnie skinął głową.

Jack otworzył klapkę telefonu i przeczytał wiadomość tekstową.

Anna włączyła kierunkowskaz, zaczekała chwilę, aż przejedzie furgonetka z logo firmy budowlanej, a potem wrzuciła wsteczny, zakręciła ostro kierownicą i wjechała tyłem między dwa samochody. Zanim przeprowadziła się do miasta, parkowanie na kopertę wydawało jej się jakąś magiczną sztuczką. Teraz robiła to z zamkniętymi oczami.

Wiosenne słońce padało na chodnik, malując na nim świetliste cętki, a przy drodze zaczynały się już pojawiać plamy rozkwitłych kwiatów. Czerwień stojącego obok bmw zrównoważyła eksplozja białych tulipanów, a kwitnący krzew na wpół przesłaniał czarną hondę, której kierowca, nie zgasiwszy silnika, wpisywał coś na klawiaturze telefonu komórkowego. Anna szła lekkim krokiem, zastanawiając się nad tonem głosu Toma, kiedy dzwonił do niej i proponował, żeby przenieśli się do hotelu. Nie wydawał się zmartwiony – właściwie wręcz przeciwnie. Tak jakby rozwiązał problem, który go gryzł od jakiegoś czasu, i chciał to uczcić. Dziwne.

Tak czy inaczej, pomysł z hotelem nie był zły. Kiedyś robili to od czasu do czasu: meldowali się gdzieś w śródmieściu, spragnieni odmiany. Wakacje w ich własnym mieście – wielkie, puszyste szlafroki, basen. Ile to już lat? Powinno być fajnie.

Wspięła się po schodach, szukając kluczy. Z przyzwyczajenia sprawdziła skrzynkę na listy – nic, znowu, co zaczynało być irytujące – i doszła do wniosku, że zabierze zielone bikini w niebieskie kwiaty. Zamówią jedzenie do pokoju, puszczą film.

Nagle otworzyły się drzwi do mieszkania na parterze i wypadł z nich jakiś zamglony zwalisty kształt, mężczyzna, co zdążyła stwierdzić, zanim uniosła w panice wysoko dłonie, który zaraz złapał ją stalowym uściskiem za rękę i wciągnął do środka. Ugięły się pod nią nogi i mało się nie wywróciła. Napastnik popchnął ją przez otwarte drzwi. Dopiero po trzech czy czterech krokach odzyskała równowagę i natychmiast otworzyła usta, by krzyknąć z przerażenia na widok Toma, który z dłonią wykrzywioną pod nienaturalnym kątem próbował zerwać się z głębokiego fotela. Co on tam robił? Co się działo?

Drzwi zatrzasnęły się za nią.

– Nie waż się krzyczeć, Anno!

Na lewej dłoni Toma dostrzegła krew. Trzymał rękę w bardzo dziwny sposób, w dodatku była opuchnięta, a mały palec jakoś dziwnie przekrzywiony. Annę przeszedł prąd, tak jakby wgryzła się w metal. Krzyknęła, zasłaniając jedną ręką usta, i pobiegła do Toma. Nagle zauważyła wyraz jego twarzy i się zatrzymała.

Czasem wydawało jej się, że są ze sobą od setek lat. Znała każdy jego gest, każdą minę. Mogła je sobie odmalować w głowie: swobodny uśmiech, przekrzywiony nieco na jedną stronę, drobne zmarszczki wokół oczu. Na wpół przymknięte powieki, zwieszona głowa, lekko rozwarte usta, gdy kochali się w nocy. Gdy czytał, mrużył oczy – nie po to jednak, by skupić się na słowach, ale by odciąć się od zewnętrznego świata.

Lecz nigdy jeszcze nie widziała go takiego jak teraz. Na jego twarzy wokół szeroko otwartych oczu wyryty był strach. Zaciśnięte wargi znamionowały ból. Przekrzywienie głowy i napięcie w całym ciele – troskę, troskę o nią. Ale było w nim coś jeszcze. Rezerwa, powściągliwość, niczym metalowa krata wmurowana w witrynę sklepu. A przez jej zęby przedzierało się wyraźne, pełne pretensji oskarżenie.

Nic dziwnego, że słowa, które po chwili rozbrzmiały za jej plecami, nie bardzo ją zdziwiły.

– Zabawne, Anno. Tom był święcie przekonany, że są w piwnicy.

Odwróciła się, obnażywszy zęby, by warknąć na tę kreaturę, na potwora, który skrzywdził jej męża, który zmasakrował mu dłoń i postawił parawan w jego oczach. Stwierdziła, że wpatruje się prosto w lufę wielkiego pistoletu. Jej otwór wchłonął w siebie cały świat, tak że wszystkie kształty wokół rozmazały się w niewyraźną plamę.

– Anno, gdzie schowałaś moje pieniądze? – zapytał jeden z tych rozmazanych kształtów.

To BYŁA PRAWDA. Jack mówił prawdę, a jego żona kłamała.

Najpierw, gdy Jack otworzył gwałtownie drzwi i złapał Annę, wciągnął ją do pokoju tak, jakby strzelał batem, Tom zareagował instynktownie i spróbował zerwać się z fotela. Gotów jak zawsze złapać ją, zanim upadnie. Potem jednak ich oczy spotkały się i zobaczył w nich to, czego się obawiał. Zabrała pieniądze.

Zabrała pieniądze, nie mówiąc mu o tym. W rezultacie trzymano go na muszce na brudnej podłodze w piwnicy. Zmiażdżono mu palce, połamano je. Miał przystawiony do brzucha pistolet, a mężczyzna, który go trzymał, wyraźnie chciał pociągnąć za spust. Ale gorszy od konsekwencji był sam czyn. Jego żona zdradziła go.

„Przestań! Nie pora teraz na to". Nie próbował zapomnieć o uczuciach. Po prostu je przytłumił. Jeżeli chcą z tego wyjść cało, musi się skoncentrować.

Anna stała jakiś metr dalej. W jednej ręce ciągle trzymała klucze, a drugą przesunęła nieco do tyłu, tak jakby chciała się czegoś złapać.

– Jakie pieniądze?

– Wiesz doskonale, jakie pieniądze, Anno.

Zawahała się przez chwilę.

– Nie ma ich tutaj – wydusiła z siebie w końcu.

– A gdzie są?

– W bezpiecznym miejscu.

„Nie!" – pomyślał Tom. „Nie próbuj z nim pogrywać, bo..."

Lewa dłoń Jacka wystrzeliła nagle, zadając Annie brutalny cios. Tom widział ze swojego fotela, jak jej głowa odskakuje na bok, jak uderzenie wstrząsa całym jej ciałem, i bez zastanowienia zerwał się na nogi, instynktownie z czystą nienawiścią rzucając się na oprawcę. Ten był jednak szybszy i w mgnieniu oka wycelował pistolet w pierś przeciwnika. Tom zastanawiał się przez sekundę, czy nie spróbować mu go wyrwać. Chciał tego. Żadnym sposobem nie zdążyłby jednak pokonać dzielącego ich dystansu.

Lód. Musiał być zimny jak lód. Zimny i twardy, musiał wytrzymać wszystko, co zrobi Jack, wyczekać na odpowiedni moment, kiedy będzie mógł działać. Opuścił ręce.

Jack skinął głową i nie przesuwając pistoletu nawet o milimetr, spojrzał na Annę.

– Spróbujmy jeszcze raz, złotko. Tym razem, jeśli nie spodoba mi się odpowiedź, zastrzelę twojego mężusia. A zatem, gdzie...

– Na górze. Są na górze – wydusiła z siebie Anna.

– Pokaż mi. – Kiwnął pistoletem na Toma. – Idziesz z nami.

Umysł Toma pracował jak oszalały. Jeżeli dadzą mu pieniądze, Jack nie będzie miał żadnego powodu, żeby pozostawić ich przy życiu. Widzieli jego twarz, słyszeli głos. Czym były dwa ciała więcej dla człowieka, który nieraz już pociągał za spust? Musi wykonać swój ruch. Wkrótce. Ciężar noża w kieszeni dodawał mu otuchy. Jego palce chciały sięgnąć ku niemu natychmiast, ale zmusił się, by stać nieruchomo.

– Idziemy!

Jack przynaglił ich gestem. Tom znalazł się w korytarzu przed mieszkaniem. Przez szklane drzwi sieni widział swoją werandę, a trochę dalej ulicę. Przeszła nią kobieta z pieskiem, z niebieską plastikową reklamówką zwisającą ciężko z dłoni. Zwyczajne życie, zaledwie trzy metry dalej. Miał ochotę krzyczeć.

– Ruszać się!

Anna otworzyła drzwi i zaczęła wchodzić po schodach. Tom szedł za nią, Jack na końcu. Tak jakby znowu byli tylko właścicielami budynku oprowadzającymi po nim potencjalnego lokatora. „Dwie łazienki, mnóstwo miejsc parkingowych, pralka i suszarnia w piwnicy. Chce pan obejrzeć tylną werandę czy raczej woli nas pan zastrzelić?" Paniczne myśli, na które nie miał czasu. Słychać było odgłosy pojedynczych kroków. Czuł mrowienie w nogach, swędzenie w dłoniach. Wkrótce. Nigdy przedtem nie używał noża, żeby kogoś zaatakować, i zastanawiał się, jak najlepiej go złapać.

Kiedy Anna otworzyła drzwi, w piersi Toma zabiła znowu nadzieja. Poza znanym doskonale skrzypnięciem zawiasów usłyszeli trzy krótkie piskliwe sygnały. Alarm.

Jack również je usłyszał. Zagonił ich do środka, zamknął za sobą drzwi i zacisnął usta.

– Wyłącz to.

Biip!

Anna podniosła rękę.

– Nie! – powstrzymał ją Tom.

Zawahała się. Jack naparł na niego, zbliżył się o krok i uniósł pistolet.

Biip!

– Zabije nas – powiedział Tom. – Jak tylko damy mu pieniądze, zabije nas.

– Wyłącz alarm, Anno – rozkazał Jack. – Już!

Biip!

Wszyscy troje zamarli. Tom przyciskał dłoń do brzegu kieszeni, ale nie potrafił się poruszyć, nie odważył się, nie w momencie gdy Jack na niego patrzył.

Biip!

– Do jasnej cholery! – zaklął Jack głosem bardziej poirytowanym niż wściekłym. Podszedł jeszcze bliżej, podsunął Tomowi lufę pistoletu pod podbródek i spojrzał na Annę. – Wyłącz to!

Próżno było czekać na lepszą okazję. Tom wsunął rękę do kieszeni i zacisnął palce na pofałdowanej plastikowej rękojeści, jednocześnie wykręcając całe ciało. Chciał najpierw zejść z linii ognia, a następnie wyciągnąć nóż. Czas stał się płynny, Tom patrzył na to wszystko, niczego właściwie nie rejestrując: skurcz mięśni wokół oczu Jacka, gdy ten wyczuł ruch Toma, odbicie jego głowy, gdy szarpnął się gwałtownie do tyłu, kolejne bipnięcie panelu alarmowego, otwarte do krzyku usta Anny, lekki opór, gdy nóż zahaczył o brzeg kieszeni, spowalniając ruch. Policzek Toma przesuwał się ciągle nad lufą, gdy Jack pociągnął za spust i powietrzem wstrząsnął huk, tak jakby walił się świat, ale po tym wszystkim nie nastąpił ból.

Udało mu się wyszarpnąć nóż z kieszeni i rzucił się przed siebie, nie mając zamiaru zrobić niczego skomplikowanego, lecz tylko dźgnąć oprawcę od dołu tak mocno, jak tylko potrafił. Zobaczył, że Jack również się przekręcił, że jego ramię pomknęło w dół, i spróbował skorygować kierunek ciosu, celując w brzuch, ale Jack był zbyt szybki i uderzył przedramieniem w dłoń Toma, zdziwiony, że ten stawia opór i czując nagle, że ostrze rozcina mu skórę. Wrzasnął, odwrócił się, uniósł wysoko pistolet i wbił go Tomowi w żołądek. Tom poczuł się, jakby ktoś wypompował mu powietrze z płuc, ale spróbował jeszcze raz zamachnąć się nożem. Jack naparł na niego i powalił go silnym ciosem ręki. Pod Tomem ugięły się nogi i upadł na podłogę. Nóż poszybował gdzieś daleko. Jack przygwoździł mu pierś kolanem do podłogi i przystawił pistolet do czoła. Sapał, miał rozpalony wzrok, a z jego ręki na twarz Toma kapała jakaś ciecz.

Świat znieruchomiał, całą ich trójkę sparaliżowało dzwonienie w uszach, które zastąpiło odgłosy bójki.

Biip!

– Wyłącz ten cholerny alarm! – warknął Jack.

– Okej – odparła Anna i podeszła do panelu. – Wyłączam. Nie rób mu krzywdy.

Jej palce przemknęły cicho po klawiaturze i dźwięk zamilkł.

Marshall poderwał się na siedzeniu, natychmiast kładąc jedną rękę na strzelbie, a drugą na klamce. Otworzył usta, nachylił się. Czekał spokojnie. Dla cywila mogło to brzmieć zupełnie niewinnie, jak petarda czy strzelający gaźnik ciężarówki, ale on wiedział doskonale co to takiego. Czekał na drugi strzał.

Nic. Wciągnął przez zęby powietrze i wbił wzrok przed siebie. Jeden strzał. Dziwne. Plan polegał na tym, że gdy Jack odzyska pieniądze, każe Tomowi i Annie położyć się na podłodze i wpakuje im po kulce w tył głowy. Nic osobistego, to tylko interesy.

Może Jack musiał zabić jedno z nich, żeby drugie zmusić do gadania? Marshall odchylił się w fotelu. Pojedynczy strzał nie sprowadzi glin. Dwa, a nawet trzy pewnie też nie. W takiej dzielnicy ludzie nigdy nie spodziewają się najgorszego.

A jednak. Może się myli? Może jedno z nich zdołało wyrwać Jackowi broń albo dostać się do telefonu. A on co? Siedzi sobie pod domem Willa Tuttle'a z nielegalną bronią i połową policji na karku? Nie najlepszy pomysł. Najrozsądniej byłoby odjechać. Ale w domu były pieniądze. Wiedział o tym, czuł to w żołądku. Gdyby teraz odjechał, straciłby szansę na swoją działkę.

Wyciągnął papierosa i zakręcił nim w palcach młynka.

– No dalej, Jack! – mruknął. – Wychodź!

Jack czuł ból w lewej ręce, pulsujący w rytm bicia jego serca. Ciągle trzymając Toma na muszce, przekręcił ramię, żeby rzucić okiem na ranę. Kurwa mać! Rozcięcie było paskudne, biegło ukośnie przez przedramię i miało jakieś dziesięć centymetrów. Zmarszczona skóra odsłaniała różową tkankę. Ręka broczyła krwią, a gdy poruszał palcami, czuł ukłucia prądu w kręgosłupie.

Gdzie ten skurwysyn znalazł nóż? Gdyby nie zaczepił o kieszeń, wyciągając go... Jezus Maria! Coś nie dawało mu spokoju, ale nie potrafił sprecyzować co. Nie miał czasu. Wyraźnie tracił kontrolę nad sytuacją.

– Już!

– Jest w otworze wentylacyjnym.

– W którym?

– W kuchni.

Skinął głową i powoli wstał, nie odrywając wzroku od Toma.

– Idziemy!

Zmusił się, by nie myśleć o bólu. Niech uwierzą, że nie da się go zranić, że jest silniejszy, niż mogą sobie wyobrazić. Strach jest dobry. Próbował myśleć jasno, niczego nie pomijać. Strzał pewnie było słychać w całym kwartale. Marshall pewnie go usłyszał. Zwieje?

Jak zwieje, to zwieje. Nie wszystko naraz. Otwór wentylacyjny znajdował się wysoko na trzymetrowej ścianie, niemalże pod samym sufitem.

– Macie śrubokręt?

Tom nie odezwał się, ale jego żona była mądrzejsza od niego.

– Wkrętarkę w skrzyni na narzędzia na dole.

Skrzynia na narzędzia. Zauważył ją w tamtym mieszkaniu, na korytarzu. No jasne. To stamtąd pochodził nóż. Wydawało się, że Tom sra w gacie ze strachu i Jack uznał go za mięczaka. Okazało się, że gość mimo wszystko ma jaja.

„Skup się!”

– A tutaj?

Zawahała się.

– Chyba mamy też śrubokręt w szufladzie w kuchni.

– Przynieś go. Szybko.

Skinęła głową i patrząc mu w oczy, cofnęła się w stronę blatu. Ładna kobieta i zdaje się bystra. Szkoda. Jack patrzył to na nią, to na Toma. Krążąca mu w żyłach adrenalina coraz bardziej go nakręcała. Czuł lekki ból w palcach u stóp, gorąco pod pachami. Przez okno dobiegały odgłosy miasta: szczekanie psa, syrena gdzieś daleko.

– Ty! – polecił. – Przysuń stół do ściany.

Tom skrzywił się, a potem złapał prawą ręką za krawędź stołu i pociągnął go po podłodze. Jego drogę znaczyła cienka rysa na parkiecie.

– Wejdź na stół. Anno?

Anna ciągle przerzucała zawartość szuflady.

– Pamiętam, że był gdzieś tutaj.

Położyła na blacie garść ulotek firm z jedzeniem na telefon i zanurzyła w szufladzie obie ręce.

Jack odsunął się, oddalając się od małżonków i podchodząc do ściany, którą wkrótce poczuł za plecami. W ten sposób miał ich oboje na oku.

– Pospiesz się!

Anna skinęła głową.

– Jest! – zawołała po chwili.

Ze śrubokrętem w ręku ruszyła w stronę Jacka.

– Daj mu go.

Zawahała się, po czym wyciągnęła wysoko rękę, żeby podać Tomowi narzędzie. Gdy ten dotknął go już palcami, nagle wypadło jej z dłoni i z brzękiem wylądowało na podłodze. Anna zamarła, a potem podniosła drżącą ręką śrubokręt. Podała Tomowi.

– Wiesz, co masz robić – powiedział Jack.

Tom odwrócił się twarzą do ściany. Zdrową ręką uniósł śrubokręt wysoko nad głową i zaczął nim majstrować przy otworze wentylacyjnym. Stół kołysał się lekko w rytm jego ruchów.

Jack patrzył na niego, trzymając nieruchomo w dłoni pistolet i starając się myśleć jasno. Od powrotu kobiety minęły pewnie dwie, może trzy minuty. Kilka kolejnych potrzeba, by zdjąć pokrywę i wyciągnąć pieniądze. W uszach dzwoniło mu od huku wystrzału, słyszał narastające i opadające rytmicznie wycie. Powie małżonkom, że musi ich związać, każe położyć się na podłodze. Ma czterdziestkępiątkę, więc jeden strzał na głowę powinien aż nadto wystarczyć. Zabierze forsę. Gość wreszcie zdjął osłonę otworu wentylacyjnego.

– Torba jest wciśnięta głęboko do tyłu – powiedziała Anna. – Być może będziesz potrzebował drabiny.

Facet stanął na palcach i wyciągnął rękę ile tylko się dało. Z głuchym łoskotem uderzył pięścią o ścianę przewodu wentylacyjnego.

Co jeszcze? Dzięki rękawiczkom odciski palców nie powinny być problemem. Zachlapał krwią cały korytarz, ale niewiele mógł z tym zrobić. Gliny skojarzą jego colta 1911 z tym z klubu, ale oni będą już wtedy mijali Skyway Bridge, zostawiając za sobą miasto. Wycie stało się nagle głośniejsze i zdał sobie sprawę, że nie dobiega z wnętrza jego głowy, ale gdzieś z ulicy, i że to syrena. Jak zawsze, na chwilę ogarnęła go panika, ale udało mu się ją zwalczyć. Chicago to duże miasto.

Mimo wszystko coś było nie tak. Coś przeoczył, coś majaczącego mu tuż przed oczami. Jack spojrzał na Toma i stwierdził, że facet grzebie w otworze najdalej, jak może sięgnąć. Popatrzył na żonę. Ona na niego. Co w tym dziwnego? Czy nie leży w ludzkiej naturze, że żona patrzy na męża? Zwłaszcza jeśli ten wyciąga ze ściany worek z pieniędzmi? Wyglądało to zupełnie tak, jakby...

Syreny umilkły i Jack zdał sobie sprawę, co mu umknęło.

– Ożeż ty suko!

Jak mógł się nie zorientować? Czyżby ból i zdumienie aż tak go otępiły? Otrzeźwił go dopiero odgłos milknących syren. Gliniarze zawsze to robili, gdy mieli zamiar wkroczyć po cichu. Wyjące syreny, gdy się zbliżali, a potem cisza tuż przed samą interwencją. System miał funkcję kodu alarmowego.

Tom Reed zamarł. Jego prawa ręka była niewidoczna aż do ramienia, szyję wykręcił w dół, żeby spojrzeć na żonę. Anna stała wyprostowana i bezczelna. Jack obniżył lufę pistoletu.

– Ciągle wystarczy mi czasu, żeby was zabić.

Otworzyła szerzej oczy, ale powiedziała tylko:

– Jeśli to zrobisz, nigdy nie odzyskasz pieniędzy.

Kurwa, kurwa, k u r w a! Obrzucił szybko wzrokiem kuchnię, spoglądając na okna i tylne drzwi. Gliniarze byli pewnie jakieś półtora kilometra od domu. Może nawet na sąsiedniej ulicy. Trudno powiedzieć. Zadzwoniła jego komórka. Marshall. Zacisnął zęby.

– Nie wiesz, co robisz! – warknął. – Daj mi pieniądze.

– Mogą tu być w każdej sekundzie – odparła Anna Reed.

Jack wybiegł.

14

Gdy zniknęło bezpośrednie zagrożenie, Tom poczuł się jak pływak unoszący się w wodzie między dwiema następującymi po sobie falami. Opadał w przepaść, zanurzywszy się całkowicie w przerażeniu i gdy nagle ustąpiło, wydawało mu się, że jest lekki jak piórko. Wyciągnął rękę z otworu wentylacyjnego. Trzasnęło mu w kościach. Stał na stole, który kupili z Anną na pchlim targu, i rozglądał się po kuchni. Niby wszystko wyglądało tak samo, ale z tej perspektywy sprawiało wrażenie dziwnego i groźnego.

– Nic ci nie jest?

Anna spojrzała na niego szeroko otwartymi oczami. Wydawało się, że nie wie, co zrobić z rękami: najpierw sięgnęła ku niemu, potem się powstrzymała i prawie skrzyżowała je na piersi, wreszcie opuściła je i pozwoliła, by zwisały jej niezgrabnie po bokach ciała.

Nie odpowiedział. Przykucnął tylko ciężko. Poczuł w lewej dłoni ostrzegawcze rwanie i zorientował się na czas. Wsunął sobie rączkę śrubokręta w zęby i prawą ręką podniósł osłonę otworu wentylacyjnego. Wstał powoli, walcząc z zawrotami głowy. Jedną dłonią trudno manipulowało się pokrywą. Łatwo było ją odkręcić, gorzej – przykręcić. Jak w życiu.

– Tom?

Udało mu się ją dopasować do otworu. Trzymała się na tyle w ścianie, że mógł ją na chwilę puścić, by wyjąć z kieszeni śrubkę i przyłożyć ostrożnie do gwintu. Śrubokręt miał śliską rączkę. Przycisnął nim śrubkę i zaczął obracać w prawo.

– Tom, zostaw to teraz. Musimy się zastanowić. Zaraz tu będzie policja.

Dziesięć ruchów i śrubka była zakręcona. Wyjął kolejną i zabrał się do dzieła.

– Kochanie...

– Dlaczego zabrałaś pieniądze?

Nie odrywał wzroku od pokrywy. Stolik kołysał się lekko w rytm jego ruchów.

– Nie zabrałam.

Roześmiał się.

– Nie zabrałam ich. Tylko je przeniosłam.

– Po co?

– Bałam się, że je oddasz. Policji. Że będziesz próbował mnie chronić.

Skinął głową, zresztą raczej odruchowo niż świadomie. Teraz, kiedy przestała działać adrenalina, wszystko zaczynało go boleć. Przypominało to orkiestrę rozgrzewającą się przed koncertem, rzępolącą fałszywie, bez ładu i składu. Na prowadzenie wybijała się lewa dłoń, pulsując gęstym rytmem bólu niczym potężne dęciaki. Dzielnie dotrzymywała jej kroku głowa, z równomiernością metronomu nie dając Tomowi zapomnieć o uderzeniu pistoletem Jacka. Plecy i brzuch buczały i zawodziły, a w całym ciele czuł lekkie ukłucia i smagnięcia, niczym szczebiotanie fletów. Zacisnął zęby i dalej znęcał się nad śrubką.

– Tom, musimy się przygotować.

Ostatni ruch i pokrywa była przykręcona. Przez krótką chwilę miał ogromną ochotę odkręcić ją z powrotem, zdjąć i zacząć ponownie przykręcać. Powtarzać tę czynność przez cały dzień.

– Kochanie – błagalnym, pełnym napięcia tonem upomniała go Anna. – Musimy coś wymyślić.

– Okłamałaś mnie.

Schował śrubokręt do kieszeni, przysiadł na blacie stołu, a potem zeskoczył na podłogę.

– Wiem. Przepraszam. Bardzo tego żałuję. Nie przyszło mi do głowy, że może się wydarzyć coś takiego. Skąd mogłam wiedzieć? – W jej oczach również widać było błaganie. – Wszystko ci opowiem, będziesz mógł pytać, o co tylko chcesz, ale najpierw musimy pogadać o policji.

Tom odwrócił wzrok.

– A o czym tu gadać? Powiemy prawdę.

– Nie możemy.

Parsknął śmiechem. Złapał jedną ręką za krawędź stołu i zaczął go przesuwać we właściwe miejsce.

– Tom, posłuchaj mnie. Czy możesz... – Złapała za mebel z drugiej strony i spróbowała mu go wyrwać. – Przestań!

Szarpnął mocniej, tak że musiała z całej siły się złapać stołu. Ten uniósł się nieco nad podłogą, zachybotał w lewo i prawo. Tom wbił wściekły wzrok w Annę, ale ona nie ustąpiła. Nagle wszystko wylało się między nimi: kłamstwa, presja, powolne ruchy tektoniczne ich związku eksplodowały niespodziewanie w szarpaninie o władzę nad stołem.

W tym momencie usłyszeli dzwonek – głośny i uparty. Dzwonek domofonu. Policja.

Tom puścił stół i ruszył korytarzem w stronę interkomu. Anna była bliżej i zablokowała mu przejście.

– Posłuchaj mnie chociaż przez sekundę, okej?

– Zejdź mi z drogi, Anno.

– Posłuchaj! – krzyknęła, po czym wzięła głęboki wdech. – Nie da się wytłumaczyć gliniarzom obecności tego gościa w naszym mieszkaniu, nie mówiąc im o pieniądzach. Zwyczajnie się nie da.

– Wszystko mi jedno.

Spróbował przecisnąć się obok niej.

Anna rozpostarła ręce i oparła dłonie po obu stronach korytarza.

– Pomyśl przez chwilę, do jasnej cholery! – W jej oczach nadal była obecna błagalna prośba. – Później możemy gadać o tym, jak długo chcesz. Wymyślimy, co robić, możesz się na mnie wściekać, nie winię cię, ale *zaraz w naszym mieszkaniu będzie policja* i musimy być razem!

– Dlaczego?

Dzwonek odezwał się ponownie – sygnał był długi, gniewny.

– Ponieważ jeśli powiemy prawdę, wylądujemy w więzieniu. – Uniosła brwi. – Ukradliśmy pieniądze. Wydaliśmy bardzo dużo. Okłamaliśmy policję.

– To lepsze niż mieć znowu do czynienia z Jackiem Witkowskim.

Naparł na nią i bez trudu ramieniem odepchnął jej rękę. Od domofonu dzieliły go już tylko dwa kroki.

– Skąd znasz jego nazwisko? – usłyszał nagle z tyłu pytanie.

Zamarł z kciukiem na przycisku otwierania drzwi.

– Tom? Przecież ci się nie przedstawił.

Otworzył usta. Zamknął je. Nie było czasu na wyjaśnienia, nie zdąży wytłumaczyć jej, że to czego jej nie powiedział, to coś zupełnie innego, że zrobił to dla ich dobra, że próbował tylko ją...

Chronić.

Poczuł się, jakby ktoś spuścił z niego powietrze. Ponownie zabrzmiał dzwonek. Odwrócił się do żony.

– W porządku – powiedział. – Jakoś przez to przebrniemy. Ale potem musimy porozmawiać.

W jej spojrzeniu wyczytał strach, poczucie krzywdy i słodycz – wszystko naraz. Tak jakby coś bardzo pięknego niespodziewanie uległo zniszczeniu.

Wziął głęboki wdech i podniósł słuchawkę.

– Tak? Kto tam? – spytał, siląc się na niefrasobliwy ton.

Okłamywanie policjantów zaczynało wchodzić Annie w krew.

Tom wpuścił ich na górę. Anna szybko starła krew z korytarza i otworzyła drzwi, przybierając naprędce niewinny wyraz twarzy, co wyglądało tak, jakby lukrowała ciastko. Usłyszała ciężkie stąpanie. Jeden z gliniarzy trzymał wyciągniętą broń. Zaskoczyło ją to.

– Panie oficerze, przepraszam najmocniej, to moja wina. – Pokręciła pokornie głową. – Dopiero co zainstalowaliśmy alarm i jeszcze się nie przyzwyczaiłam.

– Czy to pani dom?

Pierwszy z gliniarzy miał twarz dziecka, okoloną jasnymi włosami; za nim stanął wysoki policjant z siwiejącym jeżykiem.

– Owszem. Właśnie weszliśmy i wpisałam zły kod. – Uśmiechnęła się. Miała nadzieję, że wygląda na ogromnie zawstydzoną. – Ci panowie mówili mi o kodzie alarmowym, ale nie zapamiętałam go dobrze i się pomyliłam. Alarm wyłączył się i...

Starszy z gliniarzy wyraźnie się rozluźnił, ale jego kolega nie miał zamiaru pójść w jego ślady.

– Możemy się rozejrzeć?

– Po co?

– Kody alarmowe instaluje się właśnie dlatego, że ktoś może zmusić użytkownika do wyłączenia alarmu.

– Panie oficerze, przysięgam, że w domu nie ma nikogo oprócz męża i mnie.

– Rozumiem, proszę pani, ale muszę to sprawdzić.

Zawahała się, a potem wzruszyła ramionami i otworzyła szeroko drzwi.

– Dziękuję.

Blondyn wszedł do środka z wyciągniętym pistoletem. Anna pomyślała, że naoglądał się za dużo seriali. Odsunęła się, by wpuścić go do korytarza. Starszy glina wszedł swobodnym krokiem, wsunął kciuki za pasek i wzruszył ramionami, tak jakby chciał jej powiedzieć: „Rozumie pani, dzieciaki". Anna zmusiła się do uśmiechu.

– Anna Reed.

– Sierżant Peter Bradley. – Rozejrzał się po salonie. – Miłe mieszkanko.

W tym właśnie momencie przypomniała sobie o dziurze po kuli w suficie. Uniosła głowę, ale zreflektowała się i natychmiast wbiła wzrok w podłogę, gdzie nagle dostrzegła mały blaszany cylinder. O cholera, pomyślała, łuska wyrzucona z pistoletu. Leżała na parkiecie zaledwie pięć centymetrów od lewej stopy Bradleya. Anna zakasłała.

– Dziękuję – stwierdziła. – Może napiją się panowie kawy?

– Nie trzeba, proszę pani.

Policjant zakołysał się na obcasach, wodnistymi oczami lustrując spokojnie pokój. Anna zaczęła myśleć o nim, wyobrażać sobie jego życie: była żona, dwoje dzieci, alimenty, z powodu których musiał dorabiać po pracy jako ochroniarz w klubie nocnym. Dziwne, przypadkowe myśli. Gliniarz zaszurał stopą, a ona zmówiła w duchu modlitwę, żeby nie kopnął łuski.

Z łazienki wyszedł Tom. Obmył twarz i przeczesał włosy, a lewą dłoń schował za plecami, przez co wyglądał jak polityk gotujący się do przemowy.

– Naprawdę przepraszamy, panie oficerze – powiedział, uśmiechnąwszy się.

– Każdemu może się zdarzyć.

Usłyszeli młodszego gliniarza, który krzyknął z korytarza, że sypialnia jest czysta. Bradley pokręcił głową i zawołał w jego kierunku:

– Zmywajmy się stąd, co? Nie przeszkadzajmy państwu.

– Ale, sierżancie, powinienem jeszcze sprawdzić...

– Dobra, dobra, synku. – Bradley zatrzeszczał radiem i zameldował: – Fałszywy alarm. Państwo wpisali zły kod.

Anna objęła Toma ramieniem w talii.

– Na pewno niczego się panowie nie napiją?

– Dziękuję, ale czy mogę skorzystać z toalety? – zapytał blondyn, który zdążył już schować broń.

Zmusiła mięśnie twarzy, by ułożyły się w uśmiech. Miała ochotę wrzeszczeć: „Wynocha, wynocha, won!". Ale oczywiście zgodziła się uprzejmie.

– Proszę bardzo, panie oficerze.

Stała i przykazywała sobie, by nie opuszczać ani nie podnosić wzroku, by trzymać go z dala od podłogi i sufitu. Uświadomiła sobie jednak, że ci gliniarze to zwyczajne krawężniki, nie żadni detektywi, i że nie mają pojęcia, co wydarzyło się w tym mieszkaniu zaledwie przed tygodniem.

– Naprawdę czuję się jak idiotka. Panowie mają pewnie tyle pracy.

– I tak byliśmy w okolicy. – Bradley odchrząknął. – Firma ochroniarska pewnie obciąży państwa za fałszywy alarm.

– Naprawdę?

– Zażyczą sobie ze dwie stówki. – Gliniarz wzruszył ramionami. – Przeginają, ale na tym właśnie robią kasę.

– Jakoś przeżyjemy, panie sierżancie – powiedziała Anna, przypominając sobie Jacka uciekającego tylnymi schodami. – Nie szkodzi, naprawdę.

Usłyszała odgłos spłukiwanej wody, a następnie odkręcanego kranu i po chwili drugi policjant wyszedł na korytarz. Jego pas uginał się od sprzętu. Gdy obaj odwrócili się w stronę drzwi, sierżant zahaczył butem o łuskę – poturlała się po podłodze. Anna szybko podbiegła do niej i przydepnęła ją, nawet na moment nie przestając się uśmiechać.

– Gdzie są pieniądze? – zapytał Tom, gdy za gliniarzami zatrzasnęły się drzwi.

– W samochodzie.

Otworzył ze zdumienia usta.

– Zostawiłaś trzysta patoli w s a m o c h o d z i e?

– Chciałam schować je u Sary, ale przyszło mi do głowy... – Wzruszyła ramionami. Naprawdę czuła się jak idiotka. – Nie wiem. Chyba tego nie przemyślałam. Ale przysięgam, że nie chciałam ukraść pieniędzy. Po prostu gdy je wyjęłam, wydawało mi się, że to bez sensu wsadzać je tam z powrotem. Chciałam wynająć skrytkę bankową, ale potem wyszła sprawa z moją pracą i w ogóle.

Wzruszyła ponownie ramionami. Tom zamknął oczy i pomasował sobie czoło.

– Okej.

Uniósł lewą dłoń za pomocą prawej. Skrzywił się.

– Ktoś powinien rzucić na nią okiem – stwierdziła Anna.

– Po drodze wstąpmy do apteki.

– Po drodze dokąd?

HOTEL W NAD JEZIOREM BYŁ PRAWDZIWYM rajem dla hipsterów. Annie bardzo podobał się jego wystrój, nowoczesne fotele, stonowane kolory, trip-hop dobiegający z dyskretnie rozmieszczonych w holu głośników. Czuła się bardziej cool, niż tak naprawdę była.

Gdy recepcjonistka poprosiła o jej nazwisko, Anna podała prawdziwe. Zaraz jednak dodała:

– Dam pani kartę kredytową. Ale mogłaby mnie pani zameldować pod innym nazwiskiem? Mój były mąż...

Nie dokończyła, obdarzając kobietę znaczącym spojrzeniem.

– Oczywiście – usłyszała w odpowiedzi. – Rozumiem. Jakie nazwisko mam zapisać?

– Hm... Anna Karenina?

– Jest pani pewna? Ona raczej nie miała szczęścia w miłości.

– Raczej nie.

– Może Annie Oakley? Pojawia się facet, strzela pani do niego, a potem odchodzicie w dal na tle zachodzącego słońca.

Anna roześmiała się.

– Dziękuję.

Wystrój pokoju ograniczał się do gładkich ścian i azjatyckich lampek. Z szerokich okien rozpościerał się widok na jezioro oraz Navy Pier; na tle nieba koloru indygo płonął jasnym światłem diabelski młyn. To wystarczyło, by Anna nabrała ochoty, żeby się rozebrać i zamówić szampana.

Tom odstawił torbę gimnastyczną i opadł na stojący obok głęboki fotel. Miał ściągnięte rysy twarzy i zaciskał mocno usta. Położył lewy łokieć na ramieniu fotela, tak by dłoń znajdowała się powyżej jego głowy. Była opuchnięta i pokryta krwawymi zakrzepami.

– Jak ręka?

– Boli.

Powiedział tylko tyle. Nie miał w zwyczaju użalać się nad sobą, przeciwnie, doprowadzał ją często do szału, odmawiając pójścia do lekarza, niezależnie od tego, jak bardzo był chory. „Co mi pomoże lekarz" – mawiał. „Poczuję się lepiej, zanim uda mi się umówić na wizytę".

Przesunęła się na brzeg łóżka. Denerwowała się, nie wiedziała, jak ma z nim rozmawiać, co powiedzieć.

– Obwiązać ci ją?

– Najpierw wypiję parę drinków i zjem garść tabletek.

Kupili w markecie butelkę bourbona oraz bandaż, gazę, krem antyseptyczny, mydło antybakteryjne, ibuprofen i szynę. Anna wytrzęsła z buteleczki kilka kapsułek i podała je mężowi. Wyjęła z torby whiskey. Zdawała sobie sprawę, że nie powinno się mieszać środków przeciwbólowych z alkoholem, ale w porównaniu z ich obecnymi kłopotami zasada ta wydawała się po prostu śmieszna. Napełniła dwie szklaneczki. Bez słowa, ze wzrokiem wbitym w widok za oknem, podała mu jedną z nich.

– Przepraszam, Tom.

Skinął głową, nie patrząc na nią.

– To było głupie. Powinnam była ci zaufać. *Ufam* ci! To było... po prostu głupie.

Wypił łyk alkoholu. Wzruszył ramionami.

– Teraz to już nieważne – powiedział.

– Dla mnie ważne.

– Naprawdę?

– Naprawdę.

– W porządku. Ale skoro tak, to powiedzieć ci, który moment był dla mnie najgorszy? – Odwrócił się i zaatakował ją trudnym do rozszyfrowania wyrazem twarzy. – Nie ten, kiedy zobaczyłem, że pieniądze zniknęły. Nawet nie ten, kiedy gość nadepnął mi na palce. Dopiero potem. Ciągle nie wierzyłem, że je zabrałaś. Jack powiedział, że tak, ale mu nie wierzyłem. Dopóki nie spojrzałem ci w oczy i nie zdałem sobie sprawy, że zna cię lepiej niż ja.

– To nieprawda.

Uniósł brwi. Wypił kolejny łyk.

– A ty? – Anna odnosiła wrażenie, że balansuje na emocjonalnej linie: z jednej strony nienawidzi siebie, z drugiej czuje ogarniającą ją furię. – Skąd znasz jego nazwisko? Co takiego robiłeś, o czym nie mogłeś mi powiedzieć?

– Ratowałem nam życie.

Powiedział to spokojnym, pozbawionym agresji tonem, co pomogło Annie odzyskać równowagę na linie.

– To znaczy? – zapytała.

– Jack nie jest naszym jedynym problemem. – Tom dopił bourbona i nachylił się ku butelce. Anna uprzedziła go i napełniła mu szklankę. Kiedy skończyła, uśmiechnął się lekko, nic wielkiego, zwykłe: „dziękuję”, raczej nawyk i grzeczność niż cokolwiek innego, ale mimo wszystko był to uśmiech. – Ściga nas ktoś jeszcze.

– Kto?

– Czyngis-chan.

– Hę?

– Zaraz wyjaśnię.

Otworzyła usta, ale zamknęła je, oparła się o deskę łóżka i skinęła głową. Tom opowiedział jej o spotkaniu z mężczyzną w garniturze, o tym, jak groził im obojgu. O swojej rozmowie z detektywem, o ostrożnym lawirowaniu między wyolbrzymianiem zagrożenia a zaciemnianiem sytuacji. O tym, jak gawędził sobie na temat nieruchomości z Jackiem Witkowskim, podczas gdy w kieszeni parzył go nóż. Słuchała w milczeniu, składając w głowie w całość poszczególne elementy układanki. Złodzieje, którzy zasadzili się na Gwiazdę kupującego narkotyki. Zdrada i morderstwo. Wszyscy rozdzielają się i cały towar ląduje w rękach jednego człowieka – człowieka, który ukrył je w wynajętym mieszkaniu na parterze dwurodzinnego domku na Lincoln Square. Wokół nich rozegrała się prawdziwa epopeja.

– Czy facet w garniturze powiedział, ile mamy czasu?

– Nie. Ale nie za dużo. Pewnie nas teraz szuka.

– Twoim zdaniem jest niebezpieczny?

– Zdecydowanie tak.

– Gorszy niż Jack?

Tom pokręcił głową.

– Nie wiem. A co za różnica?

– Pewnie żadna. – Pomasowała sobie skroń. – I co zrobimy?

– Pójdziemy na policję – odparł.

– Musielibyśmy wszystko im powiedzieć.

– No i?

– Tom, musielibyśmy oddać pieniądze. Nie tylko gotówkę, która nam została, ale i tę część, którą już wydaliśmy. Musielibyśmy wynająć prawnika. – Nagle coś sobie uzmysłowiła. – Boże, nie mam teraz nawet pracy! Jak mielibyśmy za to zapłacić? Stracilibyśmy dom. – Pokręciła głową. – Musi być jakieś inne wyjście.

– Zamieniam się w słuch.

Anna się zawahała. Nawet gdyby wszystko poszło jak po maśle, gdyby jakimś cudem udało im się przeczekać burzę, gdyby policja złapała Jacka oraz dilera narkotyków, gdyby prawnik wybronił ich przed więzieniem, ostatecznie straciliby szansę na dziecko. Czas i długi z pewnością by to zagwarantowały. Nie mogliby nawet ubiegać się o adopcję. Dobrze sprawdziła procedury i wiedziała, jak są rygorystyczne. Do uznania pary za niekwalifikującą się wystarczyło, by pracownica ośrodka odczuła niewłaściwe fluidy. Anna wyobraziła sobie wywiad: „No cóż, owszem, jesteśmy na skraju bankructwa. To prawda, ukradliśmy pieniądze nieżyjącemu lokatorowi. Faktycznie, musieliśmy sprzedać dom, żeby opłacić prawnika, który wybronił nas przed ciężkimi zarzutami w sądzie. Ale będziemy dobrymi rodzicami. Może przymknie pani oko na resztę, co?".

Jeśli pójdą na policję, zaryzykują wszystko. Jeżeli nie, zaryzykują własne życie.

– Nie mogę w to uwierzyć. To jakieś wariactwo.

– Wiem.

– Chodzi mi o ten zbieg okoliczności. O ten drobiażdżek. Nasz lokator postanowił zrobić sobie kawę. I tyle. Gdyby nie to, nie wywołałby pożaru. Nie znaleźlibyśmy pieniędzy. Wszystko wyglądałoby zupełnie inaczej.

– Ale pożar wybuchł i zrobiliśmy to. Teraz musimy jakoś z tego wybrnąć.

Anna musiała podjąć najtrudniejszą decyzję w życiu, ponieważ ktoś nabrał ochoty na kawę rozpuszczalną. Na samą myśl o tym dostawała drgawek.

– Nie musimy dzwonić na policję już teraz, prawda?

Pokręcił głową.

– Ale powinniśmy to zrobić wkrótce. Im dłużej będziemy zwlekać, tym mniej przyjaźnie będą nastawieni.

– Jak myślisz, co zrobią?

– Nie wiem. Po pierwsze zabiorą pieniądze. Ale jakoś trudno mi sobie wyobrazić, żeby nas mieli przymknąć. W końcu nie jesteśmy mordercami.

– Czy zapewnią nam ochronę?

Przez dłuższy czas Tom nie odpowiadał.

– Zrobią, co będzie w ich mocy – rzekł w końcu.

Anna wróciła myślami do chwili w ich mieszkaniu, gdy Tom leżał na plecach, a Jack klęczał na nim, celując z wielkiego pistoletu w piękną twarz jej męża. Przypomniała sobie, jak głośny był wystrzał, jak w uszach dzwoniło jej jeszcze przez całe pół godziny. Eksplozję, płomień, wściekłość. Przez chwilę – na szczęście dosyć krótką – przed jej oczami unosił się obraz tego, co ci źli ludzie mogą zrobić innym. Tomowi.

Mieli szczęście. Po prostu szczęście. Szczęście, że zamontowali alarm, że miał on funkcję specjalnego kodu, że policja zjawiła się tak szybko. Nie wygrali z Jackiem, w żadnym razie nie wygrali. Mieli szczęście.

Ale nawet przy sprzyjającym im szczęściu udało im się jedynie uciec. Jack ciągle gdzieś tam był. Sprytny, niebezpieczny, a teraz jeszcze wkurzony. Czy policja ich przed nim ochroni? Czy w ogóle jest w stanie? Jak długo będzie to robić?

– Może powinniśmy wyjechać z miasta. Uciec.

– Prędzej czy później będziemy musieli wrócić.

– Pewnie tak. – Pokręciła głową. – Chciałabym tylko znaleźć się z dala od tego wszystkiego. Od nich obu. Najlepiej poczułabym się w Detroit.

Kiedy to mówiła, sączył właśnie bourbona. Wydał z siebie nieokreślony odgłos – tak jakby chciał wybuchnąć śmiechem, ale nagle się zakrztusił. Pokręcił głową i przełknął z trudem. Miał załzawione oczy.

– Co?

Tom uderzył się w pierś i odkaszlnął.

– To co powiedziałaś.

– Czyli co?

– No wiesz – spojrzał na nią – musimy być naprawdę głęboko w dupie, skoro wolałabyś znaleźć się teraz w Detroit.

Anna również parsknęła. A potem zaśmiała się głośno. Zaczęła zanosić się śmiechem. Było to wyzwalające, głęboko oczyszczające, głupie, ale uczepili się tego oboje, zarażając się nawzajem, a ich śmiech był o wiele donośniejszy, niż zasługiwał na to dowcip.

– No cóż – powiedział Tom, gdy wreszcie się opanowali – ja czuję się mniej więcej tak samo. Może lepiej...

Skinęła głową. Zabrała go do łazienki, odkręciła wodę, odczekała, aż poleci letnia, i włożyła pod nią jego dłoń. Wrzasnął, ale nie cofnął ręki. Umyła dokładnie własne dłonie, a potem ostrożnie zaczęła obmywać mu kolejno palce. Gdy zeszła z nich cała zakrzepnięta krew, oceniła obrażenia. Palce były silnie poobcierane, a na wskazującym ziało paskudne rozcięcie aż do mięśnia. Wszystkie były zaczerwienione, grube jak kiełbaski i gorące w dotyku. Pulsowały rytmicznie. Mały palec był złamany – wyginał się na bok zdecydowanie zbyt mocno.

Osuszyła ręcznikiem dłoń i rękę męża, a potem rozsmarowała na niej krem antyseptyczny.

– Będzie bolało.

Skinął głową i usiadł na toalecie, nagle blady na twarzy.

– Podaj mi myjkę.

Skręcił z niej sznur i zacisnął na nim zęby. Zaczął sapać przez nos: raz, dwa, trzy, a potem spojrzał na żonę i ponownie skinął głową.

Przygotowała się. Lepiej zrobić to szybciej i za pierwszym razem. Złapała go za mały palec i wykręciła go mocno. Wrzasnął przez zaciśnięte zęby i myjkę.

– Przepraszamprzepraszamprzepraszam! – zawołała. Nienawidziła się za to, co mu robi, i czuła, że jej własna twarz też stężała. Nachyliła się nad dłonią. Poruszała delikatnie palcem, sprawdzając, czy znalazł się na właściwym miejscu, przerażona, że musiałaby to zrobić ponownie. Wydawało się jednak, że jest dobrze. Przyłożyła do niego szynę i owinęła ją ciasno bandażem.

– Gotowe. Powinno wystarczyć. – Zaczęła bandażować pozostałe palce. – Myślę, że nic ci nie będzie. Tylko jeden palec jest złamany. Ale chyba nie nastawiłam go do końca. Wkrótce będziesz musiał pójść do lekarza.

Wypluł myjkę i wypuścił powietrze.

– Obiecaj mi coś – powiedział gardłowym głosem.

– Co tylko chcesz.

– Nie okłamujmy się więcej. Okej? Już nigdy.

Spojrzała na niego – na mężczyznę, którego znała od zawsze.

– A ty nie próbuj mnie już nigdy chronić. Przebrniemy przez to razem.

Na jego ustach powoli zakwitł uśmiech, słodki jak wiosenny poranek.

– Wspólnicy w zbrodni.

– Wspólnicy w zbrodni.

Nachyliła się nad jego obandażowaną ręką, żeby go pocałować. Poczuła jego szorstkie wargi i miękki język. Nie był to namiętny pocałunek, po którym ląduje się w łóżku. Ale był prawdziwszy niż słowa.

Bourbon rozświetlił go od środka puszystą poświatą, szlifując krawędzie bólu i rozluźniając całe ciało. Tom leżał na łóżku z lewą ręką na poduszce. Prawą obejmował Annę. Za oknem diabelski młyn obracał się, obracał, obracał.

Nazajutrz czekał go koszmarny dzień. Teraz jednak, w tej sekundzie, wydawało mu się, że dzieli go od niego milion kilometrów. Być może był w szoku. Być może sprawił to alkohol. Ale póki co na szczęście było mu dobrze i czuł się bezpiecznie, tak jakby znajdował się na łodzi, którą dopłynie wreszcie do portu.

Nagle zadzwoniła jego komórka. Leżała na biurku.

– Zostaw – szepnęła mu w pachę Anna.

– Nie mogę – powiedział. Usiadł powoli, wyplątując rękę z jej ramienia. Spojrzał na wyświetlacz, ale nie skojarzył numeru. – To pewnie Halden. Jeżeli mamy jutro się przyznać, powinienem z nim pogadać.

– Powiesz mu wszystko?

– Mam nadzieję, że teraz jeszcze nie będę musiał. – Wstał i strzelił kośćmi w karku. – Wolałbym zrobić to podczas rozmowy w cztery oczy. Poza tym zostawmy sobie tę noc. Od jutra przez długi czas nie będziemy mogli cieszyć się spokojem.

Uśmiechnęła się do niego.

– Kocham cię.

– Ja ciebie też. – Otworzył klapkę telefonu i burknął do słuchawki: – Tom Reed.

– Cześć, Tom! Jak tam, wygodny hotelik ten W? – Głos Jacka Witkowskiego był ostry, lodowaty. – Mają w pokojach minibarki?

15

O MAŁO NIE UPUŚCIŁ TELEFONU.

– Jak nas...

– Jak was znalazłem? – Jack parsknął śmiechem. – Z tego żyję. Naprawdę myślałeś, że mi uciekniecie, palancie?

Pod Tomem ugięły się nogi; usiadł na krawędzi stolika. Wymienił spojrzenia z Anną, która usłyszała ton jego głosu i usiadła prosto zaniepokojona.

– Ale nie odpowiedziałeś na moje pytanie. W. Fajny hotel?

– Tak. – Tom próbował nie tracić animuszu. – Niezły widok.

– No, jasne. Ile za noc, trzy stówki?

Może była to kwestia odległości. Może szoku, wypitego alkoholu albo wyczerpania, ale Tom nie czuł się już zastraszony.

– I co z tego? Z twoją forsą możemy tu mieszkać przez trzy lata.

Jack przez chwilę nie odzywał się, a potem zarechotał do słuchawki.

– Ciągle traktuję cię jak ciotę, a ty ciągle udowadniasz, że nie mam racji. Ten ruch z nożem był całkiem niezły. Nie udało ci się, ale to było odważne. Co do twojej żony, to również pełen szacun. Każdy głupi potrafi wpisać kod alarmowy, ale grać na zwłokę, mówić o pieniądzach w otworze wentylacyjnym? Chylę czoła.

– No chyba.

– A teraz czujesz się bezpieczny, bo siedzisz sobie w luksusowym pokoju hotelowym. Wielkie okna, romantyczny widok, o którym coś mówiłeś. Pewnie też walnąłeś parę drinków. Mam rację? Machnąłeś ze dwa?

– Owszem.

– Ciekawe, co pije facet taki jak ty?

– Bourbona.

– Z wodą, lodem?

– Bez.

– No proszę. Gdybym cię lepiej znał, inaczej rozegrałbym to wszystko u ciebie w domu. Nie zostawiłbym cię samego.

– Przypuszczam, że nie było nic na ten temat w poczcie. To tak zdobyłeś numer mojej komórki, co?

– Jasne. – Jack przerwał na chwilę. – Tak przy okazji, co jest nie tak z twoim kutasem? Czytałem list z kliniki leczenia bezpłodności. Czyżbyście potrzebowali z Anną pomocy? Z przyjemnością wycisnę wam trochę dziecięcego soczku.

– Pierdolę cię, jebany świrze!

Ostre słowa jakby same wypadły Tomowi z ust, twarz zalała mu nagle krew. Po wszystkim przez co przeszli, był zdziwiony, że Jack ciągle potrafi dopiec mu do żywego, rozlać truciznę na to, co jest dla niego cenne.

– Mnie pierdolisz? – Jack roześmiał się. – Może w tym właśnie tkwi problem. Nie dorobisz się dzidziusia, próbując wyruchać Polaczka w średnim wieku. Coś nie tak, Tom? Jesteś pedziem?

Wstał, podszedł do okna. Spojrzał na Drive, przednie światła samochodów mknące w jedną stronę, tylne w drugą. Przeszłość tu, przyszłość tam, teraźniejszość znaczona ulotną jedynie, rozmazaną chwilą.

– Powiedzieliśmy wszystko policji.

– No dobra, pochwaliłem cię za to, że masz jaja. Ale mózg to ma raczej twoja żona. Wiem, że nic nie powiedzieliście glinom.

Tom poczuł, że tonie. Zamilkł.

– No właśnie, twardzielu. Obserwowałem dom. Też mam jaja. Siedziałem sobie przy waszej ulicy i patrzyłem, jak dwóch mundurowych wchodzi do was, a pięć minut później wychodzi. Trzymaliście gęby na kłódkę. I będziecie trzymać. Bo inaczej każą wam oddać łup. A jeśli to zrobicie, zabiję was: i ciebie, i Annę.

– Nawet jeśli nie mamy pieniędzy?

– Do dupy, nie? – radośnie skomentował Jack. – Myśleliście, że pieniążki spadły wam z nieba, a okazało się, że teraz źli ludzie depczą wam po piętach. Życie to niezła dziwka.

Tom otworzył usta, ale zaraz je zamknął. W ciemnym oknie widział tylko odbicie wnętrza pokoju i sylwetkę Anny majaczącą z tyłu.

– Po co do nas zadzwoniłeś? – zapytał w końcu. – Żeby to powiedzieć?

– Zadzwoniłem powiedzieć wam, że dziś jest wasz szczęśliwy dzień. Proponuję wyjście z sytuacji.

– To znaczy?

– Po prostu oddajcie mi pieniądze, Tom. I tyle.

– Skąd będę wiedział, że mnie...

– Że cię nie zabiję? Zrobimy to w publicznym miejscu, jak w telewizji. Widzisz, doszedłem do wniosku, że nie pójdziesz na policję, bo sam siebie wpakujesz w kłopoty, a zresztą właściwie nie wiesz niczego, co mogłoby mi zaszkodzić. Przynieś więc po prostu to co moje i żyj sobie dalej.

Tom milczał.

– Nie odejdę. Nie będzie tak, że pójdziesz sobie spać, a rano okaże się, że mnie już nie ma. Ta forsa bardzo dużo mnie kosztowała. Możemy więc załatwić to jak biali ludzie albo pewnego dnia znowu się spotkamy – wtedy gdy najmniej będziesz się tego spodziewał. Ale jeśli do tego dojdzie... Cóż, nie ograniczę się do twojej dłoni. Ani jej.

Tom poczuł rwanie w palcach, które nagle zrobiły się gorące.

– To jak będzie? Przyniesiesz mi pieniądze?

– Tak – poddał się Tom.

– Grzeczny chłopczyk. Wiesz co to Century Mall?

– Galeria handlowa na rogu Clark i Diversey.

– Bądź tam jutro rano. O dziesiątej. Okej?

– Okej.

– I wiesz co, Tom? – Głos Jacka nagle stwardniał. – Nie próbuj mnie wyruchać. Jestem bystrzejszy od ciebie, nie brzydzę się przemocą i robię takie rzeczy od lat. Rozumiemy się?

– Tak – odparł Tom. – W stu procentach.

W RESTAURACJI BYŁO DUSZNO I TŁOCZNO. Przy stolikach siedzieli głównie faceci w koszulach ze spinkami przy mankietach, rozmawiający skrótami. Halden zamówił budweisera, ale zaraz potem przemyślał sprawę i poprosił jeszcze o szklaneczkę whiskey.

– Ciężki dzień, co?

Kelnerka miała na sobie koszulkę zaprojektowaną tak, by podnosiła jej piersi, niemal wypychając je na zewnątrz.

– Jeszcze jak.

Po spotkaniu z Tomem Reedem w kawiarni Halden podekscytowany wrócił szybko na posterunek. Jeśli Reed nie za bardzo nakłamał o dilerze narkotyków, facet mógł okazać się kluczem do rozwiązania całej sprawy. Poszedł prosto do gabinetu porucznika. Johnson siedział z nogami na biurku i przeglądał jakieś akta.

– Szefie!

Johnson uniósł palec wskazujący, ale nie oderwał wzroku od papierów. Czytał dalej, poruszając bezgłośnie ustami. Dopiero po chwili zamknął teczkę.

– Cześć, Chris.

Zostali detektywami w tym samym roku, ale Johnson troszczył się bardziej o politykę niż o policyjną robotę i robił co mógł, żeby podlizać się irlandzkiej mafii, dopasować do systemu nepotyzmu, który funkcjonował na wszystkich szczeblach administracji w mieście: od burmistrza Daleya w dół. Nauczył się nawet grać na dudach, żeby móc dołączyć do gwardii honorowej. Rzecz jasna okazało się to skuteczne, ale zawsze wkurzało trochę Haldena, który uważał, że gdyby mogło mu to zapewnić awans, Johnson pewnie włożyłby kilt i zatańczył w Riverdance.

– W kontenerze na śmieci na rogu Sheridan i Buena znaleziono ciało – powiedział porucznik, zanim Halden zdążył wtrącić choć słowo. – Masz tam jechać.

– Nie mogę. Pracuję nad inną sprawą.

– Jaką?

– Willa Tuttle'a.

– Myślałem, że to przedawkowanie.

– Tak, wywołało atak serca. Ale jest coś jeszcze. Właściciel mieszkania, niejaki Tom Reed...

– Nadal uznajemy to za przypadkowy zgon?

– Tak.

– W takim razie to mi wystarczy. Nie grzebiemy w zamkniętych sprawach. Zabieraj zabawki i jedź na Sheridan. Sprawę prowadzi Victor, ty pomagasz.

Powiedziawszy to, Johnson wrócił do lektury akt.

Frustracja sprawiła, że Halden wypalił bez zastanowienia:

– Chodzi o „Skok na Gwiazdę".

Johnson natychmiast podniósł wzrok znad papierów. Wyprostował się i nachylił.

– Co? Trafiłeś na coś?

I w tym właśnie momencie Halden wyobraził sobie rozwój wypadków. Szansa na rozwiązanie sprawy „Skoku na Gwiazdę"? Może o tym zapomnieć. Do akcji wkroczy góra. Politycy staną w blasku jupiterów. Wygryzą go, uścisnąwszy mu co najwyżej rękę i poklepawszy po plecach. Skończy jako krótka wzmianka w raporcie. Tymczasem Johnson albo ktoś taki jak on dostanie awans.

To samo gówno, jakie zdarzało mu się przez całe życie. Halden, nie zastanawiając się zbytnio nad tym, co robi, powiedział:

– Nie. Nic z tych rzeczy.

Porucznik zmrużył oczy.

– Na pewno?

– Jasne. – Halden odchrząknął. – Chciałem się tylko zapytać. Dowiedzieć, czy pojawiło się coś nowego w sprawie. Odkąd odfajkowałem Tuttle'a.

Johnson przyglądał mu się przez chwilę, po czym pokręcił głową.

– Jeśli się czegoś dowiemy, przekażę ci. – Odchylił się z powrotem w fotelu. – Jedź na Sheridan.

– Już jadę – odparł Halden.

Ale nie pojechał. Co więcej, nawet nie zadzwonił do Victora, aby poprosić, żeby go krył. Zamiast tego podniósł słuchawkę telefonu, wykręcił numer swojego dawnego partnera, Lawrence'a Tully'ego, i zaprosił go na obiad.

Barmanka postawiła przed nim szklaneczkę whiskey. Halden wychylił ją duszkiem i zamówił kolejną.

Tully spóźnił się dwadzieścia minut, ale nadgonił to efektywnym wejściem. Na wstępie głośnym żartem doprowadził niemalże do łez szefową sali, a potem klepnął z całej siły Haldena w plecy. Tully był prawdziwym niedźwiedziem: łysy, czerwona twarz, a jego podbródek – miał własne podbródki.

– Chris Halden, kościsty sukinsynu, co ta Maria w tobie widzi?

– Jezu, Larry! Prowadzenie własnej firmy dobrze ci służy!

– Jeszcze jak! – Tully odwrócił się bokiem i poklepał po brzuchu. – Już ci współczuję: to ty dzisiaj płacisz.

Szefowa sali zaprowadziła ich do stolika i wręczyła im po oprawionym w skórę menu. W kącie z tyłu facet w kamizelce przygrywał na pianinie. W restauracji było dosyć ciemno i duszno. Halden poprosił o następną kolejkę piwa i whiskey, razy dwa, a po chwili obaj dostali po steku – Tully, ku przerażeniu Haldena, zamówił befsztyk z polędwicy z topioną gorgonzolą – pieczonym ziemniaku i sałatce. Jedząc, opowiadali sobie, co słychać, i wspominali czasy, gdy wspólnie biegali po rewirze. Ledwie jednak Tully pochłonął ostatni kęs, odłożył na talerz serwetkę i westchnąwszy rozkosznie, odchylił się na krześle, Halden natychmiast przeszedł do rzeczy i zapytał, czego jego kumpel dowiedział się o Reedach.

– Czyżby niedawno umarł im bogaty wujek?

– Co masz na myśli?

Tully napił się piwa.

– Miałeś rację – powiedział. – Sypnęło im ostatnio szmalem.

Halden poczuł, że przyspiesza mu puls. Zmusił się, by niczego po sobie nie pokazać.

– Skąd wiesz?

– Zadzwoniłem do kumpla w Citibanku. Goście właśnie wyrównali sobie saldo na karcie Visa. Spłacili jakieś piętnaście patoli.

Piętnaście tysięcy. Przypomniał sobie ich niewinne minki w trakcie jego drugiej wizyty w ich domu, jak udawali urażonych, gdy ledwie zasugerował, że mogli coś ukraść. Ludzie. Kurwa.

– I nie ma co do tego wątpliwości? To znaczy, czy twoje źródło jest pewne?

– Pierdol się, Chris.

– Tully...

Jego kumpel nachylił się nad stołem.

– Pracuję w branży informacji. Tak zarabiam na życie. Mam zlecenia od kancelarii prawniczych z Michigan Avenue.

Od prokuratury. Do diabła, pracuję nawet dla paru agencji bezpieczeństwa wewnętrznego, co zresztą nie jest niczym wyjątkowym, zważywszy, jak ostatnio szastają forsą na lewo i prawo. Najpierw prosisz mnie o przysługę, a teraz pytasz, czy znam się na własnym biznesie?

Halden uniósł dłonie w geście kapitulacji.

– Masz rację. Przepraszam. Kajam się u stóp, okej?

– Niech będzie, przeprosiny przyjęte. – Odchylił się, nadal nieco urażony. – Chcesz papiery?

– Wszystko, co tylko masz.

Tully sięgnął do aktówki, wyjął z niej brązową kopertę i podał ją Haldenowi.

– Właściwie niewiele więcej znalazłem. Mają hipotekę na trochę większą sumę, niż powinni, jakieś długi. Kilka mandatów za nieprawidłowe parkowanie. Oboje pracują w śródmieściu. – Wzruszył ramionami. – Wszystko w porząsiu, z wyjątkiem karty Visa.

Halden podziękował swojemu dawnemu partnerowi i odwdzięczył się dodatkowo, zamawiając deser i jeszcze jedną kolejkę whiskey. Ale przez cały czas jego umysł intensywnie pracował, a on sam czuł swędzenie w palcach. Gdy w głowie zaczyna układać się teoria – Boże święty! To najlepsze uczucie na świecie!

„Mam was!" – pomyślał. „Teraz was mam".

Owszem, okłamał porucznika. Będzie musiał to jakoś odkręcić. Wyjaśnić, dlaczego działał sam, dlaczego zatrzymał podejrzenia dla siebie. Nie zyska dzięki temu przyjaciół. Ale z drugiej strony, kogo by to obchodziło? Wyniki mówią same za siebie. Pieprzyć to, jak już gazety otrąbią go bohaterem, kumple z departamentu nie będą mieli wyjścia i dołączą do chóru pochlebców.

Widział już siebie, jak siedzi na werandzie chatki na zachód od Minocqua z kubkiem kawy w ręku, obok niego leży pies, a w kuchni Maria podśpiewuje sobie, przygotowując śniadanie. A wszystko, co musi zrobić, to aresztować dilera narkotyków zaplątanego w „Skok na Gwiazdę”, zgarnąć czterysta tysięcy dolców w gotówce oraz dwóch cywili na tyle głupich, że próbowali je zatrzymać.

Bułka z masłem.

Anna patrzyła, jak Tom zamyka klapkę telefonu i odkłada go na parapet. Stał tyłem do niej i wpatrywał się w pogrążone w mroku miasto. Położyła mu dłoń na ramieniu, a on sięgnął ku niej i przykrył jej palce własnymi.

– Co powiedział?

– Chce swoich pieniędzy. Powiedział, że jeśli mu je zwrócimy, zostawi nas w spokoju.

– I tak nas zabije.

– Jak już dostanie forsę, nie będzie miał powodu.

– Tak, ale... – Przerwała, szukając właściwych słów, by opisać wrażenie, jakie odniosła, gdy Jack uciekał z ich kuchni. Podskórną pewność, że miał zamiar ich zabić, może nawet tego chciał. – Myślę, że to dla niego sprawa osobista. Tak jakby chciał się zemścić. Może na Willu? – Nagle coś jej przyszło do głowy. – Wiesz co? Gość pewnie spodziewa się, że zwrócimy mu całość. Wszystkie pieniądze.

– O kurwa! Faktycznie, zanim wróciłaś do domu, mówił o czterystu tysiącach. – Tom pomasował sobie dłonią czoło. – Mamy przejebane.

Anna spojrzała na torbę gimnastyczną, której boki wypychała zawartość. Miała ochotę wytrzepać jej zawartość na łóżko, zasypać je forsą niczym deszczem. Stosy banknotów!

– Cukinia.

Tom uniósł brew.

– Pamiętasz? Jak na imprezie robiło się nudno albo któreś z nas miało dosyć rozmowy z kimś, mówiliśmy: „cukinia”. Szukaliśmy pretekstu, żeby wtrącić to słowo w zdaniu, a drugie z nas wiedziało, że musi ruszać na ratunek. Wykombinować coś, żeby nas z tego wyciągnąć. – Uśmiechnęła się na samo wspomnienie. – Zawsze byłeś w tym dobry.

Spojrzał na swoją szklankę i na obandażowaną dłoń.

– Myślę, że jest już o wiele za późno na cukinię.

W jego głosie można było wyczuć poczucie klęski, które sprawiło, że Annie niemal pękło serce.

– Bystrzaki z nas – powiedziała. – Coś wykombinujemy.

– Tak myślisz?

Miał to być dowcip, ale okazał się mało śmieszny.

Anna zaczęła chodzić po pokoju. Robiła niewielkie kółka: od łóżka do drzwi, z powrotem i na nowo.

– No dobra. Jakie mamy możliwości? Możemy spotkać się jutro z Jackiem, oddać mu pieniądze i mieć nadzieję, że zadowoli się niepełną kwotą.

– I że mówił prawdę, obiecując, że nas nie zabije.

– Racja. Jeżeli nas nie zabije, jesteśmy czyści. Nie musimy się martwić glinami, prawnikami i całym tym gównem. Oraz długami.

– Długami się teraz nie martwię.

– Nie jestem chciwa, kochanie. Nie marzę o futrze z norek. Chcę tylko...

– Wiem – przerwał jej zmęczonym nieco głosem. – Wiem.

– Możemy pójść na policję. – Zatrzymała się i przechyliła głowę. – Co by było, gdybyśmy poszli tam od razu? Mogliby wziąć galerię pod obserwację i aresztować ich na miejscu.

Tom pokręcił głową.

– Nie wiemy na pewno, czy pojawi się tam osobiście. Nie działa w pojedynkę. Ktoś wysłał mu ostrzeżenie SMS-em, że wchodzisz do domu. Poza tym, nawet gdyby tam był, pewnie zauważyłby gliny.

– I co z tego? Przyjmijmy, że go nie złapią: ale przecież jak zobaczy policję, będzie wiedział, że nie mamy już pieniędzy.

– Jasne. Tyle że właśnie powiedział mi, że jeśli oddamy forsę policji, zabije nas oboje.

Wypuściła powietrze ustami i zamknęła oczy. Znowu zaczęła krążyć po pokoju.

– Mimo wszystko – odezwał się po długiej chwili Tom – moim zdaniem powinniśmy zrobić właśnie to. Pójść na policję, powiedzieć im wszystko. Przestać udawać, że jesteśmy kryminalistami, połknąć lekarstwo.

Powiedział to takim tonem, jak gdyby chodziło o podrzucenie czyjegoś samochodu na parking. Ale to nie było takie proste, prawda?

– Przede wszystkim powinniśmy zadbać o własne bezpieczeństwo.

– Gliniarze nas ochronią.

– A co, jeśli nie złapią Jacka? Jeśli przyczai się na rok albo dwa? Przecież nie obejmą nas programem ochrony świadków.

Tom podszedł do fotela i usiadł na nim, zakładając nogę na nogę.

– Jesteśmy udupieni, jeśli pójdziemy na policję, i udupieni, jeśli nie pójdziemy. Może więc po prostu stąd uciekniemy? Do Detroit, tak jak mówiłaś?

– A co z domem? I z twoją pracą?

– Znajdę nową. Dom możemy sprzedać na odległość. Wynajmiemy coś zamiast kupować, użyjemy fałszywych nazwisk...

– Skąd weźmiemy fałszywe dowody? Jak zdobędziemy pracę albo otworzymy konto w banku bez numeru ubezpieczenia? Nie wiem, jak się załatwia takie rzeczy. Poza tym – wzruszyła ramionami – tu jest nasz dom. Tutaj mieszka Sara. Nasi przyjaciele.

Westchnął i skinął głową.

– Musi być jakieś wyjście – stwierdziła Anna. – To przecież nasze życie. Nie może się tak skończyć. To nie w porządku.

– Nie w porządku? – Tom parsknął śmiechem. – Musimy się zgodzić co do jednego, okej? Przestańmy udawać pieprzone ofiary. Zabraliśmy pieniądze. To wszystko zmienia.

– Tak czy inaczej, musi być wyjście.

– Ja go nie widzę. Ale nawet jeżeli załatwimy jakoś tę sprawę, to przecież na tym nie koniec. Ciągle mamy na głowie...

Tom nagle zesztywniał i otworzył szeroko oczy.

– Co? – Spojrzała na niego, a potem zerknęła przez ramię, upewniając się, że nikt nie wszedł do pokoju. – O co chodzi?

Tom przez długą chwilę patrzył przed siebie. Miał zmrużone oczy, tak jak zawsze, gdy głęboko się nad czymś zastanawiał. Gdy wreszcie się odezwał, jego głos był cichy.

– Mam pomysł – powiedział.

16

Najpierw poczuł przypływ euforii, zastrzyk energii. Jak przy rozwiązywaniu łamigłówki, jak w momencie gdy coś przeskakuje człowiekowi w głowie i zdaje sobie nagle sprawę, że dwaj bracia mogą być identyczni, mimo iż nie są bliźniakami – są trojaczkami. Spogląda na dobrze znany problem pod zupełnie nowym kątem.

Przymierzył się do tej myśli, zaczął ją analizować, pytać: a co, jeśli to; a co, kiedy tamto. Efekt był zadowalający. Nie olśniewający, ale zadowalający. Z pewnością plan był bezpieczniejszy niż cokolwiek, co rozważali do tej pory.

– O co chodzi? – spytała Anna. – Powiedz mi!

Powiedział. Kiedy wypowiadał na głos poszczególne słowa, plan zaczął nabierać realnych kształtów, co zresztą nie podziałało na Toma specjalnie motywująco. Obserwował Annę; widział, jak mruży oczy, jak wokół nich pojawiają się cieniutkie zmarszczki.

– Myślę, że to może się udać – skomentowała, gdy skończył.

– No nie wiem. Jack miał rację, mówiąc, że to nie nasz świat. Może powinniśmy po prostu pójść na policję. – Tom zamknął oczy i uszczypnął się kciukiem oraz palcem wskazującym w nos. Ciemność wydawała się bezpieczna, tak jak wtedy gdy daje się nura pod koc, uciekając przed śnieżną nocą. Zmusił się, by otworzyć oczy. – Pytanie tylko, czy potrafimy to zrobić. To znaczy... Kim będziemy, jeśli to zrobimy.

– Będziemy żywi – powiedziała cicho Anna. – Wolni. – Przechyliła głowę. – Bogaci.

– Ach, przestań już mówić o pieniądzach!

– Naprawdę, Tom? Mam nie mówić o pieniądzach? – Jej łagodny do tej pory ton ktoś jakby pociął ostrzem noża na wstążki. – Nie obchodzi cię, że będziemy musieli ogłosić bankructwo? Że stracimy dom? Nie będziemy mieli dziecka, rodziny? Że będziemy musieli wynająć prawnika, iść do sądu, że zobaczymy swoje zdjęcia w gazetach? Że przez najbliższe dziesięć lat będziemy się z tego wydobywać? Mam już dosyć tego, że mówisz tak, jakby to był mój pomysł. Zdecydowaliśmy wspólnie. Nikt cię do tego nie namawiał. – Pokręciła głową, wypuściła ustami powietrze. Kiedy odezwała się znowu, mówiła już o wiele spokojniej. – Gdybym wiedziała wtedy to, co wiem teraz, też bym tego nie zrobiła. Wiem, że znaleźliśmy się w paskudnej sytuacji. Oddałabym pieniądze natychmiast, gdyby to mogło przywrócić nam nasze dawne życie. Ale to już niemożliwe! Po prostu niemożliwe. Albo więc będziemy silni, przebrniemy przez to i zadbamy o swoją przyszłość, albo spanikujemy i stracimy wszystko.

– Jeśli to zrobimy, zginie człowiek.

– Zły człowiek.

– Jak możesz tak łatwo się z tym godzić?

Wzruszyła ramionami.

– Próbuję myśleć realistycznie. Jack nie jest miłym facetem. Parę godzin temu próbowałeś go zadźgać i nikt nie mówił wtedy, że to coś złego.

– Wiem. I wierz mi, nie roniłbym nad gościem łez, gdyby umarł. Ale planowanie tego z góry wydaje się po prostu... Złe.

Anna przez dłuższą chwilę milczała.

– Nie jesteśmy złymi ludźmi, kotku – odezwała się w końcu. – Po prostu nas to przerosło.

Tom słyszał cichy szum samochodów dobiegający zza podwójnych szyb w oknie. Niektóre pojazdy zmierzały na północ, inne na południe. Tysiące ludzi żyjących własnym życiem, tysiące podejmowanych decyzji. Nie było sposobu, aby się dowiedzieć, od których z nich zależy wszystko.

– Podaj mi telefon – powiedział.

Oddał wizytówkę detektywowi, ale znał numer na pamięć. Niektóre rzeczy mogą na człowieku zrobić wrażenie. Na przykład kiedy diler narkotyków grozi mu śmiercią. Wystukał numer, wcisnął zielony klawisz. W słuchawce zadudnił bas, który z pewnością nie należał do mężczyzny w garniturze.

– Taa?

– Chciałbym rozmawiać z... – Tom zawahał się, zorientowawszy się nagle, że nie zna nawet nazwiska dilera. – Mówi Tom Reed. Chciałbym...

– Chwileczkę.

W głośniczku zabrzmiały stłumione odgłosy rozmowy, tak jakby ktoś zasłonił mikrofon dłonią. Po chwili odezwał się znajomy głos.

– Witam, panie Reed. Czy zrobił pan to, o co prosiłem?

– Przewróciłem dom do góry nogami. Naprawdę. Nie ma w nim tego, czego pan szuka. Przykro mi.

– Jestem rozczarowany.

– Wiem. Ale mam odpowiedź na pytanie, które pan zadał. Pańskiej. Jestem po pańskiej stronie. I mogę to udowodnić.

– Jak?

– Mówiąc panu, gdzie jest Jack Witkowski.

Nastąpiła długa pauza.

– Mądra odpowiedź – zawyrokował po chwili głos.

ANNA SIEDZIAŁA NA KRAWĘDZI ŁÓŻKA i patrzyła, jak jej mąż negocjuje morderstwo.

Miał nieco podkrążone oczy, ale mówił spokojnym głosem, starannie dobierając słowa. Mimo wszystko ciągle był silny. Poczuła falę miłości – i coś jeszcze. Dumę? Być może nie powinna czuć się dumna, że jej mąż potrafi zachować zimną krew w rozmowie z kryminalistą. Ale nawet jeśli, miała to gdzieś. Znowu byli oboje przeciw światu. Popcornowa moralność mogła zaczekać. Być może pewnego dnia będzie się zadręczała myślą o tym, co zrobili Jackowi Witkowskiemu. Być może oboje będą się tym zadręczali. Choć szczerze w to wątpiła.

– Tego panu nie powiem – rzekł Jack.

A po chwili:

– Jestem po pańskiej stronie, ale nie jestem idiotą.

A potem:

– Tak możemy się umówić.

I wreszcie:

– Jutro rano.

Zamknął klapkę telefonu, a potem otworzył ją znowu i przytrzymał czerwony klawisz, żeby aparat się wyłączył. Usłyszawszy bipnięcie, odłożył komórkę na parapet, a potem zagłębił się znowu w fotelu – w nowoczesnym niebieskim fotelu, kwadratowym i o wiele za dużym. Położył ręce na jego poręczach, zamknął oczy i przechylił głowę.

– Chce się ze mną spotkać przy śniadaniu.

– Naprawdę to zrobi?

– Był w siódmym niebie. Myślę, że cieszy go to bardziej niż możliwość odzyskania drugów.

– A potem zostawi nas w spokoju?

– Raczej tak. Sprawia wrażenie... zawodowca. Jestem pewien, że mi uwierzył, gdy mówiłem, że nie mamy narkotyków. No wiesz, dlaczego mielibyśmy kłamać? Przecież nie sprzedamy ich na rogu ulicy. Poza tym, jesteśmy biali, wykształceni, mamy pracę, płacimy podatki. Jeśli nas zabije, zacznie się śledztwo. Nie widzę powodu, dla którego miałby się w coś takiego pakować. Zresztą, gdy mu już pomożemy za...

Przesunął językiem po wargach.

Anna dokończyła w myślach za niego zdanie. Po prostu, żeby się przekonać. Oczywiście poczuła dziwne ukłucie. Chwilowy żal. Ale przede wszystkim musiała sobie radzić ze strachem. Że coś pójdzie nie tak, że coś nie wyjdzie i że ktoś skrzywdzi Toma. W porównaniu z tym wyrzut sumienia był jak strużka naprzeciw burzowej fali. Któż nie przedkładałby dobra ukochanego nad wszystko?

– I co teraz?

Tom pomasował zdrową ręką czoło. Wzruszył ramionami.

– Może sprawdzimy, czy jest coś ciekawego w telewizji?

ZOSTAWILI ROZSUNIĘTE ZASŁONY i na ciemnym suficie tańczyły teraz rozmazane refleksy miasta. Tom przed dwiema minutami spoglądał na zegarek i wiedział, że jest tuż po trzeciej, ale poczuł ogromną ochotę znowu sprawdzić godzinę. Oparł się jednak pokusie.

Ból w dłoni zsynchronizował się z rytmem jego serca: przy każdym uderzeniu palce pulsowały i się kurczyły. Przypomniał sobie, jak kiedyś omawiał z lekarzem dolegliwości żołądkowe i doktor poprosił go, żeby ocenił ból w skali od jednego do dziesięciu. Wydało mu się to dosyć dziwne. Skąd miał wiedzieć, jak silny jest jego ból? Czy nie mógł zawsze być gorszy? Takie już jest życie. Wydaje ci się, że wszystko rozumiesz, że wiesz, co jest dobre, a co złe, i nagle bum! – zdarza się coś takiego, co całkowicie redefiniuje twój system wartości.

– Czy jesteśmy chciwi? – zapytał w ciemnościach.

– Bo wzięliśmy pieniądze? – usłyszał po chwili głos Anny.

– Nie. Tak. – Wbił wzrok w sufit. – Nie tylko. Czy jesteśmy chciwymi ludźmi?

Na zewnątrz zatrąbił samochód. Szyba stłumiła odgłos klaksonu, zamieniając go w słaby, upiorny nieco jęk.

– Nie sądzę – odparła. – Nie bardziej niż inni.

– Sześć w skali do dziesięciu.

– Co?

Pokręcił głową. Nie odpowiedział. Leżeli w łóżku; kołdrę odrzucili daleko pod nogi i przykryli się tylko prześcieradłem. Ze swojego miejsca Tom nie widział miasta za oknem, a tylko łunę koloru indygo, podkradającą się do ciemnego błękitu nieba, które nigdy nie było w tym mieście czarne. Poniżej rozpościerały się głębie jeziora Michigan, jego smolista pomarszczona powierzchnia przyprószona bielą. Nie potrafił żeglować, ale zawsze chciał mieć jacht. Wyobrażał sobie, jak pływa nim, przecinając atramentowe prądy niczym kręgi snu – tylko on, Anna, zimny wiatr, głuchy chlupot wody i malejąca w dali łuna świateł miasta. Płynie na wschód, przez całą noc, w stronę słońca obmywanego przez samotność.

– O czym myślisz, kotku?

– O tym, co powiedział Jack. – Wrócił myślami do momentu, gdy czuł krążącą w żyłach adrenalinę oraz ucisk noża w kieszeni. Do tego, jak Jack zatoczył ręką półkole, wskazując ich mieszkanie, pytając o ich salon, małżeństwo, życie. – Zapytał mnie, dlaczego wzięliśmy pieniądze. Czego jeszcze chcieliśmy poza tym, co już mamy.

– I co?

– Nie wiedziałem, co powiedzieć. To znaczy, nie jesteśmy tak zamożni, jak mogło mu się wydawać. Nie wiedział o hipotece, leczeniu bezpłodności, o tym, jak bardzo pragniemy dziecka i że nie cierpisz swojej pracy. Ale... – Przytrzymał dłonie w powietrzu, po czym założył je za głowę. – Nie wiem. Nawet biorąc pod uwagę to wszystko. Miał trochę racji.

W ciszy panującej w pokoju słyszał wyraźnie oddech Anny.

– Wiesz, co ja o tym myślę? Wszystko dąży do wyrównania. Do równowagi. – Mówiła prawie szeptem. – Myślę, że bogaci ludzie w gruncie rzeczy są tak samo szczęśliwi czy nieszczęśliwi jak biedni. Tacy już jesteśmy. Kiedy przez dłuższy czas układa nam się dobrze w życiu, uznajemy to za coś oczywistego. A gdy się nam pogorszy, też się do tego przyzwyczajamy. Nasz umysł wszystko wyrównuje.

– To całkiem praktyczne.

– Co masz na myśli?

– Kontrargument. W tym wypadku nie musielibyśmy się niczym przejmować, niczego próbować zmieniać. To zwykła wymówka.

– Ale nie oznacza to wcale, że to nieprawda. Daj komuś milion dolarów, a przez pewien czas będzie używał życia. Ale w końcu stanie się to dla niego normą. Przestanie go podniecać. Ostatecznie będzie się czuł tak samo jak przedtem.

– Cóż więc robić?

– Nie wiem. Żyć przyzwoicie. Być miłym dla innych. Mieć rodzinę, kochać ją.

Tom zastanawiał się nad tym przez chwilę, wpatrując się w tańczące na suficie światło.

– Może masz rację. Myślę teraz o naszych dawnych problemach i zastanawiam się, co do cholery było z nami nie tak. To znaczy, naprawdę przejmowaliśmy się takimi bzdurami? Wszystko, co miało wtedy ogromne znaczenie, wydaje się teraz...

Zasznurował usta i wydmuchnął powietrze, tak jakby rozsiewał ziarna dmuchawca.

– Wiem – stwierdziła Anna. – Reklamy. Opłaty za dom. Jezu! Nawet brak dziecka.

Przez długą chwilę leżeli w milczeniu. Czas odmierzało powolne pulsowanie bólu w dłoni Toma.

– Byliśmy chciwi – powiedział w końcu.

– Tak – zgodziła się Anna. – Chyba tak.

Poddał się około szóstej rano. Bolały go palce, łupało go w głowie i czuł się, jakby ktoś złapał go za nerkę i przekręcił ją. Wyczołgał się z łóżka i na palcach przeszedł do łazienki. Zamknął za sobą drzwi, odkręcił prysznic i umieścił w ekspresie jednorazowy wkład z kawą. Zastanowił się, po czym dołożył jeszcze jeden.

Stał pod prysznicem, pozwalając, by woda rozmiękczała mu skórę, by głowę bombardowała zasłona kropelek, która odcinała go od świata i łagodziła nieco ból. Było to cudowne uczucie: ciche minuty spędzone za kurtyną wody. Przeszkadzało mu tylko to, że musiał trzymać w górze zabandażowaną lewą dłoń.

Niechętnie wyszedł spod prysznica i wytarł się niezgrabnie. Przynajmniej mieli plan. Dzięki temu czuł się lepiej. Może i byli chciwi. Może i sytuacja ich przerosła. Ale działali wspólnie, wspierając się wzajemnie i mieli plan. To już było coś. Nalał kawy do dwóch kubków i wszedł do pokoju.

Anna leżała naga na zmiętych prześcieradłach przypominających ścięte białko na patelni. Uśmiechnęła się, gdy postawił jej kubek na stoliku. Tom wziął do ręki swoją komórkę i włączył ją. Zamrugała lampka wiadomości, wybrał więc numer poczty głosowej. Komputerowy głos powiedział mu, że ma cztery nowe wiadomości.

– Mówi detektyw Halden. Proszę do mnie jak najszybciej oddzwonić. Postanowiliśmy zastawić pułapkę na mężczyznę, który panu groził.

Gliniarz podał numery swoich telefonów. Tom napił się kawy. Była mocna, ale podła, jednak lepsze to niż słaba i podła. Nacisnął klawisz zapisu wiadomości i odsłuchał kolejną.

– Panie Reed, tu detektyw Halden. Proszę oddzwonić – musimy zacząć działać.

Następna:

– Jeszcze raz Christopher Halden. Niech pan do mnie jak najszybciej zadzwoni. Jestem pod telefonem dniem i nocą. Tom, naprawdę – zadzwoń jak najszybciej. Spróbuję potem na domowy.

Kolejna wiadomość z rana. Detektyw tylko się rozłączył.

Niech to szlag. Tom zamknął telefon i pomasował sobie podbródek. Poprzedniego wieczoru do tego stopnia zaangażowali się w opracowywanie planu, że całkowicie zapomnieli o detektywie.

– Dostałem kilka wiadomości od Haldena.

– Nie oddzwaniaj. – Anna, wiercąc się, podciągnęła się do pozycji siedzącej i wcisnęła sobie poduszkę pod plecy. – Nie możemy z nim teraz rozmawiać. Jeżeli wymknie ci się coś na temat Jacka albo galerii handlowej...

– W końcu będę musiał do niego zadzwonić.

– Jak już będzie po wszystkim. Powiesz mu po prostu, że zmieniłeś zdanie. Że omówiliśmy to i nie chcesz występować w charakterze przynęty. Uwierzy ci. Pewnie ciągle im się zdarza, że ludzie nie chcą brać udziału w identyfikacji przestępców.

Tom zastanowił się i skinął głową. Zgarnął spodnie z krzesła i wskoczył w nie, po czym rozciągnął w powietrzu ręce – najpierw w jedną stronę, potem w drugą – krzywiąc się z powodu bólu w nerkach.

– Masz ze sobą komórkę?

– Tak.

– Super. Zadzwonię po wszystkim.

– Po wszystkim?

– Po spotkaniu z dilerem narkotyków. – Tom zapiął pasek. – Chce najpierw pogadać.

– Idę z tobą.

– Jasne. – Odwrócił się i spojrzał na nią. – Myślałaś, że zabiorę cię na spotkanie...

– Chryste Panie!

Anna usiadła, złapała poduszkę i rzuciła nią w niego. Tom uchylił się, zdziwiony.

– No co?

– Znowu zaczynasz. Próbujesz mnie chronić.

– Nie strugam bohatera. Po prostu nie widzę powodu, żeby wciągać w to również ciebie.

– Siedzę już w tym po uszy, ty arogancki palancie. Myślisz, że Jack albo ten twój kumpel od drugów odpuszczą mi dlatego, że mam cycki? – Pokręciła głową. – Tylko ty to robisz.

Otworzył usta, ale zaraz je zamknął. Stał przez chwilę z rozłożonymi rękami.

– Nie chciałem tylko, żeby coś ci się stało – powiedział w końcu.

– Ja też nie chcę, żeby obojgu nam coś się stało. Przecież już przez to przeszliśmy. Wczoraj wieczorem.

Tom odwrócił się i spojrzał przed siebie. Na horyzoncie wisiały nisko na niebie bure tłuste chmurzyska. Miasto sprawiało wrażenie szarego i ponurego, budynek Aon Center od jednej trzeciej w górę spowijała mgła. Poranne korki miały się zacząć dopiero za godzinę, ale na ulicach już teraz tłoczyły się taksówki, a chodniki pełne były maleńkich figurek w koszulach i garniturach. Wiosenny poranek, taki jak inne. Zza pleców dobiegł go łagodny, przyciszony głos żony.

– Wspólnicy w zbrodni. Wszystko albo nic.

– Lepiej się ubierz – powiedział. – Czeka nas ciężki dzień.

17

Kiedy przeprowadzili się do Chicago, przez pierwszy rok wynajmowali „statystyczne" mieszkanko w wieżowcu przy Clark, kilka ulic na południe od Diversey. Miało białe ściany i dywan śmierdzący papierosami. Z okna był widok na sąsiedni budynek, chyba że stanęło się na oparciu kanapy i maksymalnie wspięło na palcach: wtedy można było dostrzec skrawek srebrzystej powierzchni jeziora. Ale dzielnica okazała się fantastyczna – mnóstwo barów, spaghetterii i księgarń. Po drugiej stronie ulicy był fast food z hot dogami – nazywał się Weiner Circle – w którym kobieta za ladą miała zwyczaj rugać klientów. Gdy Tom przypominał sobie tamten rok, zwykle nie mógł się powstrzymać od uśmiechu.

Dlatego właśnie dziwnie było znaleźć się znowu w tej dzielnicy. Po raz setny zerknął we wsteczne lusterko. Nigdzie nie zauważył śladu Jacka, żadnego samochodu skręcającego za nim, przyspieszającego, gdy przejeżdżał na żółtym. Wszystko wskazywało na to, że nikt go nie śledzi.

Jeszcze przez jakiś kilometr jechali Clark, po czym skręcili w dzielnicę mieszkalną. Dopisało im szczęście: natychmiast znaleźli miejsce parkingowe. Poranek był chłodny i zapowiadało się na deszcz – nie ulewę, ale całodzienne siąpienie. Gdy stanęli na chodniku, objął ramieniem plecy Anny. Przysunęła się do niego i wsadziła rękę w zagięcie jego łokcia.

Restauracja okazała się nie tak zła, jak obawiał się Tom. Był przekonany, że wylądują w jakiejś spelunie – wyroby drewnopodobne, smród tłuszczu ze smażenia bekonu. Knajpka była jednak przestronna i widna, ze ścianami przyozdobionymi płótnami zakrywającymi surową cegłę. Do każdego z kieliszków do wody wkrajano tam plasterek ogórka. Gdy rozmawiali przez telefon, Tom zażyczył sobie czteroosobowy stolik z przodu, przy oknach. Żwawa kelnerka wręczyła im menu, postawiła dzbanek kawy i zapytała, czy napiją się świeżo wyciśniętego soku. Tom pokręcił głową, zezując w stronę pozostałych gości. Przy stoliku z tyłu siedział André. Ręce położył po obu stronach talerza z nietkniętymi jajkami. Uśmiechnął się jak drapieżnik, błyskając białymi zębami spod wilgotnych warg.

– Ten gość za nami. To ochroniarz. Ten ze spluwą. – Tom wbił wzrok w mężczyznę, nie widząc powodu, dla którego miałby cokolwiek udawać. – Nie wiem, gdzie jest diler.

Jakby w odpowiedzi na jego pytanie, nagle zadźwięczały dzwoneczkami frontowe drzwi. Mężczyzna okazał się niższy, niż zapamiętał Tom, drobniejszy. Szczupły facet w dobrym garniturze; emanowało od niego poczucie władzy.

– Państwo Reed, witam. – Usiadł naprzeciw nich, założył nogę na nogę i wygładził zagniecenie na nogawce. – Cieszę się, że państwo przyszli.

Tom skinął głową.

– A więc. Sytuacja. O której macie się z nim spotkać?

– O dziesiątej.

– Gdzie?

– W Century Mall.

Mężczyzna postukał się palcem w podbródek. Nie odrywał oczu od Toma, wydawało się, że w ogóle nie mruga.

– Dlaczego?

– Ponieważ to publiczne miejsce. Powiedział, że...

– Nie, panie Reed. – Gangster nachylił się. – Dlaczego? – powtórzył, wyraźnie artykułując poszczególne sylaby.

– Nie rozumiem. Dlaczego co?

– Dlaczego Jack Witowski chce się spotkać? Przedwczoraj powiedział pan, że nigdy o nim nie słyszał. Właściwie to, jeśli dobrze zapamiętałem, przysięgał pan, że go nie zna. – Mięśnie wokół jego oczu skurczyły się nieco. – Czyżby mnie pan okłamał, panie Reed?

Tom poczuł przypływ paniki, ale starał się niczego po sobie nie pokazać.

– Wiesz co? Całe to „panie Reed" zaczyna mi działać na nerwy. Czuję się jak w filmie z Bondem. Mam na imię Tom. A to Anna. Jak możemy się do ciebie zwracać?

Mężczyzna przechylił głowę. Przez długą chwilę wpatrywał się w Toma. W końcu wzruszył ramionami.

– Właściwie co za różnica. Malachi. Chociaż moje imię i tak nic wam nie powie.

– Mam dosyć myślenia o tobie jako o „mężczyźnie w garniturze". – Tom pokręcił głową. – I nie, nie okłamałem cię. – Podniósł dłoń z kolana i położył ją na stole. Poszarpane mięśnie były czerwone i gorące. – Jack przyszedł wczoraj do nas do domu. Szukał czegoś, pytał ciągle, gdzie to jest, gdzie to schowaliśmy. Ponieważ nie potrafiłem mu odpowiedzieć...

– Czego szukał? – zapytał Malachi lekko, tak jakby właściwie w ogóle go to nie obchodziło.

– Nie powiedział. Po prostu pytał ciągle, gdzie „to" jest.

Wróciła żwawa kelnerka.

– Mogą już państwo zamówić?

Diler narkotyków nawet na nią nie spojrzał.

– Wiesz co, złotko, chyba zostaniemy przy kawie. Moi przyjaciele mają kłopoty z niestrawnością.

Jej żwawość nagle wyparowała, ale dziewczyna skinęła głową i odeszła.

– I jak się z tego wykręciłeś? – spytał Malachi. – Raczej trudno mi sobie wyobrazić, że Jack ci po prostu odpuścił.

– Nie. – Tom kiwnął głową w stronę żony. – Anna włączyła alarm przeciwwłamaniowy. Kiedy uciekł, wynieśliśmy się z domu. Przenocowaliśmy w hotelu.

– Rozumiem. I boicie się, że wróci.

– Właśnie.

Tom zatoczył młynka łyżeczką.

– Jedno mnie zastanawia. – Malachi spojrzał przez ramię na Andrégo, który przez cały czas łypał na nich okiem niczym pitbul na końcu łańcucha. – Gdyby Jack nie złożył wam wizyty, gdybyście nie potrzebowali mojej pomocy, to czy nadal mówilibyście, że jesteście po mojej stronie? Czy prowadzilibyśmy wtedy tę miłą rozmowę?

– To by zależało od ciebie – wtrąciła się Anna.

Spojrzał na nią.

– Jak to?

– Gdyby Jack nie złożył nam wizyty, nie mielibyśmy ci nic do zaoferowania. – Wzruszyła ramionami. – Powiedziałeś Tomowi, że zabijesz nas za to tylko, że mieliśmy lokatora. A zatem to, czy prowadzilibyśmy tę rozmowę, zależałoby wyłącznie od tego, czy mówiłeś poważnie.

Malachi skinął głową.

– Trafna uwaga. Tak na marginesie, lepiej w to nie wątpcie. Nie wiecie nawet...

Spojrzał znowu przez ramię, po czym uniósł brew.

Tom zwalczył ochotę, by zacisnąć prawą dłoń w pięść.

– No dobra. – Malachi odwrócił się. – Jack czegoś od was chce. Myśli, że to macie.

– Owszem.

– Ale wy tego nie macie.

– Nawet nie wiemy, co to takiego.

– A zatem, skoro szukał czegoś, a wy tego nie macie – argumentował powoli Malachi – to dlaczego chce się z wami spotkać o dziesiątej?

Tom z trudem zachował spokój. Zmusił się do uśmiechu.

– No cóż, powiem ci prawdę. – Wypił łyk kawy, odstawił filiżankę i położył dłoń z powrotem na kolanie, mając nadzieję, że gangster nie zauważy, jak bardzo trzęsą mu się palce. – Pomyślałem, że jedyną ucieczką jest dla nas sprowadzić go w jakieś miejsce, a potem powiedzieć o tym tobie. Więc... – Przerwał i wzruszył ramionami. – Okłamałem go.

Mężczyzna w garniturze spojrzał Tomowi w oczy, ten jednak nie odwrócił wzroku. Chwila napięcia wydłużała się coraz bardziej. Tom patrzył przed siebie z uśmiechem cwaniaczka na ustach. Zastanawiał się, czy to ten moment. Czy facet zaryzykuje cokolwiek tutaj czy za chwilę – w tej właśnie restauracji – Anna i on skończą oboje z kulką między oczami.

Nagle Malachi trzasnął otwartą dłonią w stolik, odrzucił do tyłu głowę i wybuchnął głośnym śmiechem. Tom wypuścił wreszcie powietrze z płuc. Poczuł, że pod stolikiem Anna kładzie mu palce na dłoni. Roześmiał się również.

– Okłamałeś go! – Malachi uśmiechnął się i otarł wierzchem dłoni usta. – Całkiem nieźle, Tom. Robi się z ciebie prawdziwy gangster. – Odwrócił się i skinął głową do Andrégo, a ten wstał i podszedł do nich. Toma ogarnęła na chwilę panika, ale ochroniarz wysunął tylko czwarte krzesło i usiadł.

A teraz – powiedział Malachi – obgadajmy sprawę. Powiedział może, gdzie konkretnie chce się spotkać?

– W galerii.

– Masz komórkę?

– Mam.

– Jack zna numer?

– Tak.

– Okej. Jak przyjdziesz, na pewno każe ci się przenieść w inne miejsce.

– Nie ma mowy. Zgodziliśmy się na galerię, bo jest tam mnóstwo ludzi. Nie wyjdę...

– Spokojnie. Nie będziesz musiał wychodzić z galerii. Gość wie, że się na to nie zgodzisz. Po prostu każe ci przejść gdzieś dalej. Będziesz stał przy jakimś sklepie, zadzwoni i każe ci podejść do innego. Zwykły zdrowy rozsądek. Oznacza to jednak, że moi ludzie nie będą mogli po prostu czekać za rogiem. Więc będziecie musieli grać na zwłokę.

Tom poczuł lekkie mdłości.

– Jak długo? – spytała Anna.

Malachi spojrzał na Andrégo.

– Minutę albo dwie – odparł goryl, wzruszywszy ramionami.

– Chwileczkę. Chcecie, żebyśmy grali na zwłokę przez kilka minut, tak by mogli się do niego podkraść „wasi ludzie"? – Tom parsknął śmiechem. – Bez obrazy, ale Century Mall stoi w samym środku Lincoln Park. Gangsterzy będą się tam wyróżniać.

– Chciałeś powiedzieć, że Murzyni będą się tam wyróżniać – uśmiechnął się Malachi.

Tom poczuł, że twarz oblewa mu rumieniec.

– Nie, ja tylko...

– Mam kilku białych chłopców, których trzymam na wypadek tego typu sytuacji. Myślę też – kiwnął głową w stronę Andrégo – że nawet w Lincoln Park jeden czarny facet może swobodnie chodzić sobie bez obroży. Więc tak: jak już powiedziałem, moi ludzie tam będą. Ale Jack zna się na robocie. Będą się musieli przyczaić. Nie wejdą do akcji, dopóki nie dasz im sygnału.

– Jakiego?

André wyrecytował ciąg cyfr. Tom spojrzał na niego zdziwionym wzrokiem.

– Wpisz sobie to gówno do telefonu – polecił goryl. – Jak uda ci się odwrócić uwagę kolesia, wyślesz wiadomość.

– A co, jeżeli to zauważy?

– Postaraj się, żeby nie zauważył.

– Poza tym – wtrącił Malachi – będziecie potrzebowali torby.

– Torby? Na co?

Wyraz zdziwienia na twarzy Anny był tak autentyczny, że Tom miał ją ochotę natychmiast pocałować. Nikt nie zorientowałby się, że doskonale wie, dlaczego powinni zabrać ze sobą torbę.

– Chyba się domyślam, czego szuka Jack – wyjaśnił Malachi. – Załatwcie więc sobie dosyć dużą torbę. Dźwigaj ją tak, jakby była ciężka.

– A co, jeśli Jack zechce zajrzeć do środka?

Malachi wzruszył ramionami. Toma naprawdę zaczął boleć brzuch.

– Jak macie zamiar go dopaść w samym środku galerii handlowej? – zapytała Anna.

– Bardzo dobre pytanie. Ale pozwolisz, że nie udzielę na nie odpowiedzi.

– Ale na inne musisz udzielić. – Tom spojrzał gangsterowi w oczy. – Po wszystkim będziemy mieli wyrównane rachunki, tak? Koniec sprawy?

– Jeżeli to zrobicie – odparł mężczyzna – udowodnisz to, co chciałem, żebyś udowodnił. – Odchylił się na krześle, wysunął spod rękawów mankiety koszuli. – Jeśli tylko dotrzymacie umowy, to tak, rachunki będą wyrównane.

– A co z Jackiem? Co mu zrobicie?

Malachi potrząsnął nadgarstkiem, żeby przesunąć poluzowanego rolexa, a potem zerknął na niego.

– Dam mu lekcję historii. W stylu Czyngis-chana. – Wstał. – A teraz wy dwoje bierzcie się lepiej do roboty. Musicie jeszcze załatwić parę drobiazgów przed dziesiątą.

– Zaczekaj – powstrzymał go Tom. – Gdzie idziesz?

Diler narkotyków roześmiał się.

– Synu, w najbliższym czasie nie postawię stopy w odległości mniejszej niż dziesięć kilometrów od galerii. I będę miał ze sobą świadków. Teraz wszystko zależy od was. Jak coś pójdzie nie tak, będę wiedział, że to wy daliście dupy. – Uniósł brwi. – Rozumiemy się?

– Więc nadal stoimy pod szubienicą?

Tom nie był w stanie stłumić gniewu, który wyraźnie zabrzmiał w jego głosie.

Malachi znowu się uśmiechnął.

– Wchodzisz do gry, gangsterze.

– Świetnie poszło. – Anna odchyliła się na siedzeniu pasażera, oparłszy stopy o schowek. Uchyliła okno, żeby wpuścić do samochodu świeże wiosenne powietrze. – Po prostu świetnie.

Tom pokręcił głową. Zacisnął mocno usta.

– A co, jeżeli Jack będzie chciał zaraz zajrzeć do torby? Poza tym raczej nie mamy zbyt wielu pretekstów do pogawędki. Gość chce tylko odzyskać pieniądze. Pewnie ma zamiar podejść, zajrzeć do torby, powiedzieć coś groźnego i odejść.

– Zakładając, że nie planuje nas zabić.

– Zakładając.

Tom westchnął.

– Nie wiem. Chyba uda nam się trochę przeciągnąć sprawę. Będzie się czuł bezpieczny. Przeraża mnie nie tyle czas, co konieczność wysłania sygnału do Andrégo. O Jacku wiemy jedno: jest bardzo sprytny. Będzie przez cały czas uważał, czy nie dzieje się coś podejrzanego.

– Przecież nie wie o Malachim, prawda?

– Nie. Tego się nie spodziewa. Jeżeli już, to pewnie będzie się rozglądał za policją. Wystraszy go choćby skrawek munduru.

– To może zadziałać na naszą korzyść – zauważyła Anna. – Nie będzie szukał gangsterów.

– Gangsterów. Boże. – Tom pokręcił głową. – Co my, do cholery, robimy?

Spojrzała na niego. Siedział sztywno, a jego palce zaciśnięte na kierownicy były prawie białe. Niemalże słyszała warkot i odgłosy zderzania się jego myśli.

– Mogę cię o coś spytać?

– O co?

– Dlaczego chciałeś wiedzieć, co zrobią Jackowi?

Tom przez chwilę milczał.

– Nie wiem. Pewnie chodziło o to, żeby odczuć to jako coś realnego.

– Przeszkadza ci to?

Pokręcił głową.

– To właśnie chciałem sprawdzić. Czy planowanie czegoś takiego nie jest tym jednym krokiem za dużo. Ale kiedy Malachi powiedział to, co powiedział, nie poczułem nic. Prawdę mówiąc, mam w dupie, co się stanie z Jackiem. Po tym co zrobił... – Wzruszył ramionami. – Pierdolić go.

– Więc wchodzimy w to?

– Nie widzę innego wyjścia. A ty?

Pokręciła głową. Jechali przez chwilę w milczeniu. Pozornie dobrze znany świat za oknem wydał się Annie nagle obcy. Facet na rowerze, kobieta wyprowadzająca dwa psy, dzieciak na przystanku autobusowym w koszulce z napisem: „Na MySpace byłaś ładniejsza". Przypominało to oglądanie przez szybę farmy mrówek, patrzenie na coś, co powinno być ukryte. Tyle że świat pozostał taki jak kiedyś – to jej oczy się zmieniły.

– Jesteś pewien, że powinniśmy schować pieniądze?

– Tak – odparł zdecydowanym tonem Tom. – Byliśmy nieostrożni. Co by było, gdyby ukradziono nam lub odholowano samochód? Albo gdyby natknął się na niego Jack? Biorąc pod uwagę to, co mamy zamiar zrobić, oraz to, że będziemy całkowicie na widoku, ta forsa może się okazać naszą ostatnią deską ratunku. Musimy ją chronić.

– A pomyślałeś, że wszystko może się też skończyć dobrze? – Anna odwróciła się i spojrzała na męża. – Nie zapominaj o tym. Jeśli się uda, będzie po sprawie. Malachi zrobi, co musi zrobić, a Jack zniknie. Nikt nie dowie się o pieniądzach. Będziemy żyć jak dawniej. Tyle że lepiej.

Skinął głową, ale nic nie powiedział.

Kilka lat wcześniej wynajęli komórkę w magazynach przy Belmont. W Waszyngtonie mieszkali osobno, kiedy więc zdecydowali się na wspólne lokum, okazało się, że mają dwa razy więcej mebli niż miejsca. Te należące do Toma były głównie tandetą kupioną na wyprzedażach garażowych, ale miał do nich sentyment – a może, jak podejrzewała wówczas Anna, chciał sobie zostawić drogę ucieczki – wynajęli więc klitkę trzy na trzy i wypchali ją aż po sufit gratami. Ostatecznie wywalili większość mebli na śmietnik i zrezygnowali z wynajmu, ale kiedy wychodząc z restauracji, Tom zasugerował, że powinni gdzieś schować pieniądze, Annie przyszło do głowy właśnie coś takiego.

Tom poszedł wynająć komórkę, a ona zatrzymała się przy maszynie z „Sun Times". Wrzuciła kilka monet, otworzyła przednią szybę i wyjęła wszystkie egzemplarze, łącznie z tym wsadzonym za szybę. Gdy wróciła do samochodu, Tom już czekał z torbą gimnastyczną w jednej i telefonem w drugiej ręce. Pokręcił głową i zgasił wyświetlacz.

– Znowu detektyw Halden.

– Sprawdzałeś wiadomości?

– Nie. I tak już jestem kłębkiem nerwów. Miejmy to za sobą.

Wynajął najmniejszą z dostępnych komórek, klitkę półtora na półtora metra na drugim piętrze. Wzdłuż betonowego, rozjaśnionego świetlówką korytarza ciągnęły się dwa rzędy rolowanych drzwi. Odgłos ich kroków odbijał się echem od ścian. Tom nachylił się, wsunął kluczyk do zamka i pociągnął drzwi do góry.

Komórka była czysta i pusta. Weszli oboje do środka, zaciągając za sobą drzwi. Tom rozpiął torbę i przewrócił ją do góry dnem. Kiedy nierówne paczuszki banknotów wysypały się na podłogę, Anna poczuła się tak samo dziwnie, jak wtedy gdy znalazła pieniądze, jej serce znowu zaczęło podskakiwać w przyspieszonym tempie. Cała ich wolność leżała na gołym betonie. W ciasnej przestrzeni czuła zapach pieniędzy, wilgotny, nieprzyjemny smród człowieka.

Tom wytrząsł kilka ostatnich opornych paczuszek, a potem postawił torbę na podłodze i przytrzymał ją. Anna wepchnęła do środka stos gazet. Poprzesuwali je, wypychając boki torby, żeby wyglądała jak jeszcze minutę wcześniej. Tom dźwignął ją, sprawdzając wagę.

– Ujdzie w tłumie.

Anna rozerwała opaskę na jednej z paczuszek, obsypała gazety banknotami i rozprowadziła je równomiernie na górze torby. Na pierwszy rzut oka – niestety, tylko na pierwszy – wyglądało to tak, jakby rozerwali wszystkie banderole i w ten sposób nosili pieniądze. Słabe, ale musieli liczyć, że się uda.

Podniosła wzrok i zobaczyła, że Tom patrzy na nią, uśmiechając się lekko. Widziała kroplę potu na jego górnej wardze oraz zmęczone linie biegnące wokół jego oczu. Nagle zbliżył się do niej i pocałował ją, kładąc dłoń z tyłu jej głowy. Poddała mu się, wsunęła język do jego ust i poczuła, jak zarost na jego brodzie drapie jej wargi. Nachyleni nad stosom pieniędzy całowali się namiętnie jak para nastolatków. Kiedy wreszcie oderwali się od siebie, położyła dłoń na jego policzku.

– Co to było?

– Na szczęście – powiedział. – I z wdzięczności.

– Wdzięczności?

– Nie wszyscy mają takiego wspólnika w zbrodni jak ty.

– Robimy to co należy, prawda? Bo przecież jesteśmy parą zwykłych ludzi.

Czuła, że jej serce bije w przyspieszonym rytmie. Na ułamek sekundy ogarnęła ją fala wątpliwości, że niby co oni robią, że to czyste wariactwo – jak na kolejce górskiej tuż przed stoczeniem się w dół, gdy jest już za późno, by wysiąść.

– Wszystko będzie dobrze – powiedział Tom. – Obiecuję.

Zmusiła się do uśmiechu.

– Dajesz słowo?

W TAKSÓWCE ŚMIERDZIAŁO JABŁKIEM z zawieszonego na lusterku odświeżacza powietrza. Tom zmarszczył nos i obserwował przesuwające się w żółwim tempie budynki. Anna zaproponowała, żeby zaparkowali pontiaca z dala od galerii handlowej i podjechali taryfą. Dobry pomysł.

Wspominał ciągle pocałunek w ciasnej komórce, gdy klęczał na trzystu tysiącach dolarów, czując smak Anny. Zapach desperacji, którego oboje starali się nie dostrzegać. Wyjrzał na zewnątrz i uścisnął jej dłoń, otrzymując w zamian słaby uśmiech.

Zaczęło padać; wielkie krople deszczu zmyły cały kolor z ulic, zredukowały go do pełnej gamy szarości. Przechodnie kulili się pod parasolami, właściciele sklepów, schronieni bezpiecznie pod markizami, wdychali z rozkoszą powietrze. Taksówka minęła tani sklep elektroniczny, bazarek z dywanami, kilka butików z różnościami, budkę z falafelami. Tom czuł w piersi toksyczną lekkość. Kiedyś, jeszcze w college'u, załapał się na kurs spadochronowy. Pamiętał lodowatą panikę, jaka go ogarnęła, gdy samolot krążył coraz wyżej w powietrzu; uczucie, że zbliża się coraz bardziej do nieuniknionego.

Kierowca zatrzymał się przy krawężniku i wyłączył licznik. Wycieraczki na przedniej szybie przesunęły się w lewo, a potem prawo. Za oknem majaczyła ciągnąca się przez cały kwartał bryła Century Mall. Nad markizami kina, migoczącymi witrynami oraz szklanymi drzwiami wznosiły się barokowe kolumny. Tom wręczył kierowcy dwudziestkę i machnął ręką na resztę. Potrzebowali jak najwięcej dobrej karmy.

– Wiem, co zaraz powiesz, ale proszę, zastanów się jeszcze raz i pozwól, że sam...

– Przejdziemy przez to razem. – Jej twarz była blada, ramiona miała wyprostowane. – Raz kozie śmierć.

Skinął głową, wypuścił ustami powietrze i ruszyli w stronę wejścia. Anna wyprzedziła go o krok, żeby otworzyć drzwi. Torba była bardzo nieporęczna i ciągle uderzała mu o kolano, ale był wdzięczny, że ma coś, czego się może uczepić. W środku szum deszczu i smród opon zostały wyparte przez muzykę pop oraz mieszaninę zapachów z pobliskiego sklepiku z mydłem. Gdy przechodzili, kobieta przy stanowisku informacji nawet nie podniosła wzroku znad książki.

Century Mall był kwadratowym budynkiem z centralnym dziedzińcem, wokół którego pięły się spiralnie w górę parter i trzy piętra. Zawsze przypominał Tomowi Muzeum Guggenheima, tyle że w jego wnętrzu nie było obrazów, lecz sklepy i punkty usługowe: butiki, salony laserowego usuwania włosów, sklepy z damską bielizną, solaria – w liczbie ponad dwudziestu. Przy ścianach wił się w górę pasaż. Z miejsca, w którym stał, Tom mógł spojrzeć w górę i podziwiać istną świątynię komercji, wznoszącą się aż do szerokiego szklanego sufitu, atakowanego teraz przez deszcz. Na środkowym i niższym poziomie znajdowały się luksusowe delikatesy, jedno z tych miejsc, w których można kupić na wpół gotowe sushi i wykwintne sałatki.

– Jak myślisz, gdzie będzie najlepiej?

– Najlepiej byłoby wylądować ostatecznie gdzieś na pierwszym piętrze, żeby ludzie Malachiego, gdziekolwiek się teraz ukrywają, nie mieli do nas zbyt daleko.

– W takim razie chodźmy stąd. Wjedźmy na górę, dobra?

Zaczekali na szklaną windę. Tom kołysał się na palcach, bacznie obserwując otoczenie i starając się nie wyglądać na zdenerwowanego. Anna zesztywniała. Odwróciła się twarzą do niego i szepnęła:

– Tam jest gliniarz!

Tom spojrzał w jego kierunku tak nonszalancko, jak tylko był w stanie. Policjant opierał się o barierkę nad delikatesami, patrząc w dół na witryny z importowanym mięsem i najdroższą sałatką ziemniaczaną świata. Stał niedbale i nie wyglądał na specjalnie przejętego; obracał w palcach niezapalonego papierosa.

– O cholera! – burknął Tom. – Spodziewałem się ochroniarzy, a nie policjanta. Jeśli Jack go zobaczy, może spanikować. – Zacisnął mocno usta. – Ale nic nie jesteśmy w stanie na to poradzić.

Winda zadzwoniła i weszli do środka. Tom wcisnął guzik trzeciego piętra i odwrócił się, żeby wyjrzeć przez szklaną tylną ścianę. Było dosyć wcześnie i zastanawiał się, kim są ci wszyscy ludzie spacerujący po galerii. Czy oni nie mają pracy? Metalowe drzwi zasunęły się i winda zaczęła powoli jechać w górę. Nie potrafił oderwać wzroku od gliniarza. Ruch windy najwyraźniej zwrócił jego uwagę, ponieważ na moment ich oczy się spotkały. Funkcjonariusz szybko jednak odwrócił się i odszedł.

Gdy drzwi się otworzyły, Toma zaatakował zapach popcornu. Klimatyzacja sprawiała, że w galerii panował przenikliwy chłód, ale i tak poczuł pod pachami pot. Poszli na lewo, oddalając się od kina w stronę najspokojniejszego zakątka piętra. Anna nachyliła się nad barierką i rozejrzała we wszystkich kierunkach.

– Rozumiem już, dlaczego wybrał to miejsce. Wszystko świetnie widać. Gdybyśmy ściągnęli gliniarzy, pewnie zaraz by się zorientował.

– Miejmy nadzieję, że ludzie Malachiego będą się mniej rzucali w oczy.

– Tylko trochę mniej. – Anna kiwnęła głową w stronę pasażu. – Tam, poziom niżej. Przy sklepie z walizkami.

Spojrzał we wskazanym przez nią kierunku i zobaczył Andrégo, który stał w środku, udając, że zastanawia się nad kupnem zestawu waliz. Gangster skinął nieznacznie głową.

– Boże – jęknął Tom. Poczuł ucisk w żołądku. Zaczął wyliczać w głowie korzyści wynikające z tego, że znaleźli się w publicznym miejscu, zapewniać sam siebie, że dzięki tym wszystkim ludziom wokół będzie bezpieczny, ale tak naprawdę na otwartej przestrzeni oraz w otoczeniu sklepów poczuł się nagle bezbronny. Co oni robią? Wystawiają zabójcę gangowi dilerów narkotyków, mając nadzieję, że ten pierwszy uwierzy, iż w wypchanej gazetami torbie znajduje się fortuna, a wszystko to na oczach spacerującego sobie niewinnie gliniarza oraz Jacka, który miał się pojawić nie wiadomo skąd?

„Spokojnie. Tylko spokojnie. Musisz przez to przejść. Musisz przez to przejść i dopilnować, by Anna wyszła z tego bez szwanku".

Jego zegarek wskazywał za pięć dziesiątą. Za piętnaście minut albo będą bezpieczni, albo martwi. Tom wziął głęboki wdech i rozprostował plecy.

Za pięć dziesiąta. Jack splótł palce, wyciągnął do góry ręce i strzelił nad głową kłykciami. Ruchem tym podrażnił rozcięcie na ramieniu; skrzywił się. Wprawdzie oczyścił i zabandażował ranę, wiedział też, że nie jest na tyle głęboka, by pozostawić po sobie coś więcej niż paskudną bliznę, ale mimo to swędziała jak skurwysyn.

Poprawił ostrożnie bandaż i oparł się o betonowy murek krytego parkingu. Poprzedniego wieczoru przez trzy godziny chodzili po galerii i jej okolicach. Miejsce było idealne: mnóstwo tras ucieczki, klatki schodowe w trzech punktach, prowadzące w dodatku na parking, delikatesy na dziedzińcu poniżej, a nawet rampa załadunkowa od tyłu. W dodatku ochrona była śmiechu warta. Jack rozpiął górę granatowego kombinezonu i wyczuł dłonią pistolet schowany pod koszulką. Deszcz pachniał wspaniale, nawet przytłumiony spalinami i zapachem oleju samochodowego.

Na jego pasku zawibrowała krótko komórka. Otworzył klapkę i przeczytał wiadomość od Marshalla:

już są

Wziął głęboki wdech, po czym dał nura w dziurę w ogrodzeniu z metalowej siatki, skręcił za róg i wszedł na rampę załadunkową – szeroką betonową zatokę, obskurną i śmierdzącą śmieciami. Jakiś facet rozładowujący ciężarówkę z panelami spojrzał na niego i Jack zasalutował. Gość skinął głową i wrócił do roboty. Gdy Jack otwierał drzwi do galerii, poczuł w żołądku znajomy ucisk. Jak w domu.

ANNA CZUŁA, JAK NAPINA JEJ SIĘ SKÓRA, niemal pękając na szwach. Wokół niej ludzie robili zakupy, jedli i rozmawiali jak gdyby nigdy nic. Dwóch facetów zaśmiało się przy stoliku na dole. Para fryzjerów stylistów wyszła z salonu na Victoria Street. Rzucali się w oczy: czarne ubrania i wystrzępione grzywki. Dlaczego styliści mają zawsze najgorsze fryzury? Kobieta pchająca wózek, siedzący w nim chłopczyk z charakterystycznym lekko oszołomionym wyrazem twarzy, tak jakby cały świat był jednym wielkim cyrkowym widowiskiem.

Jeszcze wczoraj wieczorem wydawało się to dobrym pomysłem – prosty, przejrzysty plan. Tyle że jako eksperyment myślowy, dobrze przemyślane posunięcie w grze. Ale teraz, gdy tam stała, trudno jej było myśleć racjonalnie. Czuła przerażenie, panikę i dziecięcy zupełnie strach przed karą.

Zza rogu na prawo od nich wyłonił się mężczyzna w bluzie z logo Cubsów. Szedł szybko – nie biegł, ale szedł bardzo szybko, długimi krokami. I wbijał wzrok prosto w nich.

– Tom! – trąciła męża.

Odwrócił się i zobaczył to co ona. Zacisnął zsiniałe palce na uchwycie torby.

Facet szedł nadal przed siebie, nie odrywając od nich oczu. Miał krótko przycięte włosy i szerokie ramiona. Anna przypomniała sobie słowa Toma z poprzedniego dnia: nie wiedzą, czy Jack przyjdzie osobiście. Od mężczyzny dzieliło ich już zaledwie sto metrów. Siedemdziesiąt. Usłyszała jakąś kobietę, która dziecięcym głosem zaświergotała do synka:

– Ładnie tutaj, cio?

Z przeciwnej strony nadchodziła matka popychająca przed sobą wózek. Mężczyzna w bluzie przyspieszył i sięgnął dłonią do paska spodni.

– Tom! – ostrzegła łamiącym się głosem męża. Tom wysunął się o pół kroku przed nią.

Palce uniosły brzeg bluzy.

– Lubiś lobić ziakupy ź mamusią? – zapytała kobieta.

Trzy metry.

Anna miała ochotę krzyknąć, uciekać, ale nie była w stanie się poruszyć. Patrzyła, jak mężczyzna unosi bluzę i sięga do pasa. Wyciąga coś. W jej skroniach pulsowała panika, panika sparaliżowała jej palce u dłoni. Jezu, to wszystko nie tak, gość ich zastrzeli – tu, na miejscu, w środku galerii, na oczach matki popychającej wózek z dzieckiem, przekonanej, że jest bezpieczna, pełnej wiary w świat, który podąża utartymi ścieżkami, tej samej wiary, której jeszcze do niedawna pełna była Anna.

Dłoń podniosła się. Zaciśnięta wokół telefonu komórkowego.

– Nie, nic. Jestem na zakupach – powiedział facet w bluzie, przechodząc obok nich i jedną ręką popychając drzwi na klatkę schodową. – Kiedy chcesz...

Trzaśnięcie drzwiami zagłuszyło resztę jego słów.

Anna nie zdawała sobie sprawy, że przez cały czas wstrzymywała oddech. Wypuściła ze świstem powietrze z płuc. Świat zawirował i musiała złapać się poręczy. Tomowi też wyraźnie ulżyło; położył torbę na podłodze i potarł palcami czoło. Wózek dotarł do nich, jedno kółko trochę zgrzytało. Matka, przechodząc obok, uśmiechnęła się do Anny. Poręcz była zimna. Chwyciła ją obiema dłońmi. Patrzyła, jak wokół kłębią się ludzie.

– Nie mogę tego zrobić.

Tom odwrócił się i dotknął jej ręki.

– Już prawie mamy to za sobą. Jeszcze tylko kilka minut.

– Nie mogę. Nie mogę. Co, jeżeli komuś stanie się krzywda? – Połknęła haust powietrza. – Myślałam... Ten facet...

– Wiem – próbował ją uspokoić Tom. – Oboje jesteśmy nerwowi. Ale wszystko będzie dobrze. Nie bój się.

– Ż a r t u j e s z? Gdzie ty byłeś przez ostatnie kilka dni? Zmywajmy się stąd. Chodźmy na policję. – Wychyliła się przez poręcz i zaczęła czegoś szukać wzrokiem kilka poziomów niżej. – Zaczekaj, mam lepszy pomysł. Tam jest gliniarz. Znajdźmy go, powiemy mu...

– Co mu powiemy? – Głos Toma zabrzmiał ostro jak policzek. – Powiemy mu, że zastawiliśmy pułapkę na złodzieja, że nasłaliśmy na niego dilera narkotyków, który porwie go i zamęczy na śmierć, a wszystko po to, żebyśmy mogli zatrzymać skradzione pieniądze? Pomyśli, że zwariowaliśmy. – Pokręcił głową. – Albo jeszcze gorzej: uwierzy nam. – Położył zdrową rękę na poręczy. – Jeżeli to spieprzymy, Malachi nas zabije. Jeżeli wcześniej nie zrobi tego Jack. Musimy przez to przejść. Jeszcze tylko kilka minut. Okej?

Spojrzała na niego. Miał zaciśniętą szczękę i szeroko otwarte oczy. On też był przerażony. Widziała to wyraźnie. Ale walczył. Wyprostowała się. Spróbowała oddychać jak na kursie jogi: wdech przez nos, równomierny wydech ustami; wyobraziła sobie, że powietrze wypełnia ją bladoniebieską poświatą. Wdech, przerwa, wydech. „Jestem ośrodkiem spokoju".

„Jestem bladoniebieską poświatą".

WZDŁUŻ ZAŁOMU ŚCIANY BIEGŁY GRUBE RURY. Tabliczka nad drzwiami wskazywała, że prowadzą do zachodniej klatki schodowej na poziomie zero. Jack podszedł do nich i wyjrzał przez okienko. Zobaczył halę galerii, pasaże wijące się spiralnie w górę. Zaledwie metr obok przeszła brunetka w spódniczce z napisem: „Porn Star", zupełnie nie zwracając na niego uwagi. Jack uśmiechnął się. W roboczych ciuchach mógł stać na klatce schodowej i być niewidzialny. Mógł być Meksykaninem.

Sięgał właśnie do drzwi, gdy zadzwonił jego telefon.

– Tak?

– Zaczekaj chwilę – ostrzegł cichym głosem Marshall.

– Co się dzieje?

– Nie jestem pewien. Chyba coś jest nie tak. Podejdę bliżej.

– Gdzie oni są?

– Na trzecim piętrze, w północno-zachodniej części. Obok kina. Mają torbę. Chcesz, żebym ją im...

– Nie. Trzymamy się planu.

Rozłączył się i wyjrzał znowu przez okienko. „Co ty robisz, Tom?"

Jack rozpiął do połowy kombinezon, wyjął ponownie z kieszeni telefon i wybrał numer.

Zadzwonił telefon Toma. Nie rozpoznał numeru. Wziął głęboki wdech i otworzył klapkę.

– Halo?

– Pan Reed? Mówi detektyw Halden. Gdzie pan był? Po naszej ostatniej rozmowie...

Kurwa! Kurwa! Kurwa!

– Detektywie, to nie jest najlepszy moment.

W słuchawce zaległa cisza.

– Coś panu grozi? Czy jest tam diler narkotyków?

Zerknął na zegarek. Dziesiąta dwie.

– Nie, nie, nie o to chodzi. Ja tylko... – Rozejrzał się, nabrawszy nagle pewności, że za chwilę zobaczy Jacka zmierzającego ku niemu z wielką spluwą w ręku. – Nie mogę teraz rozmawiać.

– Proszę posłuchać, cokolwiek pan teraz robi, to co mam panu do powiedzenia, jest ważniejsze. Ten facet będzie pana szukał i nawet się pan nie zorientuje, kiedy przyjdzie. Proszę mi powiedzieć, gdzie pan jest, a zjawię się tam w ciągu dziesięciu minut. Mogę panu zapewnić bezpieczeństwo.

Tom się zawahał. Witryna sklepu z walizkami była pusta. Gdzie się podział André? Wszystko działo się zbyt szybko. Przypomniał sobie gościa w bluzie – kiedy go zobaczył, zdał sobie nagle sprawę, że sytuacja przerosła ich w wiele większym stopniu, niż myśleli. Może powinien wyznać wszystko Haldenowi? Sprowadzić gliny? Pomysł był kuszący: przekazać kontrolę, pozwolić, by zajęli się tym profesjonaliści.

– Panie Reed?

Tom otworzył usta. Nagle usłyszał w słuchawce bipnięcie. Odsunął telefon i zerknął na wyświetlacz. Kolejny nieznany numer.

– Tom, wiem, że się boisz. Pozwól mi sobie pomóc.

Puls przyspieszył mu tak mocno, że przed oczami zaczęły mu krążyć czerwone płaty.

– Przepraszam. Za chwilę oddzwonię. Obiecuję.

– Zaczekaj...!

Rozłączył się i odebrał drugą rozmowę.

– Kto dzwonił, Tom? – zabrzmiał w słuchawce znajomy głos.

Anna zobaczyła, jak Tom się krzywi, jak rozgląda się panicznie dokoła. Wypowiedział bezgłośnie imię: „Jack".

– Nikt – odparł. Milczał przez chwilę, a potem dodał: – Moja matka, w porządku? Zbyłem ją tak szybko, jak się dało.

Serce zabiło jej gwałtownie w piersi, palce zacisnęły się na poręczy. „Jestem bladoniebieską poświatą".

– Nie znasz mojej matki – powiedział Tom.

Spojrzała w lewo, w stronę kina. Znudzony student w kasie, plakaty filmów artystycznych, staruszka siedząca na ławeczce.

Gdyby coś poszło nie tak, mogli tam uciec. Dostrzegła ruch na poziomie niżej: to gliniarz przechodził obok witryny. Na prawo znajdowała się klatka schodowa, w której zniknął facet w bluzie.

– Nie wyjdziemy z galerii – rzekł Tom. – Nie ma mowy.

Z głośników na górze dobiegała muzyka pop, bezmyślna i uporczywa – jakiś głupi boysband śpiewał: „Bye-bye, baby, bye-bye". Anna czuła zapach popcornu.

– Okej – rzucił Tom i się rozłączył. – Chce się spotkać na parterze, przed salonem. Powiedział, żebyśmy nie jechali windą. – Spojrzał przez ramię i przekazał jej telefon. – Będziesz musiała powiadomić Andrégo. Nie dam rady zrobić tego, trzymając torbę.

– Możesz...

– Jack nigdy nie uwierzy, że kazałem ci ją nieść.

Przygryzła wargę, wiedząc, że ma rację. Włożyła telefon do kieszeni, a potem wsunęła tam również rękę, wyczuwając pod palcem klawisz wysyłania wiadomości. „Jestem bladoniebieską poświatą".

– Powinniśmy iść.

Ruszyli w dół. Tom szedł trochę z przodu. Trzecie piętro powoli zamieniało się w drugie. Rozglądała się, szukając Jacka, André, któregokolwiek z nich. W górze solista boysbandu śpiewał, że nie chce być graczem w grze dla dwojga, i Anna zastanawiała się, co to, do licha, może znaczyć. Jeszcze trzy piętra. Nigdzie nie było widać Jacka, ale wokół kręciło się mnóstwo ludzi: grupka nastolatków w windzie, kobiety oglądające ciuchy w sklepie Express, sprzedawca na przerwie czytający książkę. Dwa i pół piętra. Zorientowała się, że myśli o tamtej matce z wózkiem. Zastanawiała się, czy kobieta zdaje sobie sprawę, jakie ma szczęście. Czy ktokolwiek zdaje sobie z tego sprawę, dopóki je ma. Świat może się człowiekowi rozpaść w jednej chwili.

Myślała właśnie o tym, gdy nagle w drzwiach prowadzących na klatkę schodową stanął Jack Witkowski.

Jack zauważył, że oboje wyglądają na skrajnie wyczerpanych, ledwo żywych ze strachu. Zwłaszcza Anna sprawiała wrażenie, że jest na skraju załamania: trzymała ręce w kieszeniach i toczyła wokół spanikowanym wzrokiem. Idealnie.

Uśmiechnął się i wskazał torbę, którą Tom trzymał w dłoni.

– To dla mnie?

Tom gwałtownie popatrzał w bok, jak królik szukający kryjówki. Cofnął się.

– Myślałem, że chciałeś...

– Mam w dupie, co sobie myślałeś – przerwał mu Jack. – Otwórz torbę.

Tom Reed nie ruszał się.

– Tom – upomniał go Jack, odpinając kombinezon na tyle, by odsłonić schowaną pod nim broń. – Otwórz torbę.

– Nie użyjesz tego. Jesteśmy w publicznym miejscu.

Powiedział to z zabawnym przekonaniem, jak dzieciak skamlący na podwórku, że trzeba się trzymać zasad.

Jack roześmiał się.

– Żartujesz? – Pokręcił głową. – Przez ostatnie kilka minut przeszedłeś obok kilkunastu osób. Potrafisz opisać każdą z nich? – Przechylił głowę i uśmiechnął się. – Dlaczego zatem sądzisz, że oni będą w stanie opisać mnie?

Tom miał wrażenie, że jego twarz oddzieliła się od reszty ciała i że nic go z nią już nie łączy. Czuł krew pulsującą na czole, gorąco na policzkach.

– Mieliśmy umowę.

Jack wzruszył ramionami i poruszył niebieskim kombinezonem, jeszcze bardziej odsłaniając pistolet.

– Ciągle mamy. Jej pierwszy punkt sprowadza się do tego, że otwierasz torbę i pokazujesz mi moją własność.

– Właśnie powiedziałeś, że nas zabijesz.

Tom próbował przeciągać rozmowę. Modlił się w duchu, by Annie udało się zawiadomić Andrégo.

– Właściwie, Tom, powiedziałem, że mogę was zabić. – Jack był zadowolony z siebie i najwyraźniej świetnie się bawił. – Gdybym postanowił cię zabić, najpewniej nie uprzedziłbym cię o tym. A teraz otwieraj tę cholerną torbę.

– Nie – powiedział Tom tak spokojnie, jak tylko potrafił. Musiał grać na zwłokę. Jeszcze kilka sekund, minuta. Jego życie, ich życie zależało od tej właśnie minuty. Sześćdziesięciu nieskończenie długich sekund. Gdzie, do cholery, jest André? – Najpierw obiecaj mi, że jak tylko odzyskasz pieniądze, zostawisz nas w spokoju.

– Masz moje słowo – uśmiechnął się Jack.

Tom poczuł gdzieś w środku lodowaty chłód i zdał sobie nagle sprawę, że Jack tak czy inaczej – dziś czy jutro – ich zabije. Że zwyczajnie już to postanowił.

Nagle ponad ramieniem Jacka zauważył, że ktoś wchodzi po ruchomych schodach, przecinających galerię na pół. Zwalisty facet o ruchach boksera. Wilgotne usta i białe zęby. André – zbliżał się z otwartą kurtką. Annie udało się to zrobić.

– W porządku.

Tom wziął głęboki wdech, próbując jeszcze przez chwilę grać na zwłokę. Poczuł zastrzyk adrenaliny i przypływ radosnej nadziei. Podciągnął rękawy i położył torbę na posadzce.

Za Jackiem zza rogu wyszło dwóch białych mężczyzn, którzy zrównali krok z Andrém. Szli swobodnym, ale miarowym krokiem. Pierwszy miał na sobie czerwony dres i złotą bransoletkę. Jego kumpel – luźny garnitur. Drugi z facetów wsunął rękę do kieszeni i wyciągnął jakiś plastikowy przedmiot. Na jego powierzchni błysnęło coś na niebiesko. Paralizator.

Tom przykucnął przy torbie i położył rękę na zamku błyskawicznym. Czas był teraz najważniejszy. Zawahał się.

– Pamiętaj, co obiecałeś – powiedział.

Jack przymrużył oczy.

– Przestań marudzić – uciszył Toma.

Nie miał wyjścia. Gdyby zwlekał jeszcze choć sekundę, ryzykował, że Jack rozejrzy się i plan weźmie w łeb. Musiał się modlić, by Jack dał się nabrać, widząc pieniądze na górze, albo przynajmniej by odciągnęły na dłuższą chwilę jego uwagę i ludzie Malachiego zdążyli wkroczyć do akcji. Sześć metrów.

Rozpiął zamek tak powoli, jak tylko się odważył, po czym złapał za boki torby, chcąc otworzyć ją tylko na tyle, by błysnąć jej zawartością Jackowi. Trzy metry.

Nagle ze sklepu z grami i zabawkami wyszedł gliniarz i ruszył za Andrém oraz jego gorylami. Sięgnął dłonią do pasa i przyspieszył kroku. Czyżby wiedział? Czyżby Halden jakimś cudem zorientował się, gdzie są, i do niego zadzwonił? Na oczach klęczącego przy torbie Toma gliniarz wyciągnął broń. O Boże! Facet wszystko zepsuje!

Tyle że funkcjonariusz nie zawołał: „Policja! Nie ruszać się!". Nie wrzasnął: „Stój, bo strzelam!".

Krzyknął:

– Jack! Na ziemię!

A potem z lufy jego pistoletu wydobył się płomień i głowa mężczyzny trzymającego paralizator zwyczajnie eksplodowała.

Kiedy Jack usłyszał głos Marshalla każący mu paść na ziemię, natychmiast zapragnął się rozejrzeć. Ale ponieważ już wiele lat temu nauczył się, że w tego typu momentach albo ufasz partnerowi, albo szlag wszystko trafia, natychmiast ukląkł na jedno kolano.

Mimo że był na to przygotowany, huk pierwszego strzału podziałał na niego jak tysiąc woltów, docierając do każdej komórki nerwowej i zalewając jego żyły istnym strumieniem adrenaliny. Niewiele osób wie, jaki to hałas – jak gdyby Bóg klasnął w dłonie. Po ułamku sekundy ciszy rozbrzmiały kolejne wystrzały. Jack sięgnął pod kombinezon, wyciągnął pistolet i odbezpieczył go, jednocześnie obracając się na opartej na posadzce drugiej dłoni.

Marshall, ubrany w fałszywą koszulę policjanta, stał jakieś sto metrów dalej. Między nim a Jackiem monstrum z miazgą zamiast głowy zakołysało się i siłą rozpędu podeszło jeszcze o krok. Obok pulchny facio w dresie sięgał właśnie po gigantycznego gnata. Trzeci gość – czarny, potężnie zbudowany – z pochylonym ciałem i wirującymi ramionami, ruszył na Marshalla.

Jack nie miał czasu na rozmyślania. Podniósł colta, skierował go w plecy faceta w obrzydliwym dresie, wycelował i pociągnął za spust. Czterdziestkapiątka podskoczyła mu w dłoni, on jednak nie zważał na to i wycelowawszy ponownie, oddał drugi strzał – pocisk utkwił w ciele dresiarza tuż obok pierwszego. Kula kaliber czterdzieści pięć potrafi wypatroszyć człowiekowi klatkę piersiową – tym razem również spełniła swoje zadanie.

Zaczęły się wrzaski. Jack próbował je ignorować, odfiltrować piski oraz odgłosy strzałów i deszczu drobinek szkła z rozbitej witryny sklepowej. Zachować spokój w oku cyklonu. Znowu zrobił się burdel, tak jak tej nocy, gdy zabrali Gwieździe kasę. Nie lubił w ten sposób pracować. Ale tak jak tamtej nocy, musiał zachować kontrolę nad sytuacją. Światem rządzą ci, którzy potrafią go nagiąć do swej woli.

Przesunął wyciągnięte ręce w bok, próbując wycelować w czarnucha. Niestety nie miał pola do czystego strzału, bo Marshall stał tuż za nim. Zbyt ryzykowne. Ale Marshall był dużym chłopcem. Należało skupić się na priorytetach. Odwrócił się.

Tom Reed klęczał jak skamieniały. Otworzył usta, trzymając ciągle dłoń na zamku błyskawicznym torby. Była otwarta do połowy i w środku Jack dostrzegł porozrzucane spłowiałe zielone banknoty. Pieniądze, za które zginął Bobby.

OJezuJezuJezu!

Anna uniosła dwa palce do ust, a drugą rękę do czoła, na które plasnęło jej coś lepkiego, lepkiego i ciepłego jak ślina, tak jakby ktoś odchrząknął i splunął na nią czymś gęstym i obrzydliwym, tyle że to nie była ślina, to była krew faceta, którego właśnie zastrzelił glina, Jezu, którego właśnie zastrzelił g l i n a, co oznaczało, że Jack ma w kieszeni gliny, Jezus M a r i a, Jack ma w kieszeni g l i n y, i nagle rozpętało się piekło, eksplodowały kolejne strzały, głośno, tak przerażająco głośno, że zabuczało jej w uszach, a ciepło z czoła zaczęło spływać na brwi, na jej czole była krew nieznajomego faceta i spływała na jej pieprzone brwi, i to było po prostu niemożliwe! Byli dobrymi ludźmi, a dobrzy ludzie wygrywają, dobrzy ludzie martwią się rachunkami i spłatą kredytu mieszkaniowego, i dziećmi, i tym, jak trudno czasem się nawzajem kochać, ale to najgorsze, czym muszą się martwić, a ona teraz jest o krok od tego, żeby wszystko to stracić, czuje, jak narasta w niej coś dziwnego, coś mrocznego, skrzydlatego i postrzępionego, i chce tylko otworzyć usta, żeby pozwolić temu czemuś wydostać się na zewnątrz, ale nie robi tego, ponieważ boi się, że jak zacznie, to nie będzie już w stanie skończyć, będzie po prostu tam stała i krzyczała, krzyczała, krzyczała, a przecież musi być silniejsza od tego, jest silniejsza od tego, i nagle zobaczyła, jak Jack wstaje i rzuca się na Toma.

Toma zdziwiło, że jego umysł jest tak wyciszony. Widział wszystko. Podziwiał fachowość, z jaką Jack wyszarpnął pistolet, wycelował starannie i wystrzelił, a potem powtórzył tę czynność. Metodycznie. Gliniarz, który ostrzegł Jacka, próbował podnieść spluwę i powstrzymać szarżującego na niego Andrégo. Tom zastanawiał się, czy w galerii są inni gliniarze i czy też współpracują z Jackiem, oraz czy André ma plan awaryjny, czy są z nim jeszcze jacyś ludzie i czy...

Jack patrzył na niego – i na pieniądze.

Toma ogarnęła panika. Była jak zastrzyk, jak porażenie prądem. Ale zdał sobie nagle sprawę, że nie musi się jej poddawać. Być może wynikało to z szoku. Być może w ten właśnie sposób działa szok. Jeśli tak, mógł dzięki niemu zawsze zwyciężyć z paniką.

Jack ruszył naprzód. Miał na sobie niebieski kombinezon, rozpięty do pasa. Pistolet trzymał w dłoni. Powoli go unosił. Myśli Toma nadal błądziły gdzieś daleko. Kątem oka zobaczył, że Anna zamarła, że dźwiga dłonie do czoła, a spomiędzy palców wypływa jej krew.

O Boże!

Nagle wszystko zaskoczyło, wróciło do normy niczym zatrzymana, a potem puszczona znowu płyta. Panika nie była jak zastrzyk. Była jak fala. Opadła na niego nagle ze wszystkich stron i niemal zwaliła z nóg. Anna jest ranna, Jack naciera, a on musi ją jakimś cudem stąd wydostać.

Jack uniósł pistolet, a jego palce poruszyły się przy kabłąku spustu. Tom złapał za uchwyty torby, wstał szybko i zamachnął się nią, tak że na wpół spoczęła na poręczy, na wpół znalazła się w powietrzu na zewnątrz. Pozwolił, by przechyliła się bardziej; trzymał ją lekko, tylko dwoma palcami.

W dole klienci rozbiegali się we wszystkich kierunkach, sprzedawcy rzucali się z krzykiem do wyjść i ogólnie panował chaos. Po drugiej stronie korytarza André wbił się w gliniarza niczym obrońca na meczu futbolowym i powalił go na ziemię. Wszyscy wrzeszczeli, a ponad ich wrzaskiem unosiła się ciągle mdława piosenka, jakiś zepsuty bachor śpiewał bye-bye-bye do swojej nastoletniej miłości, przy czym żadne z nich nie miało zielonego pojęcia, jak bardzo są w tym wszystkim zieloni.

Torba zakołysała się na poręczy, trzy piętra nad delikatesami na dziedzińcu. Jack spojrzał na nią. Podniósł głowę i popatrzył Tomowi w oczy. Gdyby wzrok mógł zabijać...

– Okej – powiedział. – Okej. – Schował pistolet do kabury i wyciągnął ręce na wysokości piersi. – Jeszcze nie jest za późno.

Tom miał ochotę wybuchnąć śmiechem. Ale zamiast tego – wypuścił paski z rąk.

– Nie! – wrzasnął Jack i rzucił się przed siebie, próbując dosięgnąć uchwytu. W oczach Toma coś błysnęło – potem pobiegł w przeciwnym kierunku, nie dbając, czy torba przechyli się w jedną czy w drugą stronę.

Anna postąpiła w jego stronę o krok i opuściła lewą rękę, ale prawą nadal zakrywała usta. Na jej czole i na nosie była rozmazana krew. To niemożliwe, nie może jej stracić, nie teraz, nigdy!

– Anno, maleńka! Nie! Nie! Jesteś ranna?

Myślał tylko o tym, że jeżeli faktycznie jest, to on tego nie przeżyje, to po prostu... po prostu...

Spojrzała na niego źrenicami jak dwie czarne dziury. Jej usta drgnęły.

– To tylko krew – wydusiła z siebie w końcu. – No wiesz, nie moja.

– Nic ci nie jest?

Skinęła głową.

„Dzięki Ci, Boże, dziękuję Ci, Boże, dziękuję, jeżeli nie wierzyłem w Ciebie wcześniej, to wierzę teraz, naprawdę!"

Objął ramieniem jej plecy i pociągnął ją w stronę klatki schodowej.

Rzucając się rozpaczliwie przed siebie, Jack przeżył trudny moment, dziwny przebłysk przypominający déjà vu. Tak jakby wróciło dawne wspomnienie: pędzi na pomoc Bobby'emu, swemu młodszemu bratu, padającemu na ziemię z rozpostartymi ramionami, wyciągniętymi w stronę Jacka, który jest jego ostatnią nadzieją. Sęk w tym, że z tego co Jack pamiętał, coś takiego, ten moment, nigdy nie miało miejsca. Bo niby kiedy?

Tak czy inaczej, gdy sięgał palcami jak najdalej i widział, jak torba przechyla się do tyłu, gdy czuł napięcie w mięśniach, pęd powietrza na policzkach, gdy błagał własne ciało, by poruszało się szybciej, proszę, choć odrobinę szybciej, gdy rozciągał maksymalnie kończyny, gdy torba się zakołysała, opadła i w końcu ześlizgnęła, gdy dotykał końcówkami palców materiału, próbując dosięgnąć czegokolwiek, paska, zamka błyskawicznego, kieszeni, a zwłaszcza gdy zdał sobie sprawę, że jej nie złapie, że torba upadnie, przez cały ten czas widział Bobby'ego. Bobby przewracający się do tyłu, Bobby z paniką w oczach, Bobby przerażony, sięgający ręką ku swemu bratu z błaganiem o ratunek.

Wtedy o swoje upomniała się grawitacja. Luźne setki wysypały się przez rozpięty zamek, cała torba wykonała w powietrzu powolny półobrót, rozległ się brzęk szkła i chlupot, i w końcu wylądowała na tacy najdroższej na świecie sałatki ziemniaczanej trzy piętra niżej. Jackowi oczy mało nie wyskoczyły z orbit. Nie do wiary. Czterysta patoli topi się w majonezie. Wyobraził sobie, jak przeskakuje przez barierkę i pokonuje dzielącą go od forsy odległość. Przechylił się, żeby ocenić szanse. Jackie Chan – może. Czterdziestotrzyletni Polaczek – nie.

Okej. Schody. Poprzedniego dnia sprawdzili dokładnie galerię. Najbliższe schody kończyły się na parterze, ale te trochę dalej prowadziły aż na sam dół. Puścił się biegiem, po drodze rozglądając się dookoła. Marshall siedział na tyłku z ręką za plecami, a drugą próbował unieść broń. Czarny mężczyzna przewrócił go. Jack wystrzelił w biegu kilka razy z colta; przypadkowe strzały rozbiły kolejne witryny, zasypując podłogę deszczem drobinek szkła. Napastnik spojrzał na niego, na Marshalla, a potem odwrócił się i pobiegł przed siebie. Jack sięgnął ku swemu partnerowi i pomógł mu się podnieść. Marshall rozejrzał się za palantem, który ośmielił się go powalić, ale Jack szarpnął go i wrzasnął:

– Chodź!

Najważniejsze były pieniądze.

Dotarli do drzwi klatki schodowej i puścili się biegiem w dół. Trudno było dokładnie przewidzieć, ile czasu potrzebują gliny, żeby pojawić się na miejscu, ale przecież znajdowali się w Lincoln Park, dzielnicy kulturalnych białych prawników i lekarzy. Z pewnością niewiele. Jack zacisnął palce na pistolecie.

Schody były czyste i pachniały farbą. Na każdym piętrze świeciły gołe żarówki. Trzymał rękę na poręczy i obracał się wokół niej na zakrętach, bardziej skacząc, niż biegnąc. Gdy dotarł na sam dół, nawet się nie zatrzymał, po prostu wystrzelił przed siebie i kopniakiem otworzył awaryjne drzwi. Rozległ się alarm i wpadli do delikatesów. Za ladą z sushi stał Meksykanin w fartuchu. Na lewo wino, na prawo importowane sery. Jack pobiegł przed siebie, wywracając stoisko z salsą. Słoiki rozbiły się, a ich zawartość rozlała po podłodze. Pośrodku szerokiego ośmiokąta wypełnionego wstępnie przygotowanymi sałatkami i dodatkami stał facet z obsługi. Torba gimnastyczna przebiła się przez szkło, a jej upadek sprawił, że we wszystkich kierunkach poszybowały ziemniaki, kuskus i kawałki brokułów. W sałatkach niczym przybranie nurzało się kilka studolarowych banknotów. Mężczyzna wpatrywał się w torbę z wyciągniętą do połowy ręką, tak jakby zbierał się na odwagę, żeby jej dotknąć. Jack rąbnął go pistoletem w kark i odepchnął upadające ciało, łapiąc szybko to, co do niego należało.

– Idziemy!

– Którędy?

– Tyłem!

Marshall pędem ruszył przed siebie. Przeznaczony tylko dla pracowników tunel prowadził na tyły galerii, w stronę brudnego betonowego podwórka, uwalanego niedopałkami oraz rozbitym szkłem i rozbrzmiewającego szumem generatorów. Wybiegli na deszcz, słysząc ryk zbliżających się syren. Jack przerzucił torbę przez ramię i przeskoczył przez niski murek, złapawszy się jego szczytu wolną ręką i podciągnąwszy do góry. Ruch ten sprawił, że otworzyło się rozcięcie na jego przedramieniu, ale prawie nie poczuł bólu.

Po drugiej stronie zobaczył gliniarza, który pędził krótką dróżką od strony grupki kilkurodzinnych domków. Przez moment mierzyli się nawzajem wzrokiem. Potem policjant sięgnął po broń i krzyknął:

– Nie ruszać się!

Jack miał już za sobą pobyt w kiciu i nie miał zamiaru tam wracać. Nie odrywając lewej ręki od murku, podniósł prawą.

Na otwartej przestrzeni wystrzał z pistoletu był o wiele cichszy niż w galerii. Gliniarz zachwiał się. Nogi się pod nim ugięły i upadł na kolana, prosto w kałużę. W powietrzu rozprysła się woda – mętna, srebrzysta.

– O Jezu! – jęknął Marshall, kiedy stanął obok. – Jack!

Policjant kołysał się do przodu i do tyłu. Spojrzał na własne dłonie, zakrwawione i roztrzęsione. Jack uniósł znowu pistolet. Starannie wycelował.

18

WSCHÓD BYŁ RÓWNIE DOBRY JAK ZACHÓD. Wydawało się, że to nie ma znaczenia. Najważniejsze było, żeby się poruszać, nie zatrzymywać. Jechać minutę po minucie, kilometr za kilometrem, bez celu, po to tylko, żeby oddalić się od wszystkich, od całego świata i zastanowić, co mają teraz zrobić. Jakoś to wyprostować.

Pomyślawszy to, Tom niemal się roześmiał. „Wyprostować? Czyli że niby co, Einsteinie?"

Pokręcił głową. Ogarnęło go przerażenie oraz poczucie samotności, jakiego nigdy przedtem nie doświadczył. Świat, który znał, nagle zapadł się pod ziemię, a w jego miejsce pojawiło się piekło zamieszkane przez potwory. Wszystko, co kochał, znalazło się w śmiertelnym niebezpieczeństwie. I nikomu już nie mogli zaufać. Byli sami.

Anna dygotała na fotelu pasażera, objąwszy się ramionami. Tom nachylił się i podkręcił ogrzewanie. Przełączał radio między częstotliwościami AM 720 a 780. Ogłoszenie naboru nauczycieli wolontariuszy, nagrany na muzyce głos podkreślający, że pozytywne wzorce osobowe mogą znacznie zmniejszyć popyt na narkotyki, bla, bla, bla.

Póki co – nic. Wiedział jednak, że to nie potrwa długo. Nie może. W mieście takim jak Chicago pierwsza lepsza strzelanina nie przebije się do serwisów informacyjnych, ale kanonada w Lincoln Park z całą pewnością. Jak wszystko mogło pójść aż tak bardzo *nie tak*? Ciągle tego nie rozumiał, ciągle zachodził w głowę, co się tak naprawdę stało.

Prezenter zaczął coś mówić i oboje wstrzymali oddech. Czekali, aż usłyszą swoje nazwiska, że są poszukiwani. Modlili się, by w serwisie pojawiła się wiadomość o śmierci Jacka Witkowskiego, zastrzelonego przez policję podczas ucieczki z galerii handlowej. Prezenter rozpoczął jednak od informacji gospodarczych, od oczekiwanego spadku na rynku nieruchomości. Mówiło się, że Chicago od roku albo dwóch zbyt mocno się rozrasta, co w połączeniu z wstrząsem w branży hipotecznej mogło zapowiadać rychłą katastrofę. Jeszcze niedawno Tom i Anna naprawdę się tym przejmowali.

Usłyszał gdzieś z przodu syreny. Zacisnął palce na kierownicy. Z opętańczym wyciem śmignęła obok nich karetka.

– Myślisz, że...

– Nie wiem.

Nastąpiła chwila ciszy, a potem w radiu znowu odezwał się prezenter. Mówił już innym głosem, podekscytowanym. Tom nachylił się i podkręcił głośność.

– ...do nas wieści o poważnym incydencie w galerii handlowej w Lincoln Park. Według posiadanych przez nas informacji dziś rano około dziesiątej w Century Mall miała miejsce strzelanina. Świadkowie twierdzą, że uczestniczyło w niej aż dziesięć osób, z których kilkoro odniosło rany. Prawdopodobnie nie obyło się bez ofiar śmiertelnych, wśród których, według najnowszych doniesień, znalazł się funkcjonariusz policji. Z tego, co eee... – Prezenter przerwał na chwilę i Tom wyobraził sobie, jak gorączkowo usiłuje rozeznać się w depeszy. – Z tego co wiemy, policja ewakuowała galerię i być może nadal usiłuje unieszkodliwić sprawców. Nie znamy jeszcze tożsamości uczestników strzelaniny, nie wiemy też, czy zostali zatrzymani. Póki co dysponujemy jedynie kilkoma szczegółami, ale oczywiście będziemy informowali słuchaczy na bieżąco, w miarę napływania kolejnych informacji. Powtórzę: zdarzenie miało miejsce w Century Mall, luksusowej galerii handlowej w Lincoln Park, dzielnicy cieszącej się dotąd...

Tom ściszył radio.

– Jak myślisz, wiedzą, że tam byliśmy?

Anna pstryknęła o zęby paznokciem u kciuka. Jej mąż odetchnął głośno i wzruszył ramionami. Swędział go policzek i miał go już podrapać lewą dłonią, ale zreflektował się i sięgnął niezgrabnie ku twarzy prawą.

– Jeżeli tak, to pewnie już nas ścigają.

– Tak jak Malachi, Jack oraz pracujący dla nich gliniarze.

– Właśnie.

Jechali przez chwilę w milczeniu. Niebo przecięła błyskawica, rozświetlając je niczym żarówka.

– Co robimy? – zapytała w końcu Anna.

Światło zmieniło się na czerwone. Tom zahamował. Siedzieli, wsłuchując się w deszcz bębniący po dachu oraz przyciszony głos prezentera. Po chwili Tom odwrócił się i spojrzał na żonę.

– Nie mam bladego pojęcia, kotku – powiedział.

HALDEN SKRĘCAŁ WŁAŚNIE W ULICĘ, przy której mieszkali Anna i Tom, gdy zaczęły napływać meldunki. Jak większość detektywów, kiedy był w samochodzie, nie wyłączał radia, a tylko ściszał. Chicago to wielkie miasto i dzieje się w nim wiele złego. Człowiek przyzwyczaja się do rytmu regularnych wywołań i odpowiedzi obwieszczających kolejne awantury i tragedie.

Te meldunki brzmiały jednak inaczej. Wywołania były szybsze, głosy pełne napięcia. Wrzucił luz, zatrzymał się przed ceglanym domkiem i podkręcił głośność.

– ...dziesięć-jeden, wszystkie dostępne jednostki, strzały w Century Mall...

– ...karetka, potrzebujemy jeszcze jednej karetki...

– ...Jezu, to jak pobojowisko...

– ...postrzelony oficer, powtarzam, postrzelony oficer...

Nie miał pojęcia, co się dzieje, ale wiedział dokładnie, co powinien zrobić. Galeria znajdowała się na jego terenie, a więc był to jego problem. Powinien włączyć koguta, syrenę i pojechać na miejsce.

Zamiast tego zaparkował i wysiadł z samochodu. Wspiął się po schodkach prowadzących do domu Anny i Toma. Nacisnął dzwonek, naparł na niego, przytrzymał. Zaczął walić w drzwi. Nic.

Postanowił obejść dom. Wszedł na niewielkie podwórko z tyłu, ze stolikiem piknikowym i raczej mało zadbanymi rabatkami. Popatrzył na okna, otoczył dłońmi usta i zawołał:

– Tom! Anno! Tu detektyw Halden! Musimy natychmiast porozmawiać!

Nic.

Zawołał głośniej, tak żeby usłyszeli sąsiedzi. Może gospodarzom zrobi się głupio i wyjdą?

– Panie Reed! Pani Reed! Policja! Proszę natychmiast wyjść!

Nic.

Niech to szlag. Gdzie oni są? Wyprawa do domu była strzałem w ciemno, ale rokującym nadzieje. Czyżby oboje się wystraszyli? Może zwrócili się do innego gliniarza i dowiedzieli się, że nic nie powiedział porucznikowi? Halden przygryzł wargę, zwalczając chęć zapalenia papierosa. W końcu dał spokój i wrócił do samochodu. Dopóki się nie pojawią, równie dobrze może wykonywać swoją robotę.

Do galerii dojechał w dziesięć minut. Niemal nie rozpoznał budynku. Kawałki frontowej szyby leżały na betonie. Ulicę i chodniki blokowała karetka oraz na oko dziesięć radiowozów – wszystkie z włączonymi kogutami. Zewsząd dobiegało wycie syren. Przed Haldenem przemknął pielęgniarz popychający wózek z noszami; jego kolega obok naciskał na zakrwawioną klatkę piersiową rannego. Ze dwustu gapiów tłoczyło się za żółtą taśmą i obserwowało widowisko. Dziennikarka wylewała kubeł pomyj na policjanta niepozwalającego jej przejść.

Halden zostawił samochód na chodniku i machnął odznaką funkcjonariuszom przy drzwiach.

– Gdzie znajdę dowodzącego detektywa?

– Detektywa? Żartujesz? – Gliniarz pokręcił głową. – Mamy tu połowę dowództwa. W biurze ochrony.

W środku atmosfera była mocno surrealistyczna: wywrócone krzesła i ławy, rozbite szkło z witryn sklepowych, muzyka pop dobiegająca z głośników, a zamiast zakupoholików wszędzie roiło się od techników, oficerów śledczych oraz fotografów. Większość z nich kręciła się po górnych piętrach, ale Halden wolał najpierw dowiedzieć się z grubsza, co jest grane, a dopiero potem obejrzeć samo miejsce zdarzenia.

Biuro ochrony galerii okazało się niewielkim, pozbawionym okien pomieszczeniem wyposażonym w monitory wyświetlające ziarnisty obraz, wokół których tłoczyło się stanowczo zbyt wiele osób. Gdy zobaczył, jak bardzo jego ranga zaniża średnią, porzucił nadzieję, że uda mu się dostać do środka. Krążył przez chwilę tu i tam, aż wreszcie wypatrzył detektywa, którego pamiętał ze wspólnego nalotu przed rokiem na melinę handlarzy narkotyków na przedmieściach.

– Co się dzieje?

– Chyba jakieś spotkanie poszło nie tak – wyjaśnił mężczyzna. – Kilka ciał. Sześciu albo siedmiu bandytów. Gdy uciekali, jeden z naszych od nich oberwał.

– Nic mu nie jest?

Detektyw pokręcił głową.

– Dostał kulkę prosto w czoło.

A zatem ktoś miał przechlapane. Nie strzela się do policjantów w Chicago. Halden wskazał na biuro ochrony.

– Mają tam coś ciekawego?

– Puścili taśmę z kamery monitoringu jednego ze sklepów.

– Coś się nada?

– Aha. Jeden z gości wygląda jak Jack Witkowski.

– Podejrzany w „Skoku na Gwiazdę"?

Halden najpierw się zdziwił. Potem poczuł ucisk w żołądku. Wczoraj Tom Reed powiedział, że diler narkotyków wspomniał o Jacku Witkowskim. Potem Reed zniknął. Gdy wreszcie Haldenowi udało się z nim skontaktować, facet wydawał się przerażony. A w tle jego głosu słychać było dźwięki z jakiegoś publicznego miejsca i uporczywą muzykę.

Być może tę samą, która dobiega teraz z głośników. Kurwa. Kurwa, kurwa, kurwa! Drugi detektyw chciał już odejść, ale Halden złapał go za rękę.

– Zaczekaj. Widziałeś tę taśmę?

– Widziałem.

– Był na niej ktoś jeszcze?

– Nikt nikogo nie rozpoznał. Kamera była umieszczona pod paskudnym kątem. Oglądają właśnie materiał z monitoringu w innych sklepach.

– Czy zauważyłeś jakieś inne osoby? – Nie potrafił ukryć paniki w głosie. – Kogokolwiek?

Detektyw spojrzał na niego ze zdziwieniem.

– Tak. Witkowski, jeżeli to on, rozmawiał z dwójką osób. Mężczyzną i kobietą, wyglądających na normalnych, uczciwych obywateli. Mieli ze sobą torbę, którą zaczęli rozpinać tuż przed tym, jak rozpętało się całe to piekło. Potem uciekli.

Halden puścił rękę kolegi. Zmusił się, by skinąć głową.

– Nic ci nie jest?

– W porządku. Dzięki.

Odwrócił się. Drugi detektyw przyglądał mu się przez chwilę, a potem wzruszył ramionami i poszedł w kierunku drzwi.

Tom i Anna Reed. To musieli być oni. Co oznaczało, że od wczoraj dysponował informacją, która mogła temu wszystkiemu zapobiec. W żadnej z zostawionych przez siebie wiadomości nie wspominał o pieniądzach, ponieważ nie chciał ich wystraszyć, nie chciał, żeby uciekli. Udawał, że chodzi mu wyłącznie o zastawienie pułapki na dilera narkotyków, podczas gdy tak naprawdę chciał gdzieś zwabić Toma i Annę. Chciał ich osobiście zatrzymać, zainscenizować wielkie aresztowanie. Zostać bohaterem, zobaczyć swoje nazwisko w gazetach, pokazać środkowy palec porucznikowi i całej reszcie polityków.

A wszystko to razem oznaczało, że to jego wina. Przynajmniej częściowo. Gdyby powiedział prawdę, wypadki mogłyby się potoczyć inaczej. Policjant ciągle by żył.

Zdarzało mu się już dać dupy, ale nigdy aż tak bardzo.

Halden wziął głęboki wdech i ruszył w stronę biura ochrony, próbując wymyślić po drodze, jak ma podzielić się swoją wiedzą, by nie skończyć jako kozioł ofiarny w tym całym burdelu.

W niewielkim pomieszczeniu tłoczyło się ośmiu ludzi. Rozmawiali cicho. Wśród nich był zastępca szefa departamentu, szef jego szefa. Halden podchwycił jego wzrok i już miał go wywabić gestem na zewnątrz, gdy nagle coś mu przyszło do głowy.

Być może da się jeszcze coś z tego uratować. Obrócić sytuację na swoją korzyść, zostać bohaterem.

Praca detektywa sprowadzała się w gruncie rzeczy do zadawania właściwych pytań. On myślał teraz wyłącznie o własnym błędzie. Ale przecież Tom i Anna nie będą się nad tym zastanawiali. Ich plan całkowicie nie wypalił. Właściwe pytanie brzmiało zatem: Co zrobią teraz?

Gdy zadało się je w ten sposób, odpowiedź stawała się oczywista. Upewniwszy się, że są bezpieczni, przypomną sobie, że nie są kryminalistami. Nie w dosłownym znaczeniu tego słowa. Zadzwonią więc na policję. A właściwie nie po prostu na policję – zadzwonią do jedynego gliniarza, którego znają, który potrafi zrozumieć okoliczności, w jakich się znaleźli.

Zadzwonią do n i e g o.

Halden odwrócił się na pięcie i wyszedł na korytarz. Jasne, to była niebezpieczna gra. Ale mógł zadbać, by jej finał okazał się pozytywny. Pójść do szefów nie z kapeluszem w dłoni, ale z dwoma uczestnikami incydentu i torbą pełną pieniędzy i przedstawić im pełne wyjaśnienie tego, co się stało i dlaczego. Lemoniada z limonek. Zamiast zostać kozłem ofiarnym, może uzyskać awans, podwyżkę i zbliżyć się znacznie do domku na zachód od Minocqua. A wszystko, co musi zrobić, to czekać. I modlić się.

– I CO? CHYBA NIE DO KOŃCA POSZŁO zgodnie z planem.

Marshall najwyraźniej chciał zażartować, ale trochę mu nie wyszło – w jego głosie czuć było napięcie, szedł sztywno.

– Uciekliśmy, tak czy nie?

Szli w deszczu. Uchwyty wrzynały się Jackowi w dłonie, a sama torba obijała o kolana. Jej ciężar wydawał się jednak przyjemny, miły. Ciężko na niego zapracował. Wiedział, że nie zwróci mu Bobby'ego – nie był pieprzonym idiotą – ale to było coś.

Z przodu zawyły syreny, ale Jack zachował spokój. Po chwili przemknął obok nich samochód, ochlapując ich wodą i błyskając w oczy kogutem. Jechał na wschód, w stronę oddalonej o trzy skrzyżowania galerii. Kiedy zabił gliniarza, pobiegli w stronę mieszkań po drugiej stronie parkingu. Włamali się do jednego z nich przez okno i w ten sposób zniknęli z ulicy. Marshall wyjął z szuflady właściciela czarny T-shirt i wrzucił do kubła w kuchni swoją fałszywą policyjną koszulę. Potem wyszli frontowymi drzwiami i jak gdyby nigdy nic zeszli po schodach, przyglądając się radiowozowi, który właśnie nadjechał, by zablokować galerię od tyłu.

– Owszem, uciekliśmy – przyznał Marshall. – I mamy pieniądze. Ale jakoś nie potrafię pozbyć się wrażenia, że coś poszło nie tak. Cóż to mogło być? – Zrobił teatralną pauzę, a potem uniósł w górę palec, jak Archimedes krzyczący swoje „Eureka!". – Ach tak! Zabiłeś gliniarza!

– A co miałem zrobić? Zapytać uprzejmie, czy może nas przepuścić? – Torba robiła się ciężka, a druga ręka bolała go z powodu otwartej znowu rany. Na bandażu pojawiły się szkarłatne plamy. – Gliniarz to zwykły facet, tyle że w śmiesznym kapeluszu.

– Funkcjonariusze Departamentu Policji Miasta Chicago robią się jednak dziwnie brutalni, gdy jeden z nich ląduje w piachu. Człowieku, nigdy nie przestaną nas szukać!

– I tak by nie przestali. Poza tym, stało się i tyle.

Skręcili na parking przed apteką. Czekała tam na nich poobijana ciężarówka, stary ford f150, którego kupili na Western Avenue za tysiaka gotówką. Zostawili kradzioną hondę zaparkowaną w cichej uliczce w dobrej dzielnicy, gdzie pewnie będzie stała przez parę miesięcy, zanim ktoś się nią zainteresuje. Nie było sensu ryzykować, że po odwaleniu całej roboty zatrzyma ich drogówka, bo jakiś krawężnik sprawdzi przypadkiem ich blachy w systemie. Otworzył skrzypiące drzwi, wrzucił pieniądze za fotel pasażera, a potem nachylił się i odblokował drzwi po stronie Marshalla. Zapalił silnik i włączył na pełen regulator ogrzewanie: przemoczone ciuchy sprawiały, że trząsł się z zimna.

– Została tylko jedna sprawa do załatwienia.

– Czyli co?

– Musimy zajrzeć do pary moich ulubionych małżonków.

Okazali się prawdziwym wrzodem na tyłku, dwa razy o mało go nie zabili. I choć zdawał sobie sprawę, że to nie do końca logiczne, w głębi duszy winił ich za śmierć Bobby'ego. Pewnie wynikało to z tego, że Will nie żyje, że choć Jack aż się palił, by się na nim zemścić, facet zamiast umierać długo i boleśnie, odszedł szybko i łagodnie we własnym łóżku. Było na to określenie, które słyszał kiedyś w telewizji, jakiś psychologiczny termin. Projekcja? Transferencja? Wszystko jedno. Ponieważ nie mógł dopaść Willa, chciał Toma i Anny.

– Co? – Marshall odwrócił się gwałtownie do niego. – Pewnie właśnie przesłuchują ich gliny.

– Być może. – Kiedy widzieli ich po raz ostatni, Reedowie zbiegali po schodach prowadzących na tył galerii. – Ale może wyszli tymi samymi drzwiami co my.

– Nawet jeśli, to przecież mamy pieniądze. Nie potrzebujemy palantów.

– Widzieli nas. Mogą nas zidentyfikować.

– Przestań, człowieku, pewnie właśnie to robią. Naprawdę chcesz być w mieście, gdy nasze twarze pojawią się na ekranach telewizorów? – Pokręcił głową. – Zastrzeliłeś gliniarza. Chicago jest dla nas o wiele za małe.

– Ale...

– Rób, co chcesz, ale w takim razie działasz od teraz sam.

Zaległa grobowa cisza. Jack spojrzał z ukosa na partnera. Zobaczył jego wzrok i stwierdził, że nie żartuje. A przecież uchylanie się od walki raczej nie było w stylu Marshalla. Jack zastanowił się.

Prawdę mówiąc, gość miał rację. Odzyskali pieniądze, byli wolni i tak naprawdę nie mogli zapobiec temu, by Tom i Anna podzielili się z glinami swoją wiedzą, przynajmniej nie teraz. Wkurzało go to – myśl, że cholerne japiszony mogą z tego wyjść bez szwanku, że nie zapłacą za to, że go okradli, próbowali wykiwać. Ale nie było to nic, z czym nie mógłby żyć. Jack westchnął.

– No dobra – ustąpił. – Zapomnijmy o tym. Jedziemy.

Marshall wypuścił ustami powietrze.

– Amen.

Jack wcisnął sprzęgło i z wysiłkiem wrzucił wsteczny. Ciężarówka zakasłała, podskoczyła, ale ruszyła do tyłu. Marshall wyciągnął z kabury pistolet i wyjął z niego magazynek.

– Poznałeś tego czarnego gościa? – Zmrużył oczy, licząc pozostałe pociski. – Był z tamtym dilerem narkotyków. Wieczorem, jak obrobiliśmy Gwiazdę.

– Pierdolisz!

– Raczej nie. Ale tych dwóch pozostałych gości nie rozpoznałem.

– Co oni tam, do jasnej cholery, robili?

– Trudno powiedzieć. Ale to jeszcze jeden powód, żeby się zmywać.

Jack skinął głową. Nie podobało mu się, że zostawia całe to gówno nieposprzątane, że zostawia niezałatwione sprawy, zwłaszcza że chodziło o sprawy osobiste. Ale w końcu wygrali. Będzie im to musiało wystarczyć.

– A teraz – powiedział Marshall, wsuwając z powrotem magazynek i chowając broń – pozwól, że policzę utarg, okej?

Sięgnął za fotel, wyszarpnął torbę i położył ją sobie na kolanach. Jack skręcił na południe. Miał zamiar dotrzeć do Halsted i w Lake zjechać na autostradę. Po południu będą już w Saint Louis. Tam rzucą monetą o ciężarówkę, podzielą forsę, uścisną sobie dłonie i pojadą każdy w swoją stronę. Marshall wybierał się na południe, na Florydę, ale zdaniem Jacka Miami nie było odpowiednim miejscem dla Polaczka w średnim wieku. Nie, zapomnijmy o Miami, zapomnijmy o Chicago. Zapomnijmy o Tomie i Annie, o Gwieździe, policji i dilerze narkotyków. Czas udać się na zachód i zawiesić ostrogi na kołku.

Nagle Marshall wydał z siebie dziwny odgłos – tak jakby zakrztusił się, wdychając powietrze.

– Jack?

Trzymał na kolanach otwartą torbę, w dłoniach ściskając garść pieniędzy – zielonych pogniecionych banknotów. Sęk w tym, że odgarnąwszy je, odsłonił jedynie pierwszą stronę „Chicago Sun Times", a pod nią kawałek kolejnej, a potem jeszcze inne. Przez sekundę Jack gapił się tylko, próbując zrozumieć, co się stało, jak jego pieniądze mogły się zamienić w gazety.

Potem wcisnął gaz do dechy i zakręcił kierownicą. Zapiszczały opony, zaryczał silnik i ciężarówka wykonała gwałtowny skręt, unikając o centymetr zderzenia z nadjeżdżającym z przeciwka samochodem dzięki refleksowi kierowcy, który w ostatniej chwili odbił na chodnik. Nie odrywając prawej stopy od podłogi, Jack przygwoździł sprzęgło i zmienił dwójkę od razu na czwórkę.

Skurwysyny. Tomie i Anno Reed – chcecie się zabawić? Proszę bardzo. Czas zabawić się na maksa.

– Może powinniśmy uciec? – zapytał Tom, patrząc, jak spod kół jadącej przed nimi taksówki tryskają w powietrze łukowate strumienie deszczówki.

– Dokąd?

– Dokądkolwiek. Wyjechać z miasta. Teraz, kiedy Jack zabił gliniarza, policja dostanie świra i zrobi wszystko, żeby go znaleźć. Moglibyśmy po prostu zejść im z drogi i wrócić, jak już go złapią.

– A co, jeżeli go nie złapią?

Wzruszył ramionami – nie wiedział, co powiedzieć.

– Tom? – nieco ochrypłym głosem odezwała się po chwili Anna.

– Tak, kotku?

– Myliłam się.

– Kiedy?

– Wcześniej. Kiedy mówiłam, że ciągle możemy wygrać. – Była przemoczona i poważna, włosy kleiły jej się do policzków. Pokręciła głową. – Ale to jest jak w baśni.

– W baśni?

Spojrzał na nią, zastanawiając się, czy nie zaczyna tracić kontaktu z rzeczywistością.

– To znaczy, jak w starej bajce. Braci Grimm na przykład. – Potarła oczy. – Jak w tych brutalnych baśniach, zanim Disney urobił je na swoją modłę. Pocierasz lampę, masz trzy życzenia, ale żadne z nich nie spełnia się tak, jak to sobie wymyśliłeś. Chcesz być bogaty, więc umiera twój ojciec. Dziedziczysz jego majątek, ale tracisz ojca.

– *Strefa mroku.*

Skinęła głową.

– Pamiętam, że jak znaleźliśmy pieniądze, myślałam, że to jak lampa Aladyna. Wszystko miało być lepiej, mieliśmy dzięki nim wydostać się z dołka, w którym wylądowaliśmy, zapomnieć o tych kretyńskich zmartwieniach naszego dawnego życia. Że dzięki nim dostaniemy to, czego pragnęliśmy najbardziej na świecie.

Tom westchnął z wysiłkiem. Świat wydawał się ciężki, tak jakby miał na nich opaść, zgnieść ich powoli i doszczętnie.

– No cóż, zdecydowanie nie martwię się już dewaluacją na rynku nieruchomości w Chicago.

Nie był pewien, czy chciał w ten sposób zażartować czy nie. Plótł co mu ślina na język przyniosła. Bolała go głowa, rwały palce położone na kolanach.

Anna mówiła dalej, tak jakby w ogóle się nie odzywał.

– Gdy byłam mała, miałam ilustrowaną księgę mitów. Czytałam je w kółko. Bohaterem jednego z nich był pies, ale nie taki milusi, tylko raczej złowrogi. Złapał kiedyś w paszczę ptaka i zabrał do domu, żeby go zjeść. Zanim tam jednak dotarł, musiał przeprawić się przez rzekę i nagle zobaczył psa z ptakiem w paszczy. Chciał zdobyć również tego ptaszka, otworzył więc mordę, by zaatakować drugiego psa. Ale było to oczywiście tylko jego odbicie i ostatecznie został z niczym. Zawsze mu współczułam, mimo że właściwie to był głupi pies.

– Pokręciła głową. – Albo ten grecki mit o chłopcu ze skrzydłami, które się stopiły.

– Ikarze.

– Właśnie, Ikarze. On i jego ojciec byli gdzieś zamknięci i tato zmajstrował skrzydła z wosku oraz z piór. Ostrzegał Ikara, by nie latał zbyt wysoko. Ale jak tylko chłopakowi nadarzyła się okazja... – Anna zagwizdała przez zęby i poszybowała dłonią w górę. – Rysunek był pomarańczowo-czerwono-zielony i widać było na nim tylko sylwetkę wzbijającą się w niebo oraz odpadające pióra. Zawsze chciałam go ostrzec. Ale oczywiście potem przewracało się stronę i...

Westchnęła i pomasowała sobie twarz.

Tom nic nie powiedział. Skinął tylko głową i czekał.

– W hotelu mówiłam o tym, jaki to los bywa ironiczny, że wszystko sprowadza się do filiżanki kawy rozpuszczalnej. Jak pożar w kuchni, od którego to się zaczęło. Ale plotłam bzdury, prawda? Nie można w życiu zrzucać winy na filiżankę kawy. – Pokręciła głową. – W tych książkach było wszystko, czego potrzebowałam. Ale parłam ciągle do przodu. Po prostu... parłam ciągle do przodu.

– Nie byłaś sama.

– Ale to ja ciebie popychałam – powiedziała cichym nagle głosem. – Chciałam więcej. Zawsze chciałam więcej. Wiem, że marzysz o dziecku. Ale to zawsze ja naciskałam. Po tych wszystkich próbach, hormonach, byłeś gotowy na adopcję. Ale ja chciałam naszego dziecka. Napierałam więc, napierałam, aż zadłużyliśmy się po uszy i straciliśmy siebie nawzajem.

– Przestań – zaprotestował. – To teraz nie ma znaczenia.

Spojrzała na niego i przez długą chwilę nie odrywała od niego wzroku.

– Byłbyś wspaniałym ojcem – stwierdziła w końcu.

Coś w Tomie załamało się, jakieś wątłe, kruche połączenie głęboko w piersi po prostu się przerwało. Poczuł, że zalewa go fala emocji, zbyt wielu i zbyt mieszanych, by je nazywać. Zacisnął palce na kierownicy. Wiedział, co właśnie powiedziała. Ile ją to kosztowało, ile kosztowało to ich oboje.

– Już czas, co?

Skinął głową.

– Tak. Już czas.

Wrzucił kierunkowskaz, skręcił na parking przed supermarketem i zatrzymał samochód.

– Policja nie potraktuje nas łagodnie. – Anna wytarła dłonie o spodnie. – Nie mamy zbyt wiele na swoją obronę, zwłaszcza że zginął gliniarz.

– Wiem – odparł Tom. – Ale za każdym razem gdy próbowaliśmy się z tego wydostać, tylko pogarszaliśmy sprawę.

– Powinniśmy im powiedzieć o umowie, którą zawarliśmy z Malachim?

– Powinniśmy im powiedzieć o wszystkim. Nie pomijać niczego.

– Pójdziemy do więzienia.

– Pewnie tak – potwierdził.

Skinęła głową. Sięgnęła i położyła mu dłoń na udzie.

– Kocham cię.

– Ja ciebie też – odparł i po raz pierwszy, odkąd zaczęło się to całe piekło, od chwili – mój Boże, wydawało się, że to całe lata temu – kiedy spojrzeli na siebie ponad stosem pieniędzy i zdali sobie oboje sprawę, że chcą je zabrać, po raz pierwszy poczuł się dobrze. Dosyć uciekania. Dosyć kombinowania i wybierania wygodnych prawd. Dosyć pozowania na kryminalistów. Nachylił się nad hamulcem ręcznym, a Anna spotkała się z nim w pół drogi, pocałowała go namiętnie, kładąc mu dłoń z tyłu na szyi i przyciągając do siebie. Deszcz bębnił o dach, już nie tak nachalnie jak przedtem, i nagle dało im to poczucie bezpieczeństwa, dźwięk z czasów dzieciństwa, deszczowy dzień w domu, wolne od szkoły.

Kiedy w końcu oderwali się od siebie, nie cofnął twarzy, ich oczy nadal znajdowały się w odległości kilku centymetrów od siebie.

– Przepraszam – powiedziała Anna.

Pokręcił głową.

– Ja też.

Tom wyjął z kieszeni telefon i wybrał numer.

– Człowieku, to kretyństwo! – Jego partner potarł dłonią o policzek. Pod palcami zaskrzypiał mu nieogolony zarost. – W każdej chwili mogą się tu zjawić gliny.

– Dlaczego? Jeżeli Tom i Anna właśnie z nimi gadają, to po co mieliby wysyłać kogoś do ich domu? – Jack skrzywił się i strzelił palcami. – Nikt nie przyjdzie.

– Nawet jeśli masz rację, to chyba nie myślisz, że pieniądze są tutaj, co? – Marshall stanął przed drzwiami. – Pewnie już je oddali. A jeżeli uciekają, to przecież z forsą.

– Jest tylko jeden sposób, żeby się o tym przekonać.

– Posłuchaj...

– Odsuń się!

Jack spojrzał twardo na Marshalla. Ten westchnął i przesunął się o krok.

Tym razem nie zawracał sobie głowy wytrychem. Zamachnął się nogą i kopnął butem w klamkę. Drewno pękło z trzaskiem. Kolejny kopniak otworzył drzwi: mocowanie zamka zrobiło wyrwę w ramie, zasypując obu niepożądanych gości drzazgami. Jack był w środku, zanim otwierające się drzwi z impetem uderzyły o ścianę.

„Biip!"

– O, cholera! – wystraszył się Marshall. – Alarm!

– I co z tego? – uspokoił go Jack.

Podszedł do panelu kontroli i wpisał sześciocyfrowy kod. Sygnał zamilkł.

– Skąd...?

– Obserwowałem Annę.

– Mówiłeś, że wpisała kod alarmowy.

– Czyli normalny plus jeden. Firmy ochroniarskie zawsze tak robią, żeby ludzie pamiętali o kodzie, gdy ktoś im przystawia spluwę do głowy. – Odwrócił się powoli, przyglądając się wnętrzu domu. – No dobra. Przewracamy mieszkanie do góry nogami.

– Posłuchaj, to chyba strata czasu...

– Czy mógłbyś się, kurwa, wziąć do roboty?

Jack złapał za oparcie skórzanego fotela i szarpnął z całej siły. Mebel wywrócił się i trzasnął z hukiem o podłogę. Jacka bolała głowa, a w piersi czuł coś, co przypominało zerwany skwierczący kabel linii wysokiego napięcia.

Marshall przeszył go wzrokiem. Jack zastanawiał się, czy gość pokaże focha. W końcu jednak jego partner pokręcił głową, odwrócił się i ruszył korytarzem do kuchni, gdzie po chwili zaczął przetrząsać zawartość szafek.

I bardzo dobrze. Jack wrócił do pokoju. Na stoliku do kawy leżał składany nóż. Otworzywszy go, zobaczył na jego ostrzu plamy zaschniętej krwi. Uśmiechnął się, a potem wbił narzędzie w poduchę sofy i pociągnął, czując dreszcz w całej ręce, głęboką, fizyczną rozkosz. Wyrwał garść pianki, po czym cisnął poduszkę na podłogę i wypatroszył kolejną. Rozciął oparcie, potem spód, na koniec przewrócił całą sofę.

Podszedł do regału i zaczął zrzucać na podłogę książki – tyle, ile mógł zmieścić w rękach. Pootwierał szafki poniżej i wygarnął z nich płyty DVD oraz gry planszowe. Podszedł do telewizora, złapał go – wielki zenith, co najmniej czterdzieści cali – i pociągnął z całej siły. Odbiornik zawisł na chwilę na krawędzi stolika, czając się niczym bestia na brzegu urwiska, a potem spadł. Kineskop eksplodował z hukiem i na parkiet posypało się szkło. Jack czuł bicie serca, oddychał coraz szybciej. To było to.

W sypialni pociął materac na kawałeczki, a poduszki zamienił w chmurę skłębionego pierza. Wyrwał z komody szuflady, przewrócił je do góry dnem i cisnął na podarte łóżko. Pozbawiona nich komoda wyglądała żałośnie. Pozrywał z wieszaków w szafie ubrania, pociął na paski japiszońskie koszule i modne swetry. Wyrwał stojak na buty, wypełniony kilkunastoma parami prawie identycznych szpilek. Ze ściany w łazience wyszarpnął apteczkę. Pociął zasłonę prysznicową. Klapą toalety rozbił rezerwuar – porcelana zadźwięczała głośno, a woda wylała się z chluśnięciem, zalewając mu nogawki i buty. Jack poczuł, że w czaszce za oczami zaczyna mu się zbierać migrena, ale destrukcyjny szał pozwalał trzymać ją w ryzach.

Wolny pokój zawalony był kartonami. Jack nie znalazł w nim żadnych mebli, tak jakby Reedowie planowali coś w nim urządzić i nic im z tego nie wyszło. Po kolei otwierał pudła i wysypywał na podłogę ich zawartość: rachunki, listy, zwroty podatków – wkrótce wszystkie papiery zaczęły trzepotać w powietrzu jak oszalałe stado ptaków. Wyrwał ze ściany regał. Znalazł pudełko ze zdjęciami i wytrząsł je na podłogę. Kilkanaście lat ślubów, gwiazdek i cichych niedzielnych poranków wylądowało na środku zdewastowanego pokoju. Rozpiął spodnie i wysikał się na fotografie. Pieprzyć Annę i Toma Reedów. Pieprzyć ich na wieki!

– Jeżeli nie trzymasz w ręce magicznej rozdżki – dobiegł go od strony drzwi głos Marshalla – nie sądzę, żeby to nam zbyt wiele dało.

Jack wycisnął ostatnią kropelkę, wstrząsnął i zapiął rozporek. Dyszał ciężko, choć miarowo i bez wysiłku, pomimo bólu głowy. Chciał napluć Bogu w twarz.

– W kuchni nic?

– Człowieku, nic tu nie znajdziemy. Pieniędzy nie ma w mieszkaniu. – Marshall przerwał na chwilę. – A ty o tym dobrze wiedziałeś.

Jack nie odpowiedział. Wszedł na korytarz, rozejrzał się. Podłoga była szczelnie pokryta potłuczonym szkłem, stosami materiału, kawałkami papieru i częściami umeblowania.

– Idziemy – powiedział spokojnie, ale stanowczo Marshall.

– Jeszcze tylko jedno – odparł Jack.

Świeczka, którą zauważył w sypialni, powinna się nadać. Wrócił do kuchni, torując sobie drogę między garnkami, rozbitymi naczyniami, wafelkami wieloziarnistymi, plastikowymi pojemnikami i opakowaniami steków. W każdej kuchni w Ameryce jest gdzieś szuflada na rupiecie. Znalazł szybko miejsce, w którym Marshall ją opróżnił, i spośród gumek, baterii oraz ulotek lokali z jedzeniem na dowóz wygrzebał paczkę zapałek. Zapalił świecę i postawił ją na stole w kuchni.

– Co ty robisz?

To miało sens. Dla Reedów wszystko zaczęło się właśnie od tego. Niech wydarzenia zatoczą krąg. Jack złapał po obu stronach kuchenkę i pociągnął ją. Zapiszczało na kafelkach, odsłaniając metalowy przewód ciągnący się aż do ściany. Jack wspiął się na blat, pogrzebał za kuchenką stopą, po czym nadepnął mocno przewód w miejscu, w którym łączył się z kuchenką. Kurek wygiął się, a po kilku kolejnych ciosach w końcu ustąpił z trzaskiem i z rury z sykiem zaczął się ulatniać śmierdzący gaz.

– Jack...

– Idziemy!

Marshall spojrzał najpierw na niego, a potem na kuchenkę. Pokręcił głową i ruszył korytarzem. Jack poszedł za nim. Zamknął za sobą frontowe drzwi. Zeszli schodami na werandę. Jack od wielu dni nie czuł się tak dobrze. Destrukcja, przynajmniej na jakiś czas, zamieniła jego gniew, frustrację i żal w niemal seksualny dreszczyk. Po chwili byli już na ulicy.

– Łatwiej uciekać razem – odezwał się po jakiejś minucie Marshall.

Jack skinął głową.

– Ktoś pilnuje ci pleców, nie musisz się martwić, że policja zgarnęła twojego partnera i zawarła z nim układ. Dobrze by było, żebyśmy trzymali się razem. Ale powinieneś coś zrozumieć. – Marshall mówił oficjalnym tonem, uważnie dobierał słowa. – Przykro mi z powodu Bobby'ego, ale musisz wreszcie odpuścić.

– Nie był twoim bratem.

– Masz rację. Nie był moim bratem.

– Powiedziałeś swoje?

– Tak. – Marshall zatrzymał się, a Jack odwrócił się twarzą do niego. – To już koniec. Nie chcę okazywać braku szacunku dla ciebie albo Bobby'ego. Ale to już koniec.

– Nie możemy uciec bez pieniędzy.

– Pierdolenie. – Marshall pokręcił głową. – Gdybyśmy wiedzieli, gdzie jest forsa, nic by mnie nie powstrzymało, żeby ją odzyskać. Wiesz o tym. Ale nie wiemy. Więc ja się zmywam. Chcesz pójść ze mną, to świetnie. Ale jak nie chcesz, działasz od teraz w pojedynkę.

Jack zmrużył oczy. Znali się z Marshallem od lat, często pracowali razem. Koniec końców każdy jednak zostaje sam.

– Może tak będzie najlepiej.

Patrzyli się na siebie przez długą chwilę. Potem Marshall pokręcił głową i ruszył przed siebie. Jack poszedł za nim.

Za wycieraczką forda znaleźli jasnopomarańczowy świstek. Mandat za parkowanie bez naklejki mieszkańca osiedla. Cholerne miasto. Wszyscy kombinują, nawet władze. Zwłaszcza władze. Jack cisnął mandat na ulicę i usiadł za kierownicą. Marshall zajął miejsce obok niego.

Mogli uciec bez pieniędzy. Ale oznaczałoby to, że Tom i Anna wygrali. Wolałby wyrwać sobie z głowy resztki włosów, niż do tego dopuścić.

„Tak? A może wolałbyś spędzić resztę życia za kratkami? Dwadzieścia trzy godziny na dobę w pojedynczej celi?"

Myśl ta narodziła się w spokojniejszej części jego umysłu i natychmiast go otrzeźwiła. Ekstaza wywołana wyładowaniem chęci destrukcji nagle gdzieś wyparowała. Czyżby stracił resztki instynktu samozachowawczego? Tego ranka zastrzelił gliniarza. Jeśli go złapią, będzie po nim. Z całej reszty mógłby się jakoś wymigać – brak dowodów, świadków. Przy dobrym prawniku, powiedzmy dziesięć, wychodzi po czterech. Ale nikt jeszcze nigdy nie wykręcił się sianem z zabójstwa gliniarza.

Gdyby tylko wiedział, gdzie podziali się Tom i Anna, czy zwrócili pieniądze. Gdzieś w mieście oboje rozkoszują się bezpieczeństwem. Uderzył mocno w kierownicę. Przed oczami pojawił mu się obraz Bobby'ego, gdy jako dziesięciolatek rozpromieniony jedzie ulicą na motocyklu, który ukradł dla niego Jack.

– Ile było w torbie?

Marshall natychmiast podniósł czujny wzrok.

– Może z dziesięć kawałków.

Dziesięć kawałków. Plus walizka narkotyków. Będą musieli sprzedać je po hurtowych cenach. Powiedzmy kolejne dziesięć, w sumie dwadzieścia. Trochę mało, jak na emeryturę. Trochę mało, żeby kupić sobie bar w Arizonie. Trochę mało, jak na cenę za życie jego brata.

Wystarczy jednak, żeby się wynieść z miasta i przyczaić przez jakiś czas. Zaplanować kolejny ruch. Wrócić do pracy. Westchnął.

– Możesz policzyć? – poprosił Marshalla.

– Jasne. Nie ma sprawy.

W głosie jego partnera wyraźnie zabrzmiała ulga. Sięgnął za siedzenie, podniósł torbę i położył ją sobie na kolanach. Jack siedział i patrzył. Za każdym razem, gdy Marshall zanurzał dłoń we wnętrzu czarnej torby, wyciągał garść studolarowych banknotów. Wkrótce jednak garście zamieniły się w pary, a potem w pojedyncze banknoty. Na koniec zapiął torbę, złapał za paski i dźwignął ją, chcąc odłożyć na podłogę. Nagle w głowie Jacka błysnął jakiś obraz. Coś, co widział niedawno. Tylko co takiego?

No jasne!

– Zaczekaj!

– Co?

Poczuł, że gdzieś w środku coś się w nim szeroko uśmiecha. Czy to możliwe?

– Torba.

– Co z nią?

– Nie wydaje ci się znajoma?

Uśmiech zaczął sobie torować drogę na powierzchnię, gdy nagle gdzieś z tyłu powietrzem wstrząsnął huk i brzęk kilkunastu zbitych naraz okien. Obaj odwrócili się: płomień wypchnął połyskującym łukiem szkło, a fala gorąca była wyczuwalna nawet z tak dużej odległości. Przed płomieniami tańczyły skrawki fotografii i innych papierów, wirując i kręcąc się, jakby naszła je nagle ochota na jakiś piekielny surfing. Mimo że eksplozja szybko wytraciła siłę, zasysając powietrze z powrotem do wnętrza domu, żółtopomarańczowe języki natychmiast zaczęły lizać zasłony. Jack wyobraził sobie tlące się, poskręcane kaszmirowe swetry, ręczniki z egipskiej bawełny, gęsto tkane prześcieradła. Przez rozbite okna zaczęły się sączyć strużki dymu, ciemniejące w miarę rozprzestrzeniania się pożaru. Odezwał się bezużyteczny alarm.

Jack obserwował, jak maleńki przytulny świat Toma i Anny Reed ginie w płomieniach, i na jego ustach zaczął rozkwitać uśmiech. Nachylił się i zapalił silnik ciężarówki.

19

PIASEK BYŁ PODZIURAWIONY i pobrużdżony przez deszcz. Pod obrzmiałym niebem wody jeziora Michigan napływały w rytmicznych, nachodzących na siebie falach. Anna objęła się rękami, walcząc z wiatrem. Od dwudziestu minut czekali przy rządku drzew na północ od plaży Foster Avenue i przez cały ten czasu próbowała wymyślić, co powinna powiedzieć, jak wyjaśnić prosty błąd, który doprowadził ich aż tutaj, na spotkanie, w czasie którego mieli oddać się w ręce policji. Zdawała sobie sprawę, że nie ma to zupełnie znaczenia, nie w sensie prawnym, ale chciała, żeby gliniarz zrozumiał. Wydawało jej się to ważne.

Coś było w dotyku samych pieniędzy. Ich ciężar w dłoni. Nie chodziło o chciwość, niezupełnie. Bardziej o fantazję. Selektywną ślepotę na konsekwencje. Trzymać w rękach taką ilość pieniędzy – to nie było jej życie. To była definicja surrealizmu. Kiedy zatem to się stało, wpadła zaraz w króliczą jamę. Wszystko co było potem, sprowadzało się do kolejnych prób wydostania się z pokręconej Krainy Czarów, w jakiej się znaleźli.

– Jest – powiedział Tom.

Skinął głową w stronę niskiej, poobijanej budki z fast foodem, teraz, poza sezonem, zamkniętej. To była kiedyś – milion lat temu – ich plaża. Mniej zatłoczona niż większość pozostałych i w mniejszym stopniu przypominająca bazar mięsny. Przyjeżdżali tu na rowerach i ustawiali rozkładane krzesełka tuż przy brzegu, tam gdzie woda pieniła się i lizała ich stopy. Czytali, drzemali w słońcu, obserwowali dzieci stawiające zamki z piasku. A teraz od strony budki z fast foodem, w której kiedyś kupowali hot dogi i lody na patyku, szedł ku nim detektyw Christopher Halden. Ubrany był w ciemny garnitur i miał minę, z której Anna wyczytała z odległości stu metrów, że jest wściekły.

– Wygląda na to, że przyszedł sam.

Tom wzruszył ramionami.

– I tak nas aresztuje.

Poczuła lodowaty dreszcz, który przypisała wiatrowi. Kiedy pokonała wreszcie zaślepienie pieniędzmi, nie miała zamiaru pozwolić, by powstrzymał ją jakiś strach.

– Chodźmy.

Halden zobaczył, że idą w jego kierunku, i się zatrzymał. Anna nie mogła oderwać wzroku od jego wielkiego czarnego pistoletu, od jego prawej dłoni, która na nim spoczęła. Próbowała wyobrazić sobie, jakie to uczucie nosić przy biodrze śmierć, paradować z nią jak gdyby nigdy nic. Powietrze niosło ze sobą omszały, brudny zapach deszczu oraz lekki odór gnijących w jeziorze roślin.

– Podacie mi jakiś powód – zapytał Halden, gdy znaleźli się parę metrów od niego – żebym was od razu nie aresztował?

– Właściwie nie – odparł Tom. – Jesteśmy tutaj, żeby pan to zrobił.

Gliniarz porzucił swoją grę. Zmrużył oczy, tak że zamieniły się w cieniutkie szparki, ledwie widoczne linie między policzkami a czołem. Chciał chyba coś powiedzieć, ale zawahał się i w końcu rzucił tylko:

– Słucham.

– Kiedyś próbował nas pan ostrzec przed sytuacjami, które nas przerastają. – Anna wzięła głęboki wdech. – Cóż, właśnie znaleźliśmy się w takiej sytuacji. – Halden nie powiedział nic. Miała wrażenie, że mówi mu coś, o czym on doskonale wie, że postanowił milczeć do momentu, gdy dostrzeże jakąś korzyść w tym, by się odezwać. – Wszystko poszło nie tak. Grozi nam ogromne niebezpieczeństwo.

– Naprawdę? – Halden wbił wzrok w Annę. – Dlaczego więc mnie unikacie? Zwodząc mnie, nie pomagacie mi myśleć o was cieplej.

– Wiemy.

– Wiecie? Co wiecie? Może to, że dzisiaj rano w galerii zginął gliniarz?

Anna podniosła dłoń do ust. Tom odwrócił się od detektywa i spojrzał na nią.

– Może – mówił dalej Halden – zamiast bawić się w zagadki, powiecie mi na początek, gdzie znaleźliście czterysta tysięcy dolarów. – Spojrzał im w oczy. – Tak – dodał. – Wiem o tym. Wiem bardzo dużo. Okłamywaliście mnie.

– Skończyliśmy już z tym – zapewnił cicho Tom. – Powiemy panu wszystko.

Detektyw skinął głową, wsadził rękę do kieszeni i wyciągnął kluczyki.

– Dobrze. Chodźcie, czeka nas przejażdżka.

– Chwileczkę – zaprotestowała Anna. – Jesteśmy tu nie bez powodu. W galerii z Jackiem Witkowskim współpracował policjant.

Detektyw uniósł ze zdziwieniem brew.

– Wiem, jak to brzmi – kontynuowała. – Niech mi pan wierzy, wiem. Ale to prawda. Dlatego właśnie chcieliśmy się spotkać tutaj, dlatego chcieliśmy, żeby przyjechał pan sam. Panu ufamy, ale z Jackiem współpracuje przynajmniej jeden gliniarz.

Halden patrzył to na nią, to na Toma, taksując ich wzrokiem. W końcu włożył kluczyki z powrotem do kieszeni, sięgnął do garnituru, wyjął paczkę winstonów i wytrzepał jednego papierosa.

– Mogę? – zapytał Tom.

Halden podsunął Tomowi paczkę, a po chwili znalazł złotą zapalniczkę i zapalił oba papierosy. Zamknął zapalniczkę.

– Nie wiedziałem, że pan pali.

– Bo nie palę. – Tom zaciągnął się dymem, a potem wypuścił go ustami. – Rzuciłem rok temu w lutym.

Gliniarz skinął głową. Patrzył z zadowoleniem, wiedząc, że potrafi ich przeczekać.

Anna wzięła głęboki wdech.

– Znaleźliśmy pieniądze, gdy zeszliśmy na dół gasić pożar – zaczęła opowieść. – Były schowane w mące i w opakowaniach z jedzeniem.

Wyjaśniła mu, że początkowo było to jak gra, dziwne, cudowne uczucie. Że właściwie nie mieli zamiaru zatrzymać forsy, ale jedna rzecz prowadziła do drugiej. Opowiedziała, jak ją schowali, jak spłacili długi. O dilerze narkotyków. O tym, jak Jack przyszedł do ich domu. O ucieczce do motelu. O umowie z Malachim.

– To był mój pomysł – wtrącił Tom. – Zastawić na Jacka pułapkę.

– Zrobiliśmy to razem – ucięła Anna.

Jej mąż spojrzał na nią z zaciśniętymi ustami. Powoli skinął głową.

– Nie chcieliśmy, by komukolwiek stała się krzywda. To znaczy komukolwiek poza nim. Ale potem ten gliniarz zaczął strzelać i...

– Nigdy nie chcieliśmy, by komukolwiek stała się krzywda – podkreśliła Anna.

Detektyw upuścił papierosa na beton, przydepnął go czubkiem buta, kręcąc nogą w lewo i w prawo.

– Nikt nigdy nie chce, by komukolwiek stała się krzywda. Ale tak to się kończy, gdy sytuacja przerasta człowieka.

– Teraz już o tym wiemy – przyznał Tom. – Dlatego tu jesteśmy.

Halden podrapał się w policzek.

– I powtórzycie to do protokołu? Podpiszecie?

Tom spojrzał na Annę. Czuła, że to bardzo ważny moment, skoro wspomniał o formalnościach. Objęła ręką plecy męża, przysunęła się do niego. Stali oboje przed detektywem jak przed księdzem.

– Podpiszemy.

– W porządku. – Halden skinął głową. – Póki co nikt oprócz mnie nie wie o pieniądzach. I niech tak zostanie. Doprowadzę was osobiście. Będziecie rozmawiali tylko ze mną. Kiedy już złożycie zeznania i oddacie pieniądze, to nawet jeśli macie rację i są w to zamieszani jacyś policjanci, nie będą mieli powodu, żeby was nękać.

– A co z Jackiem?

– Jack zastrzelił gliniarza.

Halden wypowiedział te słowa powoli i wyraźnie i Anna wyczuła czającą się za nimi groźbę.

– A Malachi?

– Z nim również sobie poradzimy.

Stali przez chwilę w milczeniu.

– A co się stanie z nami? – zapytała w końcu Anna.

– Nie chcę was okłamywać. – Halden potarł o siebie zmarznięte dłonie. – Zrobiliście coś bardzo złego. Co gorsza, było to głupie. Ale jeśli będziecie postępować dokładnie według moich instrukcji, pomożecie mi zamknąć sprawę „Skoku na Gwiazdę", aresztować Jacka Witkowskiego i dilera narkotyków... – Wzruszył ramionami. – Będzie to miało znaczenie. Ogromne znaczenie.

Annie kamień spadł z serca. Poczuła się jak dziewczynka, której udało się uniknąć klapsa. Mogą się z tego wyplątać. Zrobili to co trzeba, wreszcie, i być może za niedługo ich życie wróci do normy. Od wielu dni nie czuła się lepiej.

Nagle rozległa się jakaś przytłumiona muzyka. Dopiero po chwili Anna zdała sobie sprawę, że to temat z *Hawaii*

Five-o, dzwonek w jej telefonie. Znalazła komórkę. Na wyświetlaczu pojawił się numer dzwoniącej: Sara. Anna popatrzyła przepraszającym wzrokiem na Haldena.

– Moja siostra – powiedziała. – Zaraz ją spławię.

Halden skinął głową i odwrócił się do Toma, który go zapytał:

– Jak to będzie wyglądało?

– Hej! – Anna przywitała się niemal w tej samej chwili, gdy wcisnęła zielony klawisz. – Nie mogę teraz rozmawiać.

– Anno! O Boże, on...

W głośniczku rozległy się trzaski, tak jakby ktoś wyrwał Sarze telefon, a potem odezwał się w nim ostry męski głos:

– Wiesz, kto mówi?

Świat zakołysał się, zamknięta budka z fast foodem, mokry piach i szare niebo zawirowały i zalały się krwią. Anna zwalczyła gwałtowną chęć, by zacząć wrzeszczeć na całe gardło.

– Nawet nie...

Zreflektowała się, zdała sobie sprawę, że patrzy na nią detektyw. Musiała mu powiedzieć, wysłać gliny do domu jej siostry, o Jezu, do domu jej bratanka...

„Stop! To najważniejszy moment w całym twoim życiu".

– Nawet nie co, Anno? – Wydawało się to obrzydliwe, że głos Jacka może wwiercać się jej w ucho, podczas gdy on sam, z krwi i kości, przebywa wiele kilometrów od tego miejsca, w mieszkaniu jej siostry. – Mam nawet nie próbować jej skrzywdzić?

Halden odwrócił się z powrotem do Toma.

– Całkiem prosto. Pojedziecie ze mną, zabiorę was do pokoju przesłuchań i powtórzycie całą opowieść.

– Kto to? – rozległ się natychmiast głos Jacka.

„Jeżeli Halden domyśli się, z kim rozmawiasz, będzie musiał wkroczyć do akcji.

Jeżeli Jack domyśli się, obok kogo teraz stoisz, Sara zginie".

– Nikt – powiedziała. – Jestem na ulicy. – Chciała odejść o krok, ale bała się, że detektyw zacznie coś podejrzewać. – Czego chcesz?

– Czy potrzebujemy adwokata? – zapytał Tom.

– Czego chcę? – roześmiał się Jack. – Sekretnego przepisu twojej cioci na ciasteczka czekoladowe. A jak myślisz?

– Myślałem, że chcecie współpracować – powiedział Halden. – Po co wam adwokat?

Poczuła coś ciężkiego w żołądku. Zaczęły jej drżeć uda.

– Dostarczę ci je – obiecała, ostrożnie dobierając słowa.

– Nie próbuj mnie wyruchać, Anno. Wiem, że są tutaj.

– Co?!

Jej myśli pędziły jak oszalałe. Dlaczego sądzi, że pieniądze są w mieszkaniu jej siostry? Przecież nie... O Boże!

– W telewizji zawsze się mówi, że w takich sytuacjach powinno się mieć adwokata.

– Widziałem, jak je tutaj przywozisz – wyjaśnił Jack. – Niedawno. Weszłaś do środka z torbą gimnastyczną, tą samą, na którą teraz patrzę. Twoja siostra twierdzi, że nic o tym nie wie, ale zastanawiam się, czy po prostu nie zapytałem jej w niewłaściwy sposób. – Przerwał na chwilę. – Jak sądzisz, Anno? Powinienem zapytać ją jeszcze raz?

– Nie – odparła cicho. – Proszę.

– Widzi pan, to zależy od was – powiedział Halden chłodniejszym nagle tonem. – Ale powinniście zdawać sobie sprawę, że im dłużej będziecie zwlekać, w tym większych znajdziecie się opałach.

– W takim razie powiedz mi, gdzie są.

– Nie ma ich tam.

– Może czegoś posłuchasz? – zapytał Jack.

Nastąpiła chwila ciszy, a potem Anna usłyszała najbardziej przerażający dźwięk w swoim życiu.

W słuchawce rozległo się kwilenie Juliana.

Pragnęła prosić Jacka, błagać, krzyczeć. Ale powiedziała tylko:

– Nie ma ich tam. Przysięgam. Masz rację, chciałam je tam zostawić. Ale potem pomyślałam o tobie. O tym.

– Macie szansę pomóc w zatrzymaniu zabójcy policjanta. Ale czas ma tutaj ogromne znaczenie. Co będzie, jeśli adwokat zacznie kombinować i będzie tak długo przeciągał sprawę, że facet się wymknie? Zostaniecie nam tylko wy.

– Nie wierzę ci – powiedział Jack.

– Musisz uwierzyć – odparła. – Jesteś... – przerwała, szukając odpowiednich, bezpiecznych słów – z moim bratankiem. Naprawdę sądzisz, że mam zamiar w coś pogrywać? Teraz?

Po drugiej stronie linii nastąpiła długa chwila milczenia.

– Więc gdzie są?

– Przyniesiemy je.

– Poza tym, czy naprawdę chcecie ryzykować, że facet się wymknie? Gość, który cię pobił, pogruchotał ci palce, groził twojej żonie?

– Przyniesiecie, co? – Jack cmoknął językiem. – No nie wiem. Wygląda mi to na grę na zwłokę. Grasz na zwłokę?

– Nie, zapewniam, że nie.

– Lepiej nawet nie próbuj. Ponieważ dzisiaj rano zastrzeliłem gliniarza. Wiesz, co to oznacza? – Głos Jacka brzmiał naprawdę przerażająco. – Oznacza to, że nieważne, co teraz zrobię. Mogę podpalić bachora, a i tak nie będzie to miało żadnego znaczenia, ponieważ zrobiłem już coś, z powodu czego nigdy, nigdy mi nie odpuszczą. Rozumiesz? Jest mi już wszystko jedno.

– W porządku – ustąpił Tom. – Zresztą, to i tak nie ma znaczenia. I tak wszystko powiemy.

Pod Anną ugięły się nogi.

– Rozumiem.
– I dobrze – powiedział Jack. – Mądry wybór.
– I dobrze – powiedział Halden. – Mądry wybór.
W komórce zaległa cisza, ale Anna nadal stała w miejscu, przyciskając aparat do ucha. Myślała o Sarze i Julianie, uwięzionych, zdezorientowanych i bardzo, nieludzko wprost przerażonych. Do jej oczu zakradł się wyraz bezradności, który niemal przyprawił ją o łzy. Słuchać, jak grozi jej siostrze, jej bratankowi, i nie móc nic a nic zrobić...
Musiała zapomnieć o policji, zapomnieć o sobie i Tomie, którym cała sprawa uchodzi na sucho, zapomnieć o słodkim ułamku sekundy poczucia bezpieczeństwa. Nigdzie nie byli bezpieczni. Nie oni. Teraz to wiedziała.
Musieli jakoś wyrwać się Haldenowi. Ale jak? W żadnym razie ich teraz nie wypuści. Muszą znaleźć jakiś sprytny sposób, żeby go spławić. Wymyślić coś, żeby zostawił ich samych na minutę albo dwie.
Rozwiązanie pojawiło się w jej głowie samo, niespodziewanie, a ironia całej sytuacji była tak gorzka, że Anna aż się skrzywiła. Ale wiedziała, że jeśli ma to brzmieć naprawdę przekonująco, muszą to zrobić oboje. Zamknęła klapkę telefonu, położyła rękę na brzuchu i modliła się, by Tom zrozumiał.

MARZYŁ O KOLEJNYM PAPIEROSIE. Zabawne, piętnaście miesięcy wystarczyło, by skasować tolerancję jego organizmu na nikotynę: czuł mrowienie w palcach i przyjemną lekkość w głowie, której nie doświadczył, odkąd dziesięć lat temu wypalił pierwszych kilka fajek. Ale ni cholery nie zmniejszyło głodu nikotynowego.
Halden wsadził ręce do kieszeni.
– Gdzie są pieniądze?
Tom się zawahał. To była ich ostatnia tajemnica.
– W komórce w magazynie. Niedaleko galerii handlowej.
– Okej. Zabierzemy je po drodze na posterunek.

Anna schowała telefon, odwróciła się i podeszła o krok, żeby dołączyć do rozmowy. Strzeliła oczami w stronę męża i Tom pomyślał, że dostrzegł coś w jej wzroku, nie zdążył jednak się nad tym zastanowić, bo Anna spojrzała zaraz na Haldena. Przycisnęła rękę do brzucha i powiedziała:

– Przepraszam. To moja siostra. Ma małego chłopca, którego zaczyna właśnie karmić normalnym jedzeniem. Najwyraźniej jej kuchnia jest teraz cała w cętki od kremu z cukinii.

– Cukinii, tak? – Halden roześmiał się. – Dlaczego jedzenie dla niemowląt robi się z najgorszego syfu? Ja też bym to wypluł.

Czy popełnił błąd, mówiąc policjantowi, gdzie są pieniądze? Jak już będą w areszcie, nie zostanie im żadna karta przetargowa. Może powinni byli...

Cukinii?!

Spojrzał ponownie na Annę i zobaczył, że stara się podchwycić jego wzrok. Była blada. Tak blada, że nie wyjaśniał tego sam chłód. Czyżby dowiedziała się czegoś przez telefon? Położyła drugą rękę na brzuchu i się skrzywiła.

– Wszystko w porządku, kotku?

– Trochę mi niedobrze.

Halden odwrócił się i przyjrzał Annie.

– To pewnie nerwy. Ale podjęliście właściwą decyzję.

Pokręciła głową.

– Nie, nie chodzi o to. To tylko...

Spojrzała znowu na Toma.

Czy to mógł być przypadek, że użyła ich starego zaklęcia, sygnalizującego, że potrzebuje pomocy? Popatrzył na nią. W jej zachowaniu czaiła się błagalna prośba. Przycisnęła znowu ręce do brzucha i nagle Tom zrozumiał, o co jej chodzi.

– Poranne mdłości – powiedział.

Słowa te zabrzmiały dziwnie w jego ustach. Kiedyś marzył, żeby je wypowiedzieć. Tego rodzaju zdanie oznacza zazwyczaj zupełnie nowy etap w życiu.

– Jest pani w ciąży?

Detektyw wydawał się zdziwiony.

– Tak – odparła, dygocząc. Musiało się wydarzyć coś strasznego.

– Nie mam pojęcia, dlaczego nazywają to mdłościami porannymi – rzekł Tom, przypominając sobie jedną z kilku książek na ten temat, które przeczytał. – To się zdarza w najróżniejszych porach dnia. – Podszedł do żony i położył jej dłoń na ramieniu. – Toalety powinny być otwarte. – Odwrócił się do Haldena. – Możemy? Zajmie to tylko minutkę.

Halden pokiwał głową.

– Oczywiście.

– Dzięki – powiedziała Anna, skrzywiła się znowu i ruszyła przed siebie. Tom podszedł do żony i podparł ją ramieniem. Minęli budkę z jedzeniem z opuszczonymi roletami i skręcili w stronę toalet. Zachodził w głowę, co też mogło się stać, że użyła akurat tego kłamstwa.

HALDEN PATRZYŁ, JAK ODCHODZĄ. Tom wspierał żonę, prowadząc ją szybko obok pasażu z budkami z fast foodem. Gdy zniknęli za rogiem, odwrócił się i wpatrzył w jezioro. Czuł zapach powietrza, słyszał szum wody, obserwował fale. Uśmiechnął się z rozkoszą.

N i e c h t o s z l a g, niezły z niego detektyw!

To będzie coś. Rozwiązać sprawę „Skoku na Gwiazdę", i to w pojedynkę! Będzie miał departament u stóp: prasa, odznaczenie, zwolnienie od gównianej roboty, uznanie góry, podwyżka. Będzie mógł przejść na emeryturę z niezłą pensyjką. Kupić tę chatkę i spędzić resztę życia, czytając i spacerując po lesie, z dala od miasta i zamieszkujących je bęcwałów.

Sięgnął do kieszeni, wyjął papierosy. Zazwyczaj ograniczał się do dwóch dziennie, ale przecież papieros zwycięstwa się nie liczy. Zapalił, zaciągnął się. Krzyki mew stopiły się z odgłosem odjeżdżającego samochodu.

To, że Anna jest w ciąży, wiele tłumaczyło. Zastanawiał się, dlaczego zabrali pieniądze; szczerze mówiąc, był nawet na nich trochę wkurzony. Przecież to głupie, choć kuszące. Próbował im to wtedy powiedzieć, tego dnia, gdy siedzieli nad kawą przy kuchennym stole. Ale to fakt, ludzie robią różne głupstwa, kiedy myślą o dzieciach. Trochę zabawne, że nie wspomniała o tym już wtedy ani później, kiedy opowiadała, jak Jack włamał się do ich mieszkania i ją uderzył. Wydawałoby się, że powinna była pomyśleć przede wszystkim o tym, o zdrowiu własnego dziecka. No i czy kobiety w ciąży mogą pić kawę?

Z drugiej strony, w swojej pracy zdążył się już przyzwyczaić do kontaktów z gównianymi rodzicami. Widział wiele matek wciągających przez lufkę tygodniówkę na zakupy.

Mimo wszystko... Odwrócił się od jeziora. Wejście do toalet znajdowało się po drugiej stronie pasażu. Dalej, jakieś sto metrów, był parking.

Halden rzucił na wpół wypalonego papierosa na piasek i ruszył przed siebie, z każdym krokiem przyspieszając. Jego buty stukały na betonie. Okrążył budynek, skręcił w stronę toalet.

Drzwi były zamknięte. Na zasuwce wisiała ciężka kłódka.

– Nie, nie, nie! – zawołał, ruszając pędem w kierunku parkingu i przypominając sobie odgłos odjeżdżającego samochodu.

Poczuł ogromny ciężar w sercu. To koniec. Może zapomnieć o tym, że zgarnie ich osobiście. Zapomnieć, że jest facetem znającym wszystkie odpowiedzi, bohaterskim gliniarzem, człowiekiem dnia. Uciekają, pewnie właśnie wymykają się z miasta. Czas wezwać kawalerię. I przecierpieć wszelkie konsekwencje, jakie z tego wynikną. Westchnął, pomasował sobie czoło.

Cóż ich mogło tak wystraszyć? Tom zareagował trochę nerwowo na tę całą gadkę na temat adwokata, ale Halden jakoś nie mógł uwierzyć, że uciekli z tego powodu. A Anna, przecież rozmawiała przez telefon z...

Chwileczkę.

Ruszył pędem w stronę samochodu. Myślał o kopercie, którą w restauracji wręczył mu Lawrence Tully i która zawierała wszystkie osobiste informacje, jakie udało mu się zgromadzić na temat Reedów. Wyciągi bankowe, rachunki, historia kredytowa. Adresy członków rodziny.

Pieprzyć kawalerię. Jeszcze może załatwić to sam.

– Proszę – powiedziała siostra Anny. – Proszę, on jest przerażony.

Nawet w przytłumionym świetle sączącym się przez zaciągnięte żaluzje widział jej oczy, szerokie jak u dziewczynki z japońskich komiksów.

Jack współczuł jej, naprawdę. W życiu nie skrzywdziłby dziecka, ale ona tego nie wiedziała i mógł sobie wyobrazić, co się działo w jej głowie, dziką panikę, jaka ją ogarnęła. Trudno: taką już miał robotę; bywało, że paskudną. Odłożył telefon.

– Bardzo dobrze – powiedział. – Spisałaś się na medal.

Z sąsiedniego pomieszczenia dobiegł brzęk, jakby patelnia upadła na podłogę. Usłyszał, że Marshall przeklina.

Kobieta się skrzywiła.

– Proszę – powtórzyła i podeszła o krok. Uniosła rękę. Trzęsły się jej palce, była blada i czuł od niej mocny zapach, zapach strachu. – Proszę.

– Ale o co?

– Mój mały. Mój. Proszę. Mój synek.

Jack spojrzał na dziecko, które podtrzymywał lewą ręką. Śliczny chłopczyk: różowe policzki, szeroko otwarte, ciekawskie oczy.

– Nie martw się – powiedział. – Wkrótce będzie po wszystkim. – Przeniósł wzrok z powrotem na nią. – Obiecuję.

20

W swoim życiu Tom zatrzymywał się na tej ulicy więcej razy, niż był w stanie policzyć, ale nagle wydawało się, że wszystko wygląda inaczej. Było jaśniejsze, ostrzejsze. Dostrzegał szczegóły nawet pojedynczych liści, tak jakby każdy z nich umieszczony był na tle osobnej, białej ściany. Taka jasność była obezwładniająca.

– Masz klucze?

Anna trzymała ręce na kierownicy w pozycji dziesiąta-druga. Tom poklepał się po kieszeni, przy okazji uspokajając kołyszące się to w tę, to w tamtą stronę kolano.

Uciekali na południe od jeziora i w każdej chwili spodziewali się w lusterku błyskających niebieskich świateł. Widział, ile wysiłku kosztuje ją, by nie wcisnąć gazu do dechy, utrzymywać jak wszyscy prędkość dozwoloną plus pięć.

– Zrobię to – powiedział. – Zaniosę mu je.

– Nie. Idziemy oboje.

Znał ten ton i postanowił się nie kłócić. Po prostu opracował w myślach plan: kiedy odbiorą pieniądze, wskoczy do samochodu, zablokuje drzwi i ją zostawi. Bez sensu, żeby oboje wchodzili tam jak owce do wilczej jamy.

Ale Anna wpadła na lepszy pomysł. Prosty, elegancki, zapewniający Sarze i Julianowi bezpieczeństwo. Minus był taki, że oboje – Anna i Tom – znajdą się w potrzasku. Ale czasem warto o coś powalczyć. Warto za coś umrzeć, jeżeli trzeba. W sumie to było nawet zabawne. Gdy odarto ich ze wszystkiego, życie zaczęło sprowadzać się tylko do nich dwojga. Mogli przejść przez to razem albo razem umrzeć. A przecież niedawno chciał jedynie, by wrócili do punktu, w którym oboje staną przeciw światu.

Trzeba ostrożnie dobierać życzenia.

– Jest miejsce – powiedział.

Skinęła głową, zjechała pontiakiem na bok, wrzuciła wsteczny i zaparkowała przy krawężniku. Miejsce było bardzo dobre, w pół drogi między domem Sary a skrzyżowaniem, idealne dla ich celów.

Anna zgasiła silnik, co nagle uruchomiło jakiś gruczoł w jego głowie, wprawiło substancje chemiczne w ruch. Poczuł mrowienie w palcach i wilgoć pod pachami. Wziął kilka miarowych oddechów; chciał być gotowy, ale nie tak bardzo opętany myślą o walce, by zamienić się w kłębek nerwów. Anna otworzyła klapkę komórki, a potem z powrotem ją zamknęła. Odłożyła telefon do otworu na kubek i popatrzyła na zegarek. Na krzaki na zewnątrz. Flagę Cubsów łopoczącą na werandzie. Wszędzie, byle nie na niego.

– Nic nam nie będzie – powiedział, sam w to nie wierząc. – Jak gość odzyska swoje pieniądze, nie widzę powodu, dla którego miałby nas zabijać.

Odwróciła się; drżały jej wargi. Przez moment wahała się, a potem rzuciła się przez siedzenie, objęła go rękami za szyję, za plecy i przytuliła, tak jakby nie miała zamiaru nigdy się od niego odrywać.

– Kocham cię, tak cholernie cię kocham.

Uśmiechnął się w jej szyję, przeczesał palcami jej włosy.

– Ćśśś...

Przez chwilę pozostali tak przytuleni, a potem Anna się odchyliła.

– Jeżeli się uda, już nigdy... Nigdy więcej...

– Wiem – uspokoił ją. – Ja też. – Zerknął na zegarek. Odkąd opuścili plażę, minęło trzydzieści minut. Pragnął nie

ruszać się z samochodu, bardziej niż czegokolwiek w życiu.
– Już czas.

Anna wierzchem dłoni wytarła sobie policzki. Wzięła płytki wdech, potem jeszcze jeden, głębszy. Otworzyła klapkę komórki i wcisnęła trzy klawisze.

– Gotowa.

Skinął głową, czując w jelitach przyprawiające o mdłości gorąco. Otworzył drzwi samochodu, które zaskrzypiały głośno, i odwrócił się, by postawić stopę na chodniku.

– Tom. – Jej głos był jak wał przeciwpowodziowy, który zaraz zostanie przerwany. Spojrzał na nią i chcąc ją pocieszyć, zmusił się do uśmiechu. Ona odwzajemniła uśmiech, z równie dużym wysiłkiem. Zabłysły jej oczy. – Uważaj na siebie.

Mrugnął do niej. Następnie zamknął drzwi i ruszył przed siebie, bojąc się, że za chwilę puszczą mu nerwy. Wolfram była cichą uliczką: drzewa, ceglane kamieniczki, gdzieniegdzie domek. Pamiętał, jak pomagał Sarze się wprowadzić, jak przeciskał przez frontowe drzwi wielki materac, wciągał fotel, który – wydawało się – ważył tonę. Po wszystkim poszli do pobliskiego baru, który zdążyła już odkryć. Nazywał się Dalila. Świetna muza. We trójkę – spoceni, roześmiani – opróżnili butelki Old Style'a i Jim Beama i zaczęli śpiewać, drąc się wniebogłosy.

Wyparł z umysłu te myśli. Ryzyko było zbyt duże, by pozwalać sobie na mniej niż stuprocentową koncentrację. Wiatr zaczynał rozwiewać chmury, przez drzewa tu i ówdzie przebijało się już słońce. Miał sucho w ustach, a nogi wydawały mu się nienaturalnie lekkie. Wsadził rękę do kieszeni, wyjął kluczyk i zacisnął wokół niego palce zdrowej dłoni. Żaluzje w mieszkaniu Sary były zaciągnięte, ale wydawało mu się, że w jednym z okien dostrzegł ruch. Serce chciało mu wyskoczyć z piersi.

Wszedł na werandę.

Anna patrzyła, jak odchodzi, a z każdym jego krokiem wokół jej serca zaciskała się mocniej obręcz z drutu kolczastego.

Przez cały czas byli tak zajęci pogonią za tym, czego – jak im się wydawało – pragnęli, że zapomnieli o tym, co już mają. „Nigdy więcej". Powtarzała to w myślach bez końca jak mantrę, która miała go chronić i przyprowadzić do niej z powrotem. Anna niczego więcej w tym momencie nie chciała.

Lecz to właśnie było całkowicie poza jej zasięgiem. Nieważne, jak bardzo by się nawzajem okłamywali, Jack nie pozostawi ich przy życiu. W żadnym razie. Ale przynajmniej uratują Sarę i Juliana.

Z telefonem w dłoni zapadła się w fotelu tak głęboko, że ledwie widziała, jak Tom wspina się po schodach werandy. Jak sięga do drzwi, otwiera je. Nie mogła zajrzeć do środka, ale dostrzegła, że jej piękny mąż unosi klucz. Stał spokojny, silny, tak jakby wymiana własnego życia za życie swojej rodziny była najnormalniejszą rzeczą na świecie, i w tym właśnie momencie, gdy istniało największe ryzyko, że go straci, Anna poczuła, że kocha go bardziej niż kiedykolwiek.

Opadło na niego dziwne uczucie chłodu. Gdy miał stanąć twarzą w twarz z monstrum, strach ciągle był obecny – i wydawał się równie naturalny jak powietrze, którym oddychał. Ale był jakby czymś zewnętrznym, poza nim. Trzymał przed sobą klucz, starając się powstrzymać drżenie dłoni.

W drzwiach stanął z założonymi rękami Jack. Lewe przedramię miał owinięte poplamioną krwią gazą. Wszystkie żaluzje były zaciągnięte, ale przytłumione światło nieco rozjaśniało wnętrze – mrok nie był aż tak gęsty, by Tom nie dostrzegł kabury, palców Jacka lekko, niemal przypadkowo opadających na rękojeść pistoletu. Chwila ciągnęła się jak linia wysokiego napięcia – naprężona i naładowana tak, że aż skwierczała.

– Gdzie żoneczka? – odezwał się w końcu Jack.

– Obserwuje nas z bezpiecznej odległości, z numerem 911 wpisanym do telefonu i kciukiem na zielonym klawiszu.

– Z bezpiecznej odległości, tak? – Jack uśmiechnął się z zażenowaniem. Wychylił się przez drzwi i rozejrzał na lewo i prawo. – Nie mogliście po prostu przynieść pieniędzy, co? Czy wy zawsze musicie wszystko komplikować?

– Nie, tym razem wszystko upraszczamy. – Tom wziął głęboki wdech, niemal czuł smak powietrza. – Nie chodzi ci o Sarę ani o Juliana. Chcesz ich wykorzystać, ale tak naprawdę rzecz sprowadza się do pieniędzy, prawda? – Wzruszył ramionami. – Wymień ich więc na nas, a zabierzemy cię do komórki w magazynie, gdzie je schowaliśmy.

– Wyraźmy to jasno. Wychodzę z tobą, wskakuję do twojego samochodu i zabierasz mnie do moich pieniędzy. Jeżeli nie, Anna dzwoni pod 911. Zgadza się?

Tom skinął głową.

– Zanim gliny odpowiedzą na wezwanie, minie dziesięć, piętnaście minut – zauważył Jack. – Wiesz, jak to się może ciągnąć?

Tom poczuł suchość w ustach, ale nawet nie drgnął.

– W ten sposób nie odzyskasz tego, czego szukasz. – Trzęsły mu się ręce. Przycisnął je do nóg, żeby to ukryć. Na tej właśnie kotwicy wszystko zawiesili – na założeniu, że niezależnie od tego, jak wściekły będzie Jack, najbardziej na świecie pożąda gotówki. Jeśli okaże się, że to mylna kalkulacja, sprawy mogły przybrać gorszy obrót, niż kiedykolwiek sobie wyobrażał. – Upewnię się tylko, że Sarze i Julianowi nic nie jest, a potem zabiorę cię do twoich pieniędzy.

Przez długą chwilę Jack po prostu gapił się na niego. Potem wzruszył ramionami i cofnął się w stronę wnętrza domu.

– Wchodź.

Przez zaciągnięte żaluzje przebijało się zatęchłe światło, sprawiając, że znajome otoczenie nabierało złowrogiego charakteru. Powietrze było gęste od zapachu pudru dla niemowląt i czegoś jeszcze, ostrego swądu jakby spalenizny, którego jednak Tom nie rozpoznawał. Jack wskazał mu ręką zamknięte drzwi sypialni.

– W środku.

Tom ruszył przed siebie, czując mrowienie w plecach, wywołane świadomością, że Jack stoi za nim. „Spokojnie. To działa. Facet nie ma powodu, żeby cię zaatakować. Wie, że jeśli to zrobi, Anna zadzwoni na policję; wie, że przyjadą szybko, jeśli powie im, kogo tu spotkają. Po prostu więc to zrób i wyjdź. Każdy krok do przodu oddala cię jednocześnie od tego domu".

Położył rękę na drzwiach i pchnął je. Światło było przytłumione i zakurzone, a zapach w pokoju mocniejszy. Stał przez chwilę, czekając, aż wzrok przyzwyczai mu się do ciemności, aż mgliste kształty wyostrzą się w łóżko, fotel – ten sam, który przytachał na górę – i kołyskę w kącie. Widział zarys sylwetki leżącego w niej Juliana.

Z boku łóżka wystawały dwie nogi.

Tom podszedł trzy kroki, nie zdając sobie nawet sprawy, że się porusza. Sara leżała twarzą do dołu, przysypana rupieciami, pocztówkami i książkami z szuflady wyrwanej z nocnego stolika. W przytłumionym świetle krwawa masa tkanek, która kiedyś była jej plecami, wydawała się niemal czarna.

Z tyłu za Tomem rozległo się skrzypnięcie metalu o skórę – to pistolet wyślizgnął się z kabury.

– Miałeś całkiem sprytny plan, Tom – powiedział Jack. – Pozwól jednak, że zaprezentuję ci mój własny, jeszcze sprytniejszy.

Anna nienawidziła poczucia bezradności.

Na desce rozdzielczej tańczyły promienie słońca. Obserwowała Toma stojącego na werandzie, widziała, jak Jack wychyla się i spogląda w jej stronę. Zwalczyła chęć, by zapaść się głębiej w fotelu – wiedziała, że ruch może przyciągnąć jego uwagę. Gdy była małą dziewczynką, udawała, że jej oczy to strumienie lasera, że mogą rozcinać wszystko, na co spojrzy. Teraz, kiedy tak siedziała wciśnięta w siedzenie, bezbronna, mogąc tylko czekać i patrzeć, marzyła o laserowych oczach. Wyobrażała sobie, jak przebija się przez okno, wbija wzrok w Jacka, a wiązka światła wżera się w jego ciało, przecina je na dwie połówki.

Jej myśli pędziły jak oszalałe, próbowała wyliczyć w głowie wszystko, co mogło pójść nie tak. Otworzyła do połowy okna, ale samochód stał zbyt daleko od werandy, by mogła usłyszeć, co mówi Tom. Patrzyła, obserwowała, jak kładzie zdrową rękę na udzie. Po długiej chwili wszedł do domu.

Odetchnęła. Dobrze. Umówili się, że jeśli Jack wyciągnie pistolet, Tom da jej sygnał. To, że wszedł dobrowolnie, oznaczało, że plan działa.

Sęk w tym, że czekała ich teraz najtrudniejsza część. Anna miała spocone dłonie, serce waliło jej głośno, bolała ją głowa. Minęła minuta, potem kolejna. Tom raczej by nie zwlekał, chyba że musiał uspokoić Sarę, upewnić się, że zrozumie, iż nie powinna dzwonić na policję. Mogło to zająć chwilę. Z drugiej strony, jeśli coś poszło nie tak, każda sekunda, kiedy nie dzwoni na policję, mogła oznaczać, że Tom zostanie mocniej skrzywdzony. Liczyła oddechy, nie odrywając kciuka od klawisza.

Miała już go wcisnąć, gdy nagle usłyszała stukanie w szybę. Odwróciła się i spojrzała prosto w lufę pistoletu.

Przez chwilę świat sprowadzał się wyłącznie do warstwy wizualnej, do obrazów migających Tomowi w oczach. Śliskie, podziurawione ciało Sary, odsłonięta wilgotna tkanka, narastający zapach, zwierzęcy zapach, miedziany i gorszy nawet, i nagle przypomniał sobie, jak się śmiała, jak zarzucała głową do tyłu, że była najlepszą przytulanką na świecie, jak zaciskała mu ramiona wokół szyi, i na samą myśl o tym, co się stało, żołądek podskoczył mu do gardła. Poczuł w ustach coś paskudnego i gorzkiego, w ustach i w nozdrzach, i siłą powstrzymał wymioty. Jego oczy katalogowały szczegóły, których nie chciał dostrzegać: kałużę krwi na tanim dywanie, roztrzaskaną drewnianą szufladę, błysk metalu, coś lśniącego leżącego pod łóżkiem, czego nie mógł do końca rozpoznać.

– Ciężka sprawa, co? – odezwał się zza jego pleców Jack. – Widzieć, czym naprawdę jesteśmy. Możesz kogoś znać przez całe życie i nagle... – Wciągnął przez zęby powietrze. – Powiedziałbym, że mi przykro, ale w sumie to nie moja wina, nie?

„Sara. O Boże, biedna Sara". Nagle w głowie zaświtała mu jeszcze jedna myśl. Okręcił się na pięcie i podszedł do łóżeczka. Julian leżał na plecach. Miał otwarte oczy. Toma przeszedł gwałtowny dreszcz, coś w nim w środku zamieniło się w jeden wielki skowyt, który jednak nie zdołał wydobyć się na powierzchnię.

I wtedy chłopczyk zamrugał i zaczął gaworzyć, wpatrując się w Toma.

– Dzieciakowi nic nie jest – powiedział Jack. – Natomiast twoja szwagierka, no cóż, próbowała uciec. Wybrała niewłaściwy kierunek.

Tom odwrócił się i ruszył przed siebie. Zatłucze tego skurwysyna, zatłucze go gołymi rękami, jeżeli będzie trzeba, za to, co zrobił Sarze, co zrobił z ich życiem.

Jack uniósł pistolet szybciej, niż Tom uznałby to za możliwe, i przyłożył mu lufę do czoła. Tom, wbrew woli, zamarł. Zacisnął zdrową rękę w pięść.

– Anna właśnie dzwoni pod 911 – wykrztusił łamiącym się głosem.

Jack pokręcił głową i uśmiechnął się.

– Obawiam się, że nie.

Adrenalina rozpaliła ją od środka i Anna krzyknęła, czy raczej pisnęła, bardziej zaskoczona niż wystraszona.

Przy samochodzie stał Halden i celował w nią z pistoletu, tego samego, który przyciągał jej wzrok w czasie każdego spotkania z detektywem, ten sam, który wywołał u niej refleksję, jak by to było nosić go, trzymać, celować z niego – tyle że teraz był wycelowany w nią.

– Odłóż telefon i wysiadaj z wozu – rozkazał.

Wpatrzyła się w niego, przełknęła ślinę i zamrugała.

– Pan nie...

– W y s i a d a j z w o z u, d o k u r w y n ę d z y! – powtórzył rozkazującym tonem i Anna postanowiła sięgnąć jednak do klamki. Cofnął się o krok i wycelował. – Powoli.

Detektywie, to... Tom jest w tamtym domu z... Musi pan się schować. Jeżeli pana zobaczy...

– Wysiądź z wozu, odwróć się i połóż ręce za głową.

– Ale...

– J u ż!

Spojrzała mu w oczy – zimne, profesjonalne – i zdała sobie sprawę, że detektyw widzi w niej tylko kryminalistkę, osobę zamieszaną w zabójstwo policjanta. Co gorsza, kobietę, która go okłamała, postawiła w paskudnym położeniu. Nie było większych uparciuchów niż upokorzeni mężczyźni. Musiała go jakoś uspokoić, wyjaśnić, co się dzieje w domu obok. W każdej chwili mógł z niego wyjść Tom z Jackiem. Jeśli ten ostatni zobaczy glinę, to będzie koniec.

Nie mogła zrobić nic lepszego, niż ustąpić detektywowi, sprawić, żeby trochę odpuścił. Otworzyła drzwi i wyszła z samochodu, trzymając dłonie na wysokości klatki piersiowej.

– Nic nie zrobię. Nie potrzebuje pan pistoletu.

– Odwróć się i połóż dłonie za głową.

Gorączkowo analizowała sytuację. Od tego, co teraz zrobi, zależało życie Toma.

– Proszę mnie posłuchać. W tym domu – kiwnęła głową w stronę zabudowań – jest Jack Witkowski. To on do mnie dzwonił. Przepraszam, że uciekliśmy, ale on porwał moją siostrę.

Halden pokręcił głową.

– Powiem ci, co teraz będzie. Zakuję cię w kajdanki, a potem pójdę zakuć Toma. Następnie oboje powiecie mi, gdzie są pieniądze. Wejdę do komisariatu z tobą pod jedną pachą, Tomem pod drugą oraz workiem z forsą na plecach.

– Czy pan mnie *nie słyszy*? – Wbiła wzrok w detektywa, zdając sobie nagle sprawę, że to, co dostrzegła w jego oczach, to wcale nie zawodowy chłód. Miał w nich ten sam upór, który ona dopiero niedawno zdołała przezwyciężyć. W jej wypadku ślepota skupiała się na pieniądzach; detektywowi pewnie chodziło o coś innego, ale pragnął tego równie intensywnie. – Proszę mnie posłuchać. Tam jest Jack. Jest tam *teraz*!

– Odwróć się i połóż dłonie za głową – powtórzył gliniarz.

Nagle rozległ się dźwięk – dziwnie znajome szczęknięcie, głośne i dochodzące z lewej strony.

Halden również to usłyszał i otworzył szeroko oczy, jednocześnie odwracając się szybko i przesuwając błyskawicznie pistolet. Anna podążyła wzrokiem w tym samym kierunku i zobaczyła jakąś postać, mężczyznę – *o Jezu*! – tego drugiego faceta z galerii, który celował dokładnie w nią z ogromnej strzelby.

Wybuch był głośniejszy, niż kiedykolwiek to sobie wyobrażała.

Na ulicy rozległ się huk – głośny, ostry, bliski. Strzał, potem jeszcze jeden.

Anna. Na ulicy była Anna – sama. I nie miała broni.

Tom wiedział natychmiast, że nie żyje, i nic już nie miało znaczenia. Skowyt, który zbierał się w nim od jakiegoś czasu, przebił się nagle na powierzchnię w nieludzkim ryku i Tom rzucił się przed siebie. Czuł wściekłość silniejszą, potworniejszą niż cokolwiek, czego doświadczył w życiu. Pochylił głowę i zaatakował – naprężył wszystkie mięśnie oraz ścięgna ręki i grzmotnął z całej siły Jacka w brzuch. Mężczyzna zaczął łapczywie chwytać ustami powietrze i wypuścił z dłoni pistolet, ale Tom nie ustępował, pchnął go, trzasnął nim brutalnie o ramę drzwi. Wymierzył kolejny cios w żołądek Jacka, a potem zamachnął się i zrobił to jeszcze raz. Z tej odległości czuł zapach jego potu i wody kolońskiej, widział fakturę jego koszuli, idealnie zawiązane paski pustej kabury. Chciał rozerwać go na strzępy, wyrwać mu ręce ze stawów, wykręcić głowę z karku. Jack zaatakował łokciami plecy Toma, ciosy były jak uderzenia błyskawicy, ale Tom nie puścił go, nie miał zamiaru go puścić, wiedział, że nigdy go nie puści, wytrzyma wszystkie ciosy, jakie ten skurwysyn mu wymierzy. Uderzył jeszcze raz pięścią w bok mężczyzny, tak że ten wrzasnął z bólu, i wiedział już, że wygra.

Nagle Jack wcisnął prawą rękę między ich skłębione ciała i odnalazł lewą dłoń Toma. Ścisnął zabandażowane palce i szarpnął nimi do tyłu. Tom poczuł, że traci władzę w nogach. Rękę przeszył mu bełt rozpalonego do białości bólu.

HALDEN COFNĄŁ SIĘ O KROK, wchodząc w snop światła, i wyglądało to tak, jakby przebił go właśnie słoneczny promień, tak jakby to słońce zabarwiło go na czerwono, poplamiło i wyrwało mu wnętrzności. Otworzył usta niemal w zdziwieniu. Anna wpatrzyła się w niego, wyciągnąwszy przed siebie rękę, jakby chciała go złapać, jakby jakimś cudem mogła poskładać go do kupy, a potem rozległ się kolejny huk. Ciało detektywa obróciło się, wytrysnęła z niego lepka miazga, a z dłoni wypadł pistolet. Anna spojrzała na mężczyznę z galerii, który stał z opartą na ramieniu strzelbą i przesuwał lufę w jej kierunku.

Zaczęła biec.

Rozległ się jeszcze jeden huk i przednia szyba samochodu eksplodowała milionem migoczących odłamków szkła. Zahaczyła stopą o krawędź krawężnika i potknęła się, niemal upadła, ale zdołała odzyskać równowagę i puściła się biegiem przed siebie w stronę wąskiej dróżki prowadzącej między dwoma budynkami. Jej mózg pracował jak automat, czuła zwierzęce pragnienie ucieczki, była jak zwierze pedzące do lasu. Nagle wybuchł róg budynku i w powietrzu zaczęły wirować kawałki cegły, z których jeden, o ostrych jak żyletki krawędziach, trafił ją w policzek. Czerwony pył gryzł niczym gorący piach, ale dotarła już do ścieżki i pędziła nią, wymachując rękami. Usłyszała za plecami przekleństwo, a potem głuchy odgłos zbliżających się kroków.

Nie było nic poza ogłuszającym szumem krwi w uszach i bólem wstrząsającym wszystkimi nerwami, tak ostrym, gorącym, że prawie oślepiał zmysły; Tom niemal mógł go posmakować, powąchać, usłyszeć. Chciał się zmusić i wstać – przecież wygrywał – ale Jack trzymał go za mały palec, ten złamany, i wykręcał go na boki, pozbawiając Toma tchu w piersiach.

W jego nos wbiła się pięść i poczuł tępe oszołomienie, za siatkówką zawirowały mu gwiazdy. Jack puścił jego dłoń i Tom podciągnął się w górę, przytulił palce do piersi, walcząc o oddech. Jego głowa znajdowała się zaledwie parę centymetrów od ciała Sary i wyobraził sobie, jak to będzie dostać kulę, jak to będzie upaść obok niej – i nie mógł się już doczekać.

Chciał się poruszyć, ale ciało go nie posłuchało. Ciemność zapraszała go w swe objęcia, a wraz z nią – Anna.

Marshall w pośpiechu nie ułożył się prawidłowo do strzału i kolba dwukrotnie uderzyła go w ramię niczym gigantyczna pięść. Adrenalina stłumiła ból, ale błąd kosztował go dwa pudła przy prostych strzałach do uciekającej kobiety.

Nie miało to jednak znaczenia. Gdy jeszcze grał w baseball, był mistrzem w sprincie do pierwszej. Puścił się więc w pogoń, jedną ręką trzymając remingtona.

Ścieżka między budynkami była wąska, miała może metr szerokości, i kiedy do niej dotarł, zwierzyna znikała już za rogiem. Nachylił się, by biec jeszcze szybciej. Usłyszał szczęk drewna i metalu, a kiedy znalazł się na tylnym patiu, zobaczył tylko, że kobieta zeskakuje po drugiej stronie płotu. Zaatakował go z rozbiegu: ustawił odpowiednio stopę i wybił się, wykorzystując siłę pędu. Złapał jedną dłonią za szczyt ogrodzenia, podciągnął się i upadł na beton po drugiej stronie. Podniósł remingtona, ale Anna pędziła już kolejną dróżką, wracając do miejsca, z którego nadbiegli.

Błąd. Dopóki uciekała zygzakiem, korzystając z osłony, musiał ją gonić. Ale teraz wracała na ulicę. Jack mówił, że jest niegłupia, ale kretynka najwyraźniej już nie myślała, bo przecież ulica była szeroka i odsłonięta, a kulą z remingtona można dosięgnąć bezbłędnie celu z odległości stu metrów.

Marshall złapał ręką za róg budynku, żeby nie wytracić prędkości i puścił się biegiem ścieżką. W głowie wypróbowywał kolejne ruchy: wybiec na pozycję do czystego strzału, zatrzymać się, rozstawić szeroko stopy, przycisnąć kolbę do ramienia.

Annie Reed zostało może dziesięć sekund życia.

Pięść znowu na niego opadła, tym razem trafiając w policzek, i głowa Toma uciekła na bok. Świat był rozkołysany i wilgotny.

– Skurwiel – powiedział gdzieś w górze gardłowym głosem Jack. – Jebany skurwysyn.

Na jego żebrach zachrzęścił but. W łóżeczku Julian kwilił cienkim głosikiem.

– Założę się, że chciałbyś teraz wrócić do swojego małego bezpiecznego życia – warknął Jack. – Założę się.

Ogarnął go dziwny spokój. Wszystko go bolało, ale ból, podobnie jak strach, był zbyt mocny, by go odczuwać. Prawie z wdzięcznością witał kolejne ciosy. Anna nie żyła. Im mocniej Jack go bił, tym szybciej będzie znowu z nią. Tylko to się teraz liczyło. Widok zasłaniała mu bawełniana kołdra, ale kiedy spojrzał na twarz Sary, stwierdził, że również na niej maluje się dziwny spokój. Zastanawiał się, dlaczego pobiegła tutaj, gdzie łatwo można ją było dopaść. Może próbowała dostać się do telefonu na stoliku nocnym?

Zobaczył, że Jack nachyla się, grzebie wśród rupieci na podłodze i wreszcie wstaje z kluczem w ręku.

– Widzisz? I tak już wszystko jedno – powiedział do niego. – W Chicago jest ograniczona liczba magazynów. W końcu znajdziemy właściwy.

Na myśl o tym, że Jack wygra, Toma ogarnął gniew – poczuł ból silniejszy od tego w ranach. Ale to nie wystarczyło. Nie bez niej.

Annę bolały stopy i twarz w miejscu rozcięcia. Słyszała za sobą mężczyznę. Chyba się nie zbliżał, ale nie pozostawał też w tyle.

„Prawie na miejscu. Musisz tam dotrzeć. Tom cię potrzebuje".

Minęła biegiem ścieżkę, jedną ręką przesuwając po ścianie budynku. Ulica była tuż z przodu. Bezpieczeństwo. Gdy wpadła w objęcia słońca, kroki mężczyzny zabrzmiały głośniej. Dotarła jednak tam, gdzie chciała.

Zabawne, jak to coś przyciągało jej uwagę od chwili, gdy to zobaczyła parę tygodni temu. Tak jakby już wtedy wiedziała. Był cięższy, niż się spodziewała, ale jego dotyk wydał się rozkoszny.

Odwróciła się i oparła o maskę swojego samochodu, kładąc ręce na pokruszonym szkle. Z przerażeniem myślała o każdej mijającej sekundzie, w której nie mogła pomóc Tomowi. Strach o niego, frustracja oraz nienawiść wezbrały w niej falą niczym powstrzymywany zbyt długo okrzyk.

Gdy Marshall pojawił się na ulicy, Anna przestała się wreszcie powstrzymywać i wykrzykując słowa, których nie słyszała, wycelowała z zabranego Haldenowi pistoletu i pociągnęła za spust, a potem jeszcze raz, i jeszcze raz, aż pierś mężczyzny zakwitła czerwienią, aż zachwiał się i ześlizgnął po ścianie z wyrzeźbionym na twarzy wyrazem zdumienia, aż pistolet przestał podskakiwać jej w dłoni.

Cios oślepił jego lewe oko. Koniec się zbliżał. Tom wiedział o tym, dostrzegał to wyraźnie na twarzy Jacka, który właśnie przykucnął przed nim.

– No dobra, Tom. Oszczędź mi kłopotu. Powiedz, gdzie jest ta cała komórka, a za chwilę wszystko to się skończy.

Właściwie co za różnica? Jack i tak ją znajdzie, prędzej czy później. A od Anny dzieliła go teraz tylko kula.

Potem jednak przypomniał sobie, że Jack ją zabił, że zabił Sarę, że zrujnował im życie. Zabrał wszystko, co miało dla nich znaczenie. Dla pieniędzy. Dla koloroweych papierków. Wyprostował się na tyle, na ile mógł, choć właściwie nie miał już władzy nad ciałem. Zmusił się do uśmiechu, czując smak krwi z rozbitego nosa. Zakasłał.

– Pierdol się – powiedział.

Jack zesztywniał i Tom się skurczył, gotów na kolejny cios. Ale jego oprawca tylko się roześmiał.

– Wiesz co, to zabawne. Zaczynam cię lubić. Oboje was. Macie jaja. – Roześmiał się znowu, a potem sięgnął ku Tomowi i poklepał go łagodnie dłonią po policzku. – Dobrze, że postanowiłeś być mężczyzną. Wziąć na siebie odpowiedzialność. – Wstał, cofnął się o krok. – Ale już wystarczy.

Gdy Jack zszedł mu z widoku, Tom nagle dostrzegł, czego szukała Sara. Błysk metalu, który zauważył już wcześniej. Rewolwer. Mały rewolwer, zaledwie kilka centymetrów od jego dłoni, pod łóżkiem.

Zamrugał i pokręcił głową. Broń ciągle tam leżała. Zmusił się, by podciągnąć się bliżej.

Jego kończyny zwisały ciężko. W każdym mięśniu czuł rwanie. Nie mógł się poruszyć. Jack podszedł do ściany, do której przed kilkoma minutami przygwoździł go Tom. Obok której upuścił swój pistolet.

Tom wybałuszył oczy. Wiedział, że nie zdoła tego zrobić. To było zbyt wiele jak na niego, zbyt był obolały. Poza tym Anna. Jeśli zabije Jacka, nie połączy się z nią. Jego dziewczynka, słodka dziewczynka odeszła.

I wtedy usłyszał serię trzasków, strzałów z pistoletu, jednego za drugim. Były głośne, szybkie, ohydne. Ale ich odgłos ledwie dotarł do jego uszu. Ponieważ ponad nimi usłyszał Annę. Wykrzykiwała jego imię, bez końca, jak modlitwę. Żyła – ciągle żyła. Jego żona żyła.

Tom podczołgał się do przodu. Ból przeszył mu żebra, świat zawirował, ale nie miało to żadnego znaczenia, odepchnął to gdzieś na bok, złapał rewolwer, zaczął się odwracać, wykręcać na kolanach, patrząc jednocześnie, jak Jack wstaje z pistoletem w dłoni.

Usłyszawszy dobiegające z wnętrza domu strzały, Anna krzyknęła. Nogi odmówiły jej posłuszeństwa. Pistolet z opróżnionym magazynkiem upadł ze stukotem na beton.

Za późno. Spóźniła się. Nic już nie miało znaczenia.

Później, nie mogąc zasnąć w nocy, wsłuchując się w miarowy rytm oddechu Juliana, wspominała tę chwilę, odwijała ją jak nitkę. W tej chwili wszystko się zmieniło. Absurdalne ciepło promieni słońca na jej plecach, szelest liści – świat zabył taki, jakby nic się nie wydarzyło. Tak jakby nie zauważył, że właśnie się skończył.

Czas się oderwał. Anna stała, pragnąc z całego serca zniknąć, chcąc wbiec do domu, ale nie mogąc się ruszyć. Słyszała narastające wycie syren – strzały w spokojnej mieszkalnej dzielnicy musiały zaalarmować policję. Gdzieś w górze śpiewał ptak.

Nic jednak nie miało znaczenia.

Jej uwagę przyciągnął odgłos dobiegający z wnętrza. Coś się poruszało. Postać, cień w przytłumionym świetle. Mężczyzna z rewolwerem w dłoni. Poruszał się powoli. Podchodził do niej. Postanowiła stać w miejscu i dać się zastrzelić Jackowi.

A potem zobaczyła, że to Tom.

Było to jak urodzić się na nowo, tak jakby oboje zostali na nowo stworzeni przez płomienie tej koszmarnej pożogi. Przez chwilę po prostu patrzyli na siebie. A potem, gdy na ulicy rozległ się jazgot nadjeżdżających ze wszystkich stron radiowozów, podbiegła do niego, oboje złapali się, podtrzymali, żeby nie upaść, i przysięgła w tym momencie, że już nigdy więcej się nie podda.

Nigdy więcej.

21

– ...WEDŁUG RZECZNIKA POLICJI PATRICKA CAMDENA śledztwo w sprawie tragicznej w skutkach strzelaniny w galerii handlowej w Lincoln Park z zeszłego tygodnia zostało zamknięte. Dwaj sprawcy zostali zidentyfikowani jako Jack Witkowski, lat czterdzieści trzy, i Marshall Richards, lat trzydzieści dziewięć. Obaj zginęli w strzelaninie, jaka wywiązała się później tego samego dnia i w wyniku której śmierć poniosły kolejne ofiary, w tym doświadczony oficer policji. Po wyjściu z galerii Witkowski i Richards prawdopodobnie zabili Sarę Hughes, mieszkającą w pobliżu samotną matkę, i przez kilka godzin ukrywali się w jej domu.

Zarówno Witkowski, jak i Richards byli doskonale znani policji, która uznała ich za głównych podejrzanych w sprawie napadu znanego jako „Skok na Gwiazdę". W incydencie tym, który miał miejsce 24 kwietnia, zginęło dwóch mężczyzn. Policja nie komentuje plotek na temat kradzieży dużej sumy pieniędzy w napadzie, których jednak póki co nie odnaleziono...

Malachi nachylił się i wyłączył radio. To zawsze interesujące posłuchać, co mają do powiedzenia dziennikarze, i skonfrontować to z tym, co się tak naprawdę wydarzyło. Media ogłosiły Toma i Annę Reedów bohaterami, którzy pomogli zatrzymać dwóch zabójców policjanta, ale gliniarze nie zdradzili zbyt wielu szczegółów na temat tego, co właściwie się pod tym kryło. Malachi miał paru przyjaciół wśród niebieskich i z tego co słyszał, wielu z nich chciało utopić Reedów, ale sprawa nagle stała się polityczna. Decyzja o zamknięciu śledztwa przyszła z góry. Bez dostępu do świeżych informacji reporterzy przekazywali coraz krótsze relacje. Wkrótce wydarzy się coś nowego i wszyscy zapomną o całej historii. Świat jest grą cieni.

– To tutaj – powiedział André, wskazując kwadratowy budynek z wielkim pomarańczowym szyldem.

Malachi skinął w milczeniu głową. Nie był pewien, co się dzieje, na czym polega ta akurat gra, a przez lata nauczył się, że w takich wypadkach lepiej myśleć, niż mówić. André zaparkował mercedesa w pół drogi między budynkiem a skrzyżowaniem. Na zewnątrz od horyzontu do horyzontu rozciągało się błękitne niebo. Niska biała dziewczyna wyprowadzała trzy psy ciągnące ją w trzech różnych kierunkach.

Dziwna sytuacja. Trudna decyzja, mało danych. Musiał się oprzeć na tajemniczej rozmowie telefonicznej i zaufać własnemu instynktowi. Mimo wszystko. Kto nie ryzykuje, ten nie je.

Malachi nachylił się, zdjął kurtkę, a potem wyciągnął z kabury siga i podał go Andrému.

– Włóż go do skrzyni w bagażniku. Swój też.

Jego goryl wysiadł. Malachi zaczekał, aż zamknie bagażnik, po czym również stanął na chodniku. Policja musiałaby mieć jakiś powód, żeby przeszukać pojazd, oraz zgodę lub nakaz, żeby otworzyć zamkniętą na klucz skrzynkę w bagażniku. Nie uważał tego za grę, ale zawsze należało działać tak, by zapewnić sobie bezpieczeństwo.

Przy biurku siedział znudzony koleś z cieniutkim wąsikiem. Malachi podszedł do niego, skinął głową i zapytał:

– Masz może dla mnie klucz?

Facet podał mu niewielką brązową kopertę.

– Winda?

– Do tyłu i na prawo.

Wjechali w milczeniu na czwarte piętro i po chwili znaleźli się w oświetlonym neonówkami korytarzu. Malachi przekazał klucz Andrému – ten nachylił się, by włożyć go do zamka i podciągnął w górę drzwi.

– Jebał go pies.

Na środku podłogi niewielkiej komórki leżał stos paczuszek studolarowych banknotów. Na górze zobaczyli kopertę. Malachi wszedł do środka i zasunął drzwi, po czym na oko oszacował pieniądze, dochodząc do wniosku, że patrzy na jakieś trzy setki. André zerknął na niego, uniósłszy wysoko w górę brwi.

– Podaj mi tę kopertę. Nie dotykaj niczego innego.

Koperta była zwyczajna, niezaklejona. Malachi otworzył ją, wyjął zgiętą na pół kartkę, potrząsnął nią, żeby ją rozłożyć.

„Koniec z wybieraniem stron.

To jest trucizna.

Nie chcemy jej".

I tyle. Trzy wersy, wystukane na maszynie na białym papierze, niepodpisane. Malachi przeczytał dwukrotnie list, po czym złożył go i schował do kieszeni marynarki.

– Hm...

Nad jego głową zabuczała świetlówka.

– Co robimy?

Malachi spojrzał na swojego goryla i pokręcił głową.

– Żartujesz? Pakuj to gówno.

Z tą akurat trucizną był doskonale obyty.

LIPIEC 2007

22

Zapach więdnącego bzu mieszał się z lekką wonią soli znad morza. Tom siedział na drewnianej ławce. Czytał gdzieś, że bez jest dobry na bóle głowy, ale jemu jakoś nie pomagał. Doktor Carney powiedział, że będzie się musiał nauczyć żyć z migreną.

– No co? – skwitowała Anna, wzruszywszy ramionami. – Złamany nos, zmiażdżone kości policzkowe, wybite zęby, wstrząśnienie mózgu... Myślałeś, że twój organizm urządzi z wdzięczności przyjęcie?

Ale to było nieważne. Odchylił się, uszczypnął dwoma palcami w nos, próbując zignorować pieszczotliwe łaskotanie szpileczek za gałkami ocznymi. Kiedy wracał myślami do tamtego dnia sprzed roku, w jego głowie walczyły o uwagę dwa wspomnienia. Pierwsze to Anna wykrzykująca jego imię oraz to, jak nagle wrócił do życia, jak zmartwychwstał dzięki niej. Lubił to uczucie.

Drugie wspomnienie sprowadzało się do widoku rewolweru wycelowanego w Jacka Witkowskiego, do tego, jak pociągnął za spust. Tego akurat nie lubił. Nie chodziło o to, by czegokolwiek żałował, przeciwnie – miał nadzieję, że piekło istnieje i Jack ma gdzie smażyć się do końca świata. Ale Tom obawiał się, że właśnie ta chwila zdefiniuje całe jego życie, przeważy nad wszystkim, co cenne. Że w dniu śmierci nie będzie wspominał oczu Anny ani uśmiechu Juliana, ale Jacka Witkowskiego, ciągle łypiącego na niego okiem, gdy połowa jego twarzy zamieniła się już w krwawą miazgę.

Niebo zmieniło barwę z pomarańczowej na purpurową, nadszedł ten moment zmierzchu, który zawsze wydaje się mroczniejszy niż noc. Lubił tę ciszę, kiedy siedział w ogrodzie za ich domem niedaleko wybrzeża. Dobrze mu się tam myślało. Przez chwilę świat, w który wierzył, zamienił się w dym i musiał włożyć sporo wysiłku, żeby go odbudować.

Biedni policjanci, niemalże im współczuł. „Skok na Gwiazdę" i Century Mall – dwa poważne incydenty w ciągu niecałego miesiąca, oba w luksusowych dzielnicach i we wrażliwych politycznie kręgach. Martwi gliniarze, zabici obywatele, osierocone dziecko. Dwaj niebezpieczni bandyci uciekają, by ostatecznie zginąć z rąk dwojga zupełnie zwyczajnych ludzi – zupełnie zwyczajnych ludzi podejrzanych o kradzież dużej sumy pieniędzy. Masakra!

Początkowo Anna i on chcieli powiedzieć całą prawdę, i nawet zaczęli to robić. Detektyw, który ich zatrzymał, zostawił ich jednak na długie minuty w pokoju przesłuchań. Gdy drzwi otworzyły się ponownie, pojawił się w nich zupełnie inny gliniarz. On też miał gwiazdę przy pasku, tyle że pasek ów podtrzymywał spodnie o wiele droższego garnituru, a facet mówił jak prawnik.

Tłumaczył ostrożnie zawiłość sytuacji przez całe dwadzieścia minut, zanim Tom zdał sobie sprawę, że policja nie chce mieć nic wspólnego z całą prawdą. Nie w tym wypadku. Ponieważ w momencie, gdy Jack i Marshall zginęli, gliniarze mogli liczyć co najwyżej na to, że odzyskają pieniądze od milionera, który nie przyznawał się, że mu je skradziono, i który chętnie zapłaciłby drugie tyle, żeby załatwić sprawę po cichu. W zamian mogliby skazać dwóch cywili, którzy pomścili śmierć ich kolegów, oraz umieścić jednolatka w rodzinie zastępczej. Wszystko to miało jednak drugorzędne znaczenie wobec ich głównego zmartwienia – że cała sprawa trafi na pierwsze strony gazet i stanie się głównym tematem popołudniowych wiadomości.

Solidny grunt zamienił się zatem w dym i nagle Anna i on byli wolni – odprawiono ich z delikatną sugestią, by trzymali buzie na kłódkę. Okazało się prawdą, że prawda czasem nie wystarcza.

Potem było jeszcze gorzej. Musieli przeżyć pogrzeb Sary, ból wywołany koniecznością zmierzenia się z tym, co zrobili. Anna, roztrzęsiona i blada jak ściana, wpatrująca się w woskową, zbyt mocno przypudrowaną twarz siostry na poduszce trumny. Reporterzy czekający na cmentarzu. Zdjęcia w gazecie, ludzie rozpoznający ich na ulicach, gapiący się na nich wampirycznym wzrokiem. Odkrycie tego, co Jack zrobił z ich domem; tego, że puścił z dymem ich ostatni łącznik z przeszłością, z tym, jakimi ludźmi byli kiedyś. I wreszcie najgorsze – długie samotne noce, kiedy demony szeptały im do ucha, że jeszcze nie spłacili długu. Że kiedyś przyjdzie czas to zrobić.

Ale wspominał również ciche pokoiki, w których trzymali się nawzajem w ramionach, rozmawiali, płakali, kochali się. No i był jeszcze Julian – ich radość, ich obowiązek, i być może to on sprawił, że się nie poddali. Demony szeptały głównie o nim, o tym, co będzie pewnego dnia, kiedy... Nieważne. Jedyne, co on i Anna mogli obiecać na tym świecie, to to, że Julian będzie kochany z całego serca. Nic innego nie miało teraz znaczenia.

Nad jego głową zaczęły się pojawiać gwiazdy. Oczywiście to błędny sposób myślenia. Przecież przez cały czas tam były. Tom nie mógł ich tylko dostrzec.

– Mama, goba la – powiedział Julian i uśmiechnął się.

– Masz rację – odparła Anna. – Mama goba la.

Zapięła mu body – jasnoniebieskie z pomarańczową małpką – i podciągnęła pod brzuszek bawełniany koc. Czasem, gdy płakał, mogła do woli nosić go, szeptać mu czule do uszka, kołysać nim, ale nie była w stanie go ukoić. W takich momentach nie potrafiła powstrzymać się od myśli, że płacze za swoją prawdziwą mamą. Że chodzi o jakiś zapach albo poczucie bezpieczeństwa, którego nigdy nie będzie w stanie mu zapewnić, nie do końca. Ale dziś wieczór był radosny.

Anna pstryknęła nocną lampkę, wyłączyła główne światło i podniosła jego ulubionego wypchanego zwierzaka – jednookiego włochatego cosia, wytartego i obślinionego. Sięgnął ku maskotce, jak tylko ją zobaczył, zaczął otwierać i zamykać maleńkie rączki. Dotknęła jego policzka, poczuła jego gładkość. Codziennie wydawał się śliczniejszy niż dzień wcześniej. Zaczęła cichutko śpiewać, nucąc piosenkę, której przed chwilą słuchała, Kevina Tihisty, piękną i smutną – „Do-o-n't worry, baby, I'll keep an eye on you, till you know what to do"*. Julian spojrzał na nią błyszczącymi oczkami, a potem powoli je zamknął.

Usiadła przy łóżeczku i wsłuchała się w niego oraz w docierające zza okna odgłosy nocy w Karolinie Południowej. Po chwili usłyszała skrzypnięcie i trzaśnięcie drzwi do ogrodu. Wyszła na palcach z pokoju. Znalazła Toma w kuchni przy otwartej szafce. Wytrząsnął z opakowania tabletkę ibuprofenu.

– Boli cię głowa?

– To nic.

Przytuliła się do jego pleców, objąwszy ramionami jego pierś. Unosiła się i opadała w rytm jego oddechu. Tom odchylił się ku niej i podniósł dłoń, żeby chwycić jej palce. Przez chwilę stali w milczeniu, wsłuchując się w buczenie lodówki i własne myśli.

– Wszystko dobrze?

Pokręciła głową, wspartą o jego plecy.

– Co jest?

Odwrócił się twarzą do niej.

---

* Nie martw się, kotku, będę przy tobie, dopóki nie dowiesz się, co robić – przyp. tłum.

– Kąpałam przed chwilą Juliana. Uderzał obiema rączkami o wodę i zaczął się uśmiechać, tym szerokim uśmiechem, który wydaje się rozciągać do samych uszek. To...

Zamilkła i odwróciła wzrok.

– No co?

– Wygląda jak... Uśmiecha się zupełnie jak ona.

Tom wbijał przez chwilę wzrok w powietrze, po czym przyciągnął do siebie żonę. Pogłaskał ją po włosach i przytulił, a ona z wdzięcznością przyjęła jego pieszczotę. Robili to dla siebie nawzajem, pocieszali się i tulili za każdym razem, gdy to drugie tego potrzebowało, dawali sobie ciepło, chuchali i dmuchali, by narastało. Anna pozwoliła, by ogarnęło ją całą, by złagodziło nieco ciężar, jakim były dla niej wspomnienia.

– Skończyłem – powiedział nagle Tom.

– Naprawdę?

Anna puściła go i cofnęła się. Jej koszulka była mokra od wody z kąpieli. Kurze łapki, które zauważył po raz pierwszy rok temu, pogłębiły się w wyraźniejsze zmarszczki. Tom uśmiechnął się smutno i położył jej dłoń na twarzy.

– Tak – powiedział.

– Mogę zobaczyć?

Skinął głową i poprowadził ją przez cały dom do swojego gabinetu. Lampa zalewała biurko złotą poświatą. Otworzył szufladę i wyjąwszy z niej gruby plik kartek – jakieś trzysta stron – gestem zachęcił żonę, żeby usiadła na fotelu. Sam zajął miejsce po przeciwnej stronie.

– To dopiero szkic.

– Napisałeś prawdę?

– Starałem się.

Wyciągnęła rękę. Podał jej rękopis i odchyliwszy się, patrzył, jak czyta pierwszą stronę, list. Na jej twarzy wymalowała się cała gama uczuć: najpierw uśmiech, potem zaciśnięcie ust, w końcu wilgoć w oczach. Kiedy skończyła, odłożyła stronę na pozostałe.

– Doskonały – powiedziała.

– Przeczytasz resztę?

– Nie teraz.

Skinął głową. Byli ze sobą do tego stopnia stopieni, że czasem nie musieli nic mówić. Widział, że walczy z tymi samymi myślami co on, że próbuje odnaleźć drogę ku szczęściu, nie zapominając o kosztach. Zbudować radość na smutku.

– W końcu nam przejdzie, prawda? Pewnego dnia?

Tom pomasował sobie policzek.

– Myślałem o tym, co kiedyś mówiłaś, że to jak taka stara baśń, pamiętasz?

Skinęła głową.

– Chodzi o to, że baśnie się kończą, a życie toczy się dalej. Jedyne, co możemy zrobić, to wyciągnąć lekcję z tego wszystkiego i próbować żyć lepiej. – Zawahał się. – Musimy odnaleźć swoją drogę przez to, co następuje po zakończeniu opowieści.

Anna spojrzała na niego z wyrazem twarzy, którego jeszcze nikt nie nazwał.

– Kocham cię – powiedziała.

– Chodź do mnie.

Odchylił się w fotelu.

Odłożyła plik kartek, książkę, którą zawsze obiecywał napisać, i usiadła mu na kolanach. Objął ją mocno i przytulił. Spojrzał raz jeszcze na rękopis, a potem zamknął oczy i skoncentrował się na chwili obecnej.

Oboje mieli tylko tyle. I aż tyle.

Kochany Julianie!

Kiedy to piszę, jesteś małym chłopczykiem; przeczytasz to jako młody mężczyzna. Nie wiem, jak Cię przygotować na to, co tu znajdziesz. Kie-

dy skończysz, nie będziesz myślał o nas jak do tej pory. Może nawet nas znienawidzisz.

Przeraża mnie to bardziej niż cokolwiek na świecie. Twoja matka i ja zastanawialiśmy się, czy nie zachować tego w tajemnicy, i jakaś część mnie naprawdę tego pragnie. Chciałbym móc Ci powiedzieć, że dopóki wychowujemy Cię na lepszego od nas, wymazujemy to, co zrobiliśmy. Ale byłoby to kłamstwem. Dopóki nie poznasz prawdy, nie zapłacimy za to do końca.

Tym właśnie są te kartki – prawdą opowiedzianą najlepiej, jak potrafię. To historia tego, w jaki sposób staliśmy się takimi, jacy dzisiaj jesteśmy, i jak zostałeś naszym synem. Pewnych rzeczy musiałem się domyślić – to, czego nie wiedzieliśmy. Ale próbowałem powiedzieć Ci wszystko – nawet to, co może Cię odrzucić.

Gdy będziesz to czytał, pamiętaj, że choć owszem, byliśmy chciwi, jednak tylko wtedy, gdy rzecz dotyczyła miłości.

Twoja matka i ja rozmawialiśmy kiedyś na temat tego, o co w tym wszystkim chodzi. O tym, w co należy wierzyć, skoro świat zmienia się tak szybko, skoro próżno w nim szukać uniwersalnych wytycznych, skoro niczemu nie można do końca zaufać. Powiedziała wtedy, że może chodzi o to: Żyj przyzwoicie. Bądź miłym dla innych.

Miej rodzinę, kochaj ją.

Kochamy Cię, synu. I zawsze będziemy.

Rozdział pierwszy

Ten uśmiech był sławny. Jack Witkowski nie należał do jego wielkich fanów, ale te zęby oglądał tysiące…

PODZIĘKOWANIA

TA KSIĄŻKA NIGDY BY NIE POWSTAŁA, gdyby nie cały szereg osób. Chciałbym serdecznie podziękować:

mojemu przyjacielowi i wyjątkowemu agentowi Scottowi Millerowi, który potrafi wszystko załatwić; jego asystentce, zawsze radosnej Stephanie Sun; oraz Sarze Self, która potrząsnęła Hollywood. Kiedy ktoś mnie pyta, czy mogę mu coś doradzić, jeśli chodzi o agentów, odpowiadam prosto – bierz moich.

Mojemu redaktorowi Benowi Sevierowi, człowiekowi, który na swój sposób zdobył sławę żywej legendy. To niesamowite, jak bardzo polepszyła się książka, odkąd się nią zajął.

Wszystkim pozostałym pracownikom Dutton, a zwłaszcza: Brianowi Tartowi, Trenie Keating, Lisie Johnson, Rachel Ekstrom, Richowi Hasselbergerowi, Carrie Sweetonic, Aline Akelis, Erice Imranyi i Susan Schwartz.

Z kolei Sean Chercover, Joe Konrath i Michael Cook w czasie długich wieczorów przy kawie i piwie nieraz ratowali mi tyłek.

Dziękuję moim pierwszym czytelnikom, którymi byli: Brad Boivin, Peter Boivin, Jenny Carney, Darwyn Jones i Dana Litoff. Szczególnie serdecznie chciałbym podziękować Blake'owi Crouchowi za wyjątkowo dogłębną i wnikliwą lekturę.

Dziękuję też ogólnie branży powieści kryminalnych, zwłaszcza takim jej przedstawicielom jak: Jon i Ruth Jordanowie, Judy Bobalik, Ken Bruen, Lee Child, Ali Karim, Dennis Lehane, Laura Lippman, David Morrell, T. Jefferson Parker, Patricia Pinianski, Sarah Weinman, oraz wszystkim osobom związanym z Killer Year i The Outfit Collective. Dziękuję Brettowi i Kiri Carlsonom, niezwykłym artystom.

Dziękuję księgarzom i bibliotekarzom – bez was nic by się nie udało.

Wszystkim przyjaciołom, którzy robili co mogli, żebym nie zwariował, i tym wszystkim, którzy dążyli do czegoś zupełnie przeciwnego.

Mojemu bratu Mattowi oraz rodzicom, Sally i Anthony'emu Sakeyom, którzy zawsze niezachwianie mnie wspierają.

Wreszcie dziękuję mojej żonie g.g., która ma wszystkie dobre cechy Anny i żadnej ze złych. Kocham cię, kotku.

Wydawnictwo Sonia Draga
poleca inne książki z tej serii:

MARCUS SAKEY
Na ostrzu
(*The Blade Itself*)
Tłumaczenie: Bogumiła Nawrot
ISBN: 978-83-7508-028-5

Danny Carter i jego najlepszy kumpel, Evan, zyskali poważanie w swoim środowisku, napadając na lombardy i sklepy monopolowe. Żyli z dnia na dzień, nie myśląc o jutrze. Ale jeden skok zakończył się pechowo i potem już nic nie było takie, jak wcześniej. Minęło kilka lat i Danny stara się zapomnieć o przeszłości.

Postanawia zacząć od nowa: ma legalną pracę, ukochaną kobietę i czyste sumienie. Nie różni się od innych mieszkańców miasta. Jest uczciwy. Szczęśliwy. Dobrze mu się powodzi, przynajmniej do momentu, gdy pewnego dnia dostrzega w lustrze w zadymionym barze swego dawnego kumpla, przyglądającego mu się badawczo. Evan, który spędził kilka lat za kratkami, zmienił się nie do poznania. Na procesie ani słówkiem nie wspomniał o swoim wspólniku, teraz uważa jednak, że coś mu się w zamian za to należy od dawnego kompana – i nie cofnie się przed niczym, by to wyegzekwować. Danny, widząc, że grozi mu utrata wszystkiego, co osiągnął, będzie musiał zdecydować, co robić, by chronić swoją przyszłość przed przeszłością.

MARCUS SAKEY
Na krańcach miasta
(*At the City's Edge*)
Tłumaczenie: Aleksandra Górska
ISBN: 978-83-7508-243-2

Jason wrócił właśnie do domu z I raku i marzy jedynie o tym, żeby spędzić lato na piciu i uganianiu się za spódniczkami. Ale ktoś zamordował mu brata, Michaela, a teraz poluje na jego ośmioletniego bratanka. To co zaczyna się jako pogoń za sprawiedliwością bardzo szybko wymyka się spod kontroli, kiedy ogień podłożony pod knajpę Michaela okazuje się zbrodniczym podpaleniem, a walki gangów szalejące na gorących ulicach Chicago zaczynają bić na głowę wszystko, czego Jason był świadkiem w Bagdadzie.

W tym mrocznym thrillerze Marcus Sakey zgłębia od podszewki najniebezpieczniejsze zaułki Chicago, bada granice miłości do rodziny i przede wszystkim spełnia oczekiwania, jakie rozbudził swoim entuzjastycznie przyjętym debiutem Na ostrzu.

MO HAYDER
Rytuał
(*Ritual*)
Tłumaczenie: Ewa Penksyk-Kluczkowska
ISBN: 978-83-7508-266-1

W majowy wtorek tuż po lunchu policyjny nurek Phoebe Marley zaciska dłoń na ludzkiej ręce. Już sam fakt, że ręce nie towarzyszy reszta ciała, jest wystarczająco niepokojący. Co gorsza, następnego dnia policja znajduje drugą rękę. Obie niedawno amputowano, a śledczy mają powody przypuszczać, że amputowano je za życia ofiary.

Komisarz Jack Caffery, właśnie oddelegowany do Wydziału Kryminalnego Policji w Bristolu, próbuje zapomnieć o klęskach osobistych życia w Londynie. Od lat prześladowany poczuciem winy po zniknięciu brata, szuka mężczyzny, który ostatnio opuścił więzienie, mężczyzny, który sypia pod gołym niebem i wędruje po kraju, nękany wspomnieniami o straszliwej zbrodni.

Caffery i Phoebe ustalają wkrótce, że ręce należały do pewnego chłopaka, po którym wszelki słuch zaginął. Szukając jego i jego prześladowców, trafiają w najciemniejsze zakamarki Bristolskiego półświatka, gdzie na porządku dziennym jest narkomania, gdzie dzieciaki sprzedają się za działkę, i gdzie czai się pradawne zło, które żywi się ludzką krwią i ciałem.

CHRIS CARTER
Krucyfiks
(*The Crucifix Killer*)
Tłumaczenie: Katarzyna
Procner-Chlebowska
ISBN: 978-83-7508-257-9

W opuszczonej chacie w środku lasu policjanci odkrywają zwłoki młodej kobiety. Przed śmiercią ofiarę okrutnie torturowano, by na koniec przywiązać ją za nadgarstki do dwóch równolegle ustawionych drewnianych pali, z rozpostartymi ramionami, kolanami spoczywającymi na ziemi, jak podczas modlitwy. Na karku kobiety morderca zostawił podpis: tajemniczy symbol podwójnego krzyża. Ten sam, którego kilka lat wcześniej używał seryjny morderca ochrzczony przez media Krucyfiksem. Problem w tym, że Krucyfiksa złapano i stracono prawie dwa lata wcześniej. Czy to możliwe, by naśladowca dotarł do szczegółów dawnej zbrodni, znanych tylko wąskiej grupie pracujących przy śledztwie policjantów? A może wtedy skazano niewłaściwego człowieka?

Przyprawiający o dreszcze, mroczny i niepokojący thriller, który wbija w fotel i długo nie pozwala zasnąć.